In dieser turbulenten Geschichte treten Mona, die »Schlampe«, und ihre spießige Schwester Jutta aus Kerstin Bauers erstem Roman erneut in Aktion. Diesmal sorgen Monas ungeordnetes Liebesleben, eine geplatzte Hochzeit und ein Banküberfall mit einer gehörigen Ladung Schrot für viel Zoff zwischen den ungleichen Schwestern:

Mona fühlt sich einsam und in ihrem schriftstellerischen und schauspielerischen Talent verkannt. Keiner versteht sie – weder ihre Statistenkollegen im Theater noch ihre beiden Liebhaber und ihre Familie schon gar nicht. Als Mona von einem ihrer beiden Männer eiskalt abserviert wird, verlobt sie sich in reichlich angetrunkenem Zustand mit dem anderen, einem charmanten Schauspieler. Erst in letzter Sekunde überlegt sie es sich doch noch anders und gibt ihm auf dem Standesamt einen Korb. Die Verwandtschaft wendet sich empört von ihr ab, und Mona hat sowohl von Männern als auch von ihrer Familie erst mal die Nase voll.

So stolpert sie unbeirrt von einer Pleite in die nächste, doch am Ende ist es ausgerechnet ihre Schwester Jutta, die ihr einen Stoß in die richtige Richtung gibt …

Kerstin Bauer, Jahrgang 1969, studierte Germanistik, Politologie und Medien- und Kommunikationswissenschaft. Sie lebt in der Nähe von Mannheim. Im Fischer Taschenbuch Verlag erschien ihr Roman ›Hommage an eine Schlampe‹ (Bd. 13 338).

Unsere Adresse im Internet: www.fischer-tb.de

Kerstin Bauer

Der Familienschandfleck

Roman

Fischer
Taschenbuch
Verlag

Die Frau in der Gesellschaft
Herausgegeben von Ingeborg Mues

Originalausgabe
Veröffentlicht im Fischer Taschenbuch Verlag GmbH,
Frankfurt am Main, Februar 2000

© Fischer Taschenbuch Verlag GmbH, Frankfurt am Main 2000
Gesamtherstellung: Clausen & Bosse, Leck
Printed in Germany
ISBN 3-596-13995-3

Kapitel 1

Es gibt viele Arten, aus dem Schlaf gerissen zu werden. Die wohl noch angenehmste ist das Wachküssen – obwohl ich damit so gut wie überhaupt keine Erfahrung gemacht habe. Etwas anderes ist es, wenn man stürmisch wachgerüttelt wird – diese Methode ist mir aus meiner gesamten Schulzeit sehr vertraut. Aber was wirklich schon an Körperverletzung grenzt, das ist das schrille Läuten eines Telefons! Schon im Wachzustand hasse ich dieses Geräusch.

Der Ruf des Klingelmonsters ereilte mich an diesem speziellen Samstag morgen. Es war gerade mal halb elf, für Leute wie mich also noch mitten in der Nacht. Ich bin Schriftstellerin, und wie viele andere Künstler bin ich ein ausgesprochener Nachtmensch. Ich habe es mir nicht ausgesucht, es ist nun mal so. Liebt mich, wie ich bin.

Stinkwütend schlurfte ich zum Telefon.

»Manntey«, meldete ich mich mit kratziger Stimme.

Frechheit! Mich einfach aus dem Bett zu werfen. Ich hatte noch nicht einmal meinen Aufweck-Kaffee getrunken!

»Hier Falkenhorst«, antwortete eine hochnäsige Überbiß-Stimme. »Sie haben mein Garagentor beschmutzt.«

Ach, du heiliger Bimbam! Die Falkenhorst! Wieso hatte ich es nicht einfach klingeln lassen!

»Sie haben mein Garagentor beschmutzt« – das hörte sich an, als hätte ich es angepinkelt!

Dazu müssen Sie folgendes wissen: Die verehrte Frau Falkenhorst ist eine Nachbarin von mir. Ihre Garage liegt genau gegenüber der meinen. Nun habe ich doch tatsächlich die Angewohnheit, vorwärts in meine Garage hinein- und rückwärts wieder hinauszufahren, was natürlich als eine grobe Unverschämtheit meinerseits anzusehen ist. Wieso? Nun, wenn Sie sich die Sache mal bildlich vor Augen führen wollen: Beim Hinausfahren zielt der Auspuff meines Autos in die Richtung von Frau Falkenhorsts Garagentor! Selbstverständlich erweise ich diesem Weib damit einen Riesengefallen. Sobald das verflixte Tor verschmutzt ist, sei es durch spielende Kinder, durch einen LKW, der auf dem Garagenplatz gewendet hat, oder was auch immer: Die gute Frau weiß, wohin sie sich wenden kann, nämlich an die ledige und unbeschützte Mona Manntey, die vollauf damit beschäftigt ist, mit ihrem Auspuff alles zu verunreinigen!

»Halten Sie die Luft an, ich war das doch gar nicht«, murmelte ich genervt.

Sie geriet in Rage.

»Aber sicher waren Sie das! An meinem Garagentor befinden sich zwei große Flecken. Sie fahren mit Ihrem Auto immer so dicht heran, daß alles vibriert. Sie werden diese Flecken gefälligst auch wieder entfernen!«

Zu meinen Gunsten möchte ich feststellen, daß ich das Ansinnen dieser freundlichen Dame nicht rundheraus ablehnte, ich teilte ihr lediglich auf die liebenswürdigste Weise mit, daß ich verdammt noch mal lieber verrecken würde, bevor ich auch nur daran dächte, ihr dämliches Tor zu putzen. Ich fand, das war eine höfliche und zartfühlende Umgehung ihres Anliegens und bewies einmal mehr, daß ich jenes Maß an guter Erziehung besitze, welches es nicht zuläßt, einem Mitmenschen den Schmerz einer direkten Ablehnung zuzufügen.

Leider war meine Höflichkeit so vergeudet wie die altbekannten und profanen Perlen, die man vor die weiblichen Schweine wirft. Frau Falkenhorst gebärdete sich wie eine wild gewordene Wildsau.

»Entweder Sie machen meine Garage sauber, oder die Sache kommt vor Gericht!«

Offenbar erlag sie dem naiven Gedanken, sie könnte mich bereits durch das Wort »Gericht« einschüchtern, aber da kannte sie mich schlecht!

»Sagen Sie«, erkundigte ich mich freundlich, »haben Sie eigentlich überhaupt nichts Wichtiges zu tun? Ist dieses Garagentor Ihr einziger Lebensinhalt?«

»Ich habe furchtbar viel zu tun«, schäumte sie – was ich berechtigterweise bezweifelte –, »ich habe wirklich keine Zeit, auch noch den Dreck von anderen Leuten wegzuputzen!«

Jetzt hatte sie es geschafft, jetzt war ich beleidigt!

»Sie sind doch zu eingebildet, um Ihren Nachbarn auch nur guten Tag zu sagen«, brüllte ich, »aber Verleumdungen in die Welt setzen, das können Sie!«

»Jetzt reicht's«, schrie die liebe Frau Falkenhorst, »jetzt ist der Anwalt fällig!«

»Einverstanden«, gab ich bekannt und legte auf.

Ich war sauer. Ich hasse solche Leute. Ich bin überzeugt davon, daß die meisten Menschen, die wegen irgendwelcher Nichtigkeiten von einem Gericht zum anderen ziehen, entweder sexuell frustriert sind oder einfach nicht genug zu tun haben. Bei dieser Frau mußte man mit größtmöglicher Sicherheit beide Gründe in Betracht ziehen.

Enerviert zündete ich mir eine Zigarette an. Es ist sonst nicht meine Angewohnheit, so kurz nach dem Aufstehen schon zu rauchen, wenngleich meine gesamte Familie mich als einen zutiefst lasterhaften Menschen einstuft. Tatsächlich greife ich nur zu dieser beruhigenden Maßnahme, wenn ich ausgesprochen erschöpft und verärgert bin – so wie es just in diesem Augenblick der Fall war. Konnte dieses blöde Weib ihren Frust nicht so abbauen, wie es vernünftige Menschen handhaben? War sie nicht einmal imstande, sich zu besaufen, wie ich es getan hätte – oder meinetwegen nach Herzenslust einzukaufen? Vermögend war sie doch, das wußte ich genau. Ich kann mich noch gut erinnern, wie sie nach dem Tod ihres Mannes – stinkreicher alter Kauz übrigens – wie verrückt ihr Haus renoviert hatte. Der gute Mann mit der hohen Lebensversicherung war sogar ein halbes Jahr nach seinem Ableben wieder ausgebuddelt und »auf Anzeichen eines von außen gewaltsam verursachten Einwirkens bezüglich seines Todes« untersucht worden. Leider konnte man seiner gramgebeugten Witwe nichts nachweisen. Ein Jammer, wenn Sie mich fragen. Hinter Schloß und Riegel wäre diese hysterische Person meiner Meinung nach besser aufgehoben gewesen. Dort hätte sie wenigstens keine anständigen Bürger wie mich belästigen können.

Das Telefon klingelte schon wieder.

Wütend riß ich den Hörer herunter und brüllte:

»Herrgott, was ist denn noch?«

»Also wirklich, Mona«, tönte eine eingeschnappte Stimme an mein Ohr, »das ist ja wohl das Allerletzte. Ich rufe dich in der besten Absicht an, und du schreist wie üblich in der Gegend rum!«

Meine Schwester Jutta!

»Entschuldige, Jutta, ich dachte, es wäre jemand anders.«

»Ach jaaa«, murmelte sie anzüglich, »welchen von beiden hast du denn erwartet?«

Anspielungen auf mein Liebesleben kann ich ja nun überhaupt nicht leiden.

»Bitte, Jutta, weshalb rufst du an?«

»Du bist mal wieder ausgesprochen unhöflich«, meckerte sie. »Ich bin im sechsten Monat schwanger, du darfst mich nicht so anbrüllen! Du hast das Baby erschreckt. Jetzt wird es mich mindestens eine Stunde lang mit Tritten bombardieren, und dann bekomme ich wieder Sodbrennen und außerdem ...«

»Schon gut«, seufzte ich verzweifelt, »richte dem Baby meine Empfehlung aus, und sag ihm, daß es nicht persönlich gemeint war ... und jetzt komm bitte zur Sache!«

Jutta war schon bei ihrer ersten Schwangerschaft schwierig gewesen. Bei ihrer zweiten war sie schlichtweg unerträglich. Vielleicht lag es an den besonderen Umständen. Dies hier war schließlich die Entstehung der »Versöhnungsleibesfrucht«! Im Klartext: Mein Schwager Rolf hatte monatelang seine Sekretärin gebumst, bis er schließlich reumütig zu meiner Schwester zurückgekehrt war. Sie war dann erstaunlich schnell schwanger geworden.

Offensichtlich schien heute mein Glückstag zu sein: Jutta plus zukünftiges Baby waren bereit, mir zu vergeben!

»Stell dir vor«, sprudelte sie fröhlich drauflos, »Mami hat mich angerufen! Sie kommt mich heute nachmittag besuchen! Und dich will sie natürlich auch sehen!«

Ach, wie fein. Unsere gemeinsame Mutter hatte natürlich nur ihre zweite Tochter informiert und kam selbstverständlich auch nur in deren Wohnung, weil die ja viel besser aufgeräumt war als meine. Aber immerhin: Sie wollte auch mich sehen! Wenn das nicht ein Freudentag war!

»Na, das ist ja sehr schön, Jutta. Bitte, wann hat Mami dich angerufen?«

»Och, so vor einer Woche ungefähr.«

Vor einer Woche. Ja, dann war ja alles in Ordnung. Hätte Mami bereits vor einem Monat angerufen – tja, dann hätte ich allerdings ernsthaft Grund gehabt, mich etwas übergangen zu fühlen.

»Es ist so, Mona«, klärte meine Schwester mich auf, »Papi fährt für ein paar Wochen zur Kur, und Mami bringt ihn natürlich hin. Und auf dem Rückweg kommt sie bei uns vorbei!«

»Kommt sie bei dir vorbei«, verbesserte ich scharf.

»Meine ich doch. Eben bei uns: Bei Rolf, Martin und mir.«

»Ist schon klar«, murmelte ich müde.

»Du fragst gar nicht, wieso Papi zur Kur fährt«, bemerkte Jutta vorwurfsvoll.

»Warum soll ich das auch fragen? Jeder, der seit über dreißig Jahren mit Mami zusammenlebt, hat zweifelsohne von Zeit zu Zeit eine Kur nötig!«

Damit gab ich Jutta wenigstens einen Grund, sich mal wieder so richtig künstlich aufzuregen.

Und das war auch gut so. Bei dem stinklangweiligen Leben, das sie führte, brauchte sie ab und zu einen Menschen, der ihren Adrenalinspiegel in die Höhe trieb. Und in fünfundneunzig Prozent aller Fälle war ich dieser Mensch. Also hörte ich mir geduldig ihre Vorwürfe an: Ich hätte nicht den nötigen Respekt vor unserer Mutter, ich sei eine Person, der es an jeglichem Familiensinn mangele, bla, bla, bla – bis ich schließlich der Meinung war, daß sie für heute genug Aufregung gehabt hatte.

»Um wieviel Uhr kommt sie denn?« unterbrach ich meine liebe Schwester mitten im Satz.

Jutta holte tief Luft.

»Sie wollte gegen vier Uhr hier sein.«

Ich beschloß, sie ein bißchen zappeln zu lassen.

»Ach, gegen vier? Ich weiß gar nicht, ob ich da überhaupt Zeit habe ...«

»Mona, das kannst du nicht machen«, rief sie. »Du mußt einfach kommen!«

»Ich sehe mal in meinem Terminkalender nach.«

Ich griff nach einem Notizblock, der neben meinem Telefon lag, und blätterte so geräuschvoll wie nur möglich darin herum. Und obwohl da nichts, aber auch gar nichts stand, erwiderte ich:

»Gegen vier? Oh, das wird aber verdammt schwierig. Da habe ich eine höchst private Verabredung. Ich könnte sie natürlich absagen, und der Betreffende hätte sicherlich Verständnis dafür – angesichts der dringlichen Lage! Aber ich hasse es, wenn ich jemanden enttäuschen muß!«

»O bitte, Mona, mach es doch möglich«, bettelte Jutta. »Sieh mal, Mami wäre auch furchtbar enttäuscht, wenn du nicht kommen könntest!«

Meine gute alte Jutta. Die schluckte das tatsächlich.

»Ach, ich weiß nicht so recht ...«

»Es ist immer die alte Geschichte mit dir«, schimpfte sie plötzlich, »dauernd zierst du dich. Kannst du eine Einladung nicht ein einziges Mal einfach nur mit ›Ja, gerne‹ beantworten?«

Sie hatte es verdorben. Sie hatte die ganze Situation verkorkst. Ich hatte geplant, daß sie mich um etwas bat, ich das übliche Theater abzog, sie mich eine Weile anbettelte und ich dann schließlich großzügig nachgab, worauf sie dann mit einem tiefen Gefühl von Befriedigung reagierte, weil sie es doch noch geschafft hatte, mich zu überreden. Warum konnte sich Jutta nie an die Spielregeln halten? Ich war immerhin der einzige Mensch, der ihr wenigstens mal überhaupt irgendeine Art von Befriedigung verschaffte – meinem Schwager Rolf traute ich auf diesem Gebiet nicht allzuviel zu.

»Schön, Jutta, ich werde kommen. Wenn dir wirklich sooo viel daran liegt ...«

»Gut«, antwortete sie hoheitsvoll. »Sei bitte pünktlich! Bis dann, Mona.«

»Bis dann, Schätzchen!«

Seufzend legte ich auf. Ich würde pünktlich sein, darauf konnte sie Gift nehmen. Schließlich ist meine Schwester eine großartige Köchin, das muß ihr der Neid lassen.

Oje! Kaum elf Uhr, und ich war schon völlig erschöpft. Wenigstens würde ich an diesem Nachmittag Gelegenheit haben, mich kostenlos satt zu essen. Man muß dankbar sein für die kleinen Freuden des Lebens ...

Mir knurrte derart der Magen, daß ich bereits um halb vier an Juttas Wohnungstür klingelte.

Die Hausdame öffnete selbst. Ich fiel fast in Ohnmacht. Ich hatte meine Schwester seit einigen Wochen nicht gesehen. Natürlich wußte ich, daß sie im sechsten Monat schwanger war, trotzdem haute mich ihr Anblick fast aus den Socken. Die Frau war fett! Jutta sah aus wie ein Wal – wie ein schwangerer Wal!

»Mona«, begrüßte sie mich herzlich, »gut siehst du aus!«

Auwei. Jetzt erwartete sie natürlich auch von mir ein Kompliment.

»Ja, äh ... du aber auch, Jutta!«

Ich hasse es, wenn ich lügen muß.

»Nicht wahr«, lächelte sie. »Ich fühle mich auch sehr wohl in meiner Schwangerschaft. Mein Haar war noch nie so glänzend, und meine Haut ist ganz glatt und weich!«

»Klar«, bestätigte ich, »du siehst richtig prall und drall ... na, eben richtig prall aus!«

Oder haben Sie schon einmal einen Wal mit Falten gesehen?

Juttas Lächeln vertiefte sich.

»Martin, Rolf«, rief sie. »Kommt und sagt Mona hallo!«

Mein achtjähriger Neffe Martin kam fröhlich herbeigehüpft. Oder war er schon neun? Ich kann mir seinen Geburtstag beim besten Willen nicht merken. Aber das ist auch gar nicht nötig. Eine Woche vorher ruft mich nämlich grundsätzlich seine Mutter an und gibt mir Anweisungen bezüglich des Geschenks, das ich ihm kaufen muß.

Da Jutta mit Argusaugen über unsere Begrüßung wachte, küßte ich ihn pflichtschuldig auf die Wange, und er hielt pflichtschuldig still. Eigentlich mochte ich den Kleinen sogar ganz gern, obwohl ich mir nichts aus Kindern mache. Wir hatten ein stillschweigendes Übereinkommen: Er ließ mich in Ruhe und ich ihn ebenso.

Wesentlich muffiger und weitaus weniger fröhlich schlurfte mein Schwager Rolf herbei.

»Hallo, Mona«, grüßte er mit Grabesstimme.

»Hi, Rolf«, sagte ich in entsprechendem Tonfall.

Auch wir hatten ein stillschweigendes Übereinkommen: Er konnte mich nicht riechen und ich ihn ebensowenig. Ich wandte mich wieder meiner Schwester zu.

»Mami ist wohl noch nicht da, stimmt's? Was gibt es zu essen?«

Die erste Frage war eine Floskel gewesen, die zweite eine Lebensnotwendigkeit.

»Nein, sie ist noch nicht da. Ich habe einen Sandkuchen gebacken und Sandwiches gemacht. Du kannst entweder Kaffee haben oder Sekt. Wie du willst. Ich habe extra eine Flasche Sekt für euch geholt – ich darf ja nicht!«

Die letzten Worte begleitete sie mit einem liebevollen Bauchtätscheln. Mich schauderte insgeheim. Neun Monate lang kein Alkohol, entsetzlicher Gedanke!

»Du könntest mir beim Tischdecken helfen«, fuhr sie fort.

»Ja, gerne«, rief ich begeistert.

Bei dieser Gelegenheit konnte ich mich heimlich an den Sandwiches vergreifen. Aber Rolf machte wie üblich alles zunichte.

»Nein, nein«, protestierte er, »ich erledige das. Setzt ihr euch nur gemütlich ins Wohnzimmer, ich habe alles im Griff.«

Blöder Idiot. Wollte er mich verhungern lassen? Jutta würde mir niemals ein Sandwich gönnen, bevor Mami nicht aufgetaucht und die ellenlange Begrüßungsorgie abgeschlossen war.

»Ist er nicht süß«, schwärmte Jutta. »Seit meiner Schwangerschaft ist er so fürsorglich!«

»Ja, wahnsinnig süß«, murrte ich.

Der hatte doch bloß noch Gewissensbisse wegen seiner Sekretärinnenaffäre! Und Jutta, doof wie sie war, fiel darauf herein. Aber ich hatte den Kerl ohnehin nie leiden können.

Jutta ließ sich schwerfällig in einen Sessel plumpsen. Ich versuchte mir einzureden, daß ich völlig satt und zufrieden war.

»Sag mal, Mona«, begann Jutta gedehnt, »was ich dich fragen wollte …«

O nein, was kam jetzt schon wieder auf mich zu?

»Mona, wirst du Mami davon erzählen?«

Ich wußte genau, worauf sie anspielte, aber ich stellte mich dumm, so schwer mir das auch fiel – Jutta beherrschte diese Methode wesentlich besser als ich. Kein Wunder.

»Was soll ich Mami erzählen? Ich habe bereits mit zehn Jahren aufgehört, ihr überhaupt etwas zu erzählen!«

Jutta druckste herum.

»Na, ich meine die Verhältnisse … äh, deine momentanen, nun ja – eben Verhältnisse.«

»Ach, die meinst du«, entgegnete ich lachend, »die schlampigen Verhältnisse, in denen ich mich befinde. Darauf willst du doch hinaus, nicht wahr?«

Jutta schien erleichtert. »Ja, sicher. Also, wenn du befürchtest, Mami könnte eine schlechte Meinung von dir haben, dann bin ich natürlich die allerletzte, die sie informiert über Helmut – und diesen Fotografen.«

»Liebe Jutta«, sagte ich freundschaftlich, »drei Dinge vorweg. Erstens: Der Fotograf heißt Uwe – das könntest du dir endlich einmal merken. Zweitens: Ob Mami eine schlechte Meinung von mir hat oder nicht, ist mir scheißegal. Ich glaube nicht, daß sie überhaupt je eine bestimmte Meinung von mir hatte oder je haben wird. Folglich kann ich nur gewinnen! Drittens: Ich werde dir ganz bestimmt nicht verbieten, irgend etwas über mich zu erzählen, weil ich dich letzten Endes sowieso nicht dazu zwingen kann, deine Klappe zu halten. Ich wäre dir allerdings dankbar, wenn du deine spießigen und intoleranten Ansichten etwas zurückschrauben und nicht alles in den Dreck ziehen würdest. Helmut ist der Mann, der mich liebt, und Uwe ist der Mann, den ich liebe. So einfach ist das. Mehr gibt es dazu nicht zu sagen.«

Meine Schwester starrte mich mit offenem Mund an. Jetzt sah sie nicht mehr wie ein Wal, sondern eher wie ein stark übergewichtiger Karpfen aus.

Bevor sie um Fassung ringen und auf mich losgehen konnte, klingelte es an der Haustür.

»Das ist Mami!« schrie sie und hievte sich angestrengt mit den Armen rudernd von ihrem Sessel hoch.

Natürlich war sie es. Sie fiel Jutta stürmisch um den Hals, knutschte Martin enthusiastisch ab, umarmte Rolf voller Herzlichkeit, und irgendwann begrüßte sie auch mich. Wir setzten uns an den gedeckten Tisch, und während ich gierig einige Sandwiches in mich hineinschlang – endlich bekam ich etwas zu essen –, ratterte sie ihre übliche Lobrede herunter. Wie blühend Jutta doch aussah. Wie toll ihre Wohnung aussah. Wie gesund und fröhlich der kleine Martin aussah. Wie glücklich und zufrieden Juttas Ehemann aussah. (Sie hatte keine Ahnung von seiner Affäre, und ich war die letzte, die sie in diesem Punkt aufgeklärt hätte. Ich fand, es ging mich nichts an.) Wie lecker der Kuchen und die Sandwiches aussahen und auch so schmeckten. Und natürlich wie totenblaß und ungesund ich aussah.

Bevor sie in diesem Punkt ausführlicher ins Detail gehen konnte, fragte ich:

»Jutta, hast du nicht gesagt, du hättest eine Flasche Sekt?«

»Entschuldige, Liebling«, wandte Rolf, der treusorgende Gatte, sich an seine Frau. »Sie steht noch im Kühlschrank, ich hole sie.«

»Ist er nicht süß?« schwärmte Jutta schon zum zweiten Mal an diesem Tag.

Mami nickte begeistert, ich nickte angeekelt von so viel Harmonie.

»Laß mich das machen«, sagte ich, als ich beobachtete, wie ungeschickt Rolf mit der Sektflasche hantierte. »Bei dir schießt der Korken quer durch das Zimmer, und der halbe Inhalt sprudelt hinterher.«

Ich nahm ihm die Flasche aus der Hand und wurde sofort von Mami gerügt:

»Mona, das ist aber gar nicht höflich. Rolf ist schließlich der Mann im Haus.«

»Scheiß drauf«, murmelte ich, aber nur ganz leise. Ich öffnete die Flasche mit einem leisen »Peng«, und kein Tropfen des Inhalts ging daneben.

»Gelernt ist eben gelernt«, stellte ich zufrieden fest und füllte die Gläser.

»Ja«, meinte meine Schwester zuckersüß, »und unsere liebe Mona hat nun wirklich genug Erfahrung im Öffnen von Sekt- oder Weinflaschen.«

Offenbar hielt sie diese zynische Anspielung für außerordentlich scharfsinnig, doch gemein, wie ich nun mal bin, drehte ich den Spieß um. Ich kippte das erste Glas in einem Zug hinunter, schenkte mir zum zweiten Mal ein und prostete ihr zu mit den Worten:

»Du hältst deine Schwester also für eine Säuferin? Na, darauf laß uns trinken!«

Alle waren geschockt, und ich genoß es. Mami fühlte sich nun doch verpflichtet, ihrer ältesten Tochter ein wenig Anteilnahme zu zeigen.

»Monaleinchen, berichte mal. Was machst du so?«

Allgemeiner hätte sie die Frage kaum formulieren können, trotzdem antwortete ich brav:

»Mein zweites Buch ist fast fertig.«

»Oh – wie schön! Dein zweites Buch, so, so ... Ach ja, das zweite muß ich dann aber wirklich einmal lesen.«

»Ja, ich auch«, beeilte sich Jutta zu versichern.

»Ja, das wäre nett von euch«, lächelte ich sarkastisch. »Wißt ihr, ich pflege zu meinen Bekannten immer zu sagen: ›Ihr müßt mein Buch nicht unbedingt lesen, ihr müßt es nur kaufen!‹ Ihr allerdings, die ihr von mir ein Freiexemplar mit persönlicher Widmung erhaltet – ja, ihr könntet das verfluchte Ding mir zuliebe schon lesen!«

Die beiden stürzten sich, wohl um die Peinlichkeit der Situation zu überspielen, auf ihre Kuchenteller wie zwei ausgehungerte Wölfe. Ich blickte sie traurig an. Warum waren sie bloß so ekelhaft zu mir? Ich bemühte mich so sehr, die beiden gern zu haben. Schließlich waren sie fast so etwas wie Familie für mich. Daß Rolf mein Buch nicht gelesen hatte, verübelte ich ihm nicht weiter. Der Idiot hatte sowieso nie gelernt zu lesen.

Und dann passierte es. Der Augenblick, den ich einerseits gefürchtet und andererseits herbeigesehnt hatte, nur damit ich ihn endlich hinter mich bringen konnte. Mami räusperte sich, rückte ihre Bluse zurecht, starrte angestrengt auf ihren Sandkuchen und fragte mit bewundernswert geheuchelter Beiläufigkeit:

»Und sonst, Mona? Was macht die Liebe?«

Ich wußte, egal, was ich jetzt sagte oder nicht sagte, es würde das Falsche sein. So antwortete ich in dem gleichen beiläufigen Tonfall nur mit einem kurzen »Danke, fein«.

Meine Mutter sah ehrlich enttäuscht aus. Aber nun hatte meine Schwester ihre große Stunde.

»Mona, sei doch nicht so einsilbig! Mami, Mona hat vor einigen Monaten einen wirklich netten Mann kennengelernt. Stell dir vor, es ist der Schauspieler Helmut Barker!«

»Ach so, der«, rief meine Mutter, »Helmut Barker! Ja, ist das denn die Möglichkeit, na so was, Helmut Barker! Welch eine Freude!« Es war offensichtlich, daß sie nie von ihm gehört hatte.

»Ja«, plapperte Jutta weiter, »er ist Österreicher, weißt du. Er sieht sehr gut aus und ist sogar richtig erfolgreich. Außerdem ist er wahnsinnig in Mona verliebt!«

»Tatsächlich«, konnte es meine Mutter kaum fassen. »Mona, warum sagst du das nicht gleich?«

Ich trank mein drittes Glas Sekt und sagte überhaupt nichts mehr. Wozu auch? Jutta unterrichtete Mami über alle Einzelheiten: wie Helmut und ich uns kennengelernt hatten, was für ein toller Mann er doch war, in welchen Filmen er mitgewirkt hatte und so weiter. Meine Mutter brach zwischendurch in begeisterte Aaahs und Ooohs aus.

Eigentlich hätte ich nach Hause gehen können. Die beiden redeten ohnehin über mich, als wäre ich gar nicht da.

»Aber das Beste«, jubelte Jutta, »das Beste ist: Er hat Mona einen Heiratsantrag gemacht!«

Meine Mutter gab ein begeistertes Kreischen von sich, sprang wie ein Floh von ihrem Sessel und drückte mich leidenschaftlich an sich.

»Mona, das ist ja wundervoll! Wie ich mich freue! Da siehst du, daß man die Hoffnung nicht aufgeben darf! Meine Mona wird nun endlich doch noch heiraten!«

»Nee, werde ich nicht«, zerstörte ich ihre Illusionen, »ich habe nämlich abgelehnt.«

»Mona! Kind! Warum denn? Warum denn nur?«

Ich hatte mir bis dato eingebildet, der Ausdruck »händeringend« wäre nur so eine blöde Redensart. Anscheinend hatte ich mich geirrt. Anders ließ sich die komische Geste, mit der meine Mutter ihren entsetzten Ausruf begleitete, nämlich nicht beschreiben.

»Wieso hast du nur abgelehnt?« schrie sie nun mit der Dramatik einer Courths-Mahler-Romanfigur.

Ich war einunddreißig Jahre alt und meiner Mutter eigentlich keine Rechenschaft schuldig. Aber ich hatte drei Gläser Sekt intus und war halbwegs milde gestimmt und zum Plaudern aufgelegt. Außerdem entwickle ich mit einem gewissen Alkoholspiegel einen ziemlich guten Durchblick, an dem ich meine Umwelt gerne teilhaben lasse. Der Grund, warum ich Helmut nicht heiraten wollte, war nicht etwa meine eher unerwiderte Liebe zu »dem Fotografen«, wie Jutta ihn immer nannte. Nein, es gab einen weitaus wichtigeren Grund.

»Hör zu, Mami. Ich habe einfach den unangenehmen Verdacht, daß Helmut nicht mich liebt, sondern nur die Idee von mir. Er interpretiert etwas in mich hinein, was gar nicht da ist.«

»Mona«, strahlte meine Mutter, »da kann ich dich aber vollauf beruhigen.«

»Ach ja? Da bin ich aber gespannt!«

»Sieh mal, Herzchen. Wenn er dich nun schon monatelang kennt und immer noch bei dir ist – ja, dann muß er dich einfach lieben! Bestimmt hat er längst bemerkt, daß du nicht kochen kannst, eine miserable Hausfrau und noch dazu furchtbar launisch bist. So was kann man nicht einfach verleugnen! Wie kannst du also behaupten, er sieht etwas in dir, das nicht vorhanden ist? Gerade bei dir ist das unmöglich. Deine Fehler erkennt man auf den ersten Blick!«

Ja, nun war ich allerdings beruhigt. Meine Mutter schaffte es immer wieder. Aber ich hätte mich lieber vierteilen lassen, bevor ich zugegeben hätte, wie verletzt ich war. Ich beschloß, sie ein wenig zu schockieren, indem ich ihr mitteilte, daß Helmut sich nach der Scheidung von seiner ersten Frau hatte sterilisieren lassen. Diese Nachricht schlug bei ihr ein wie eine Bombe.

»Du meinst«, flüsterte sie, »er kann – er kann jetzt nicht mehr? Gar nicht mehr?«

»O doch«, antwortete ich seelenruhig, »er kann durchaus.«

»Ja, aber – nach einer Kastration! Wie soll denn das gehen?«

»Ich habe neulich im Fernsehen etwas über Kastration gesehen«, schaltete sich Jutta ein. »In Indien kastrieren sie kleine Jungs. Etwa die Hälfte kommt dabei um.«

»Monas Freund scheint es aber überlebt zu haben«, gab Mami zu bedenken, »sonst hätte er ihr doch keinen Heiratsantrag machen können!«

Ich schüttelte verzweifelt den Kopf. Das sollte nun mein Fleisch und Blut sein! Es war schon zu peinlich.

»Mami, ich sagte Sterilisation, nicht Kastration! Dabei werden lediglich die Samenleiter durchtrennt. Das, was der Osterhase bringt, wird nicht angerührt!«

»Also, weißt du«, flüsterte meine Mutter mit hochrotem Kopf, »so genau wollte ich es nun auch wieder nicht wissen!«

Ich war fest entschlossen, dem Ganzen noch eins draufzusetzen.

»Übrigens: Da gibt es jemand, der mich vor Gericht bringen will!«

Mami, Jutta und Rolf kreischten einstimmig auf. Allerdings jeder in seiner eigenen Tonart.

Mami war aufrichtig besorgt: Was hatte ihre Tochter nun schon wieder angestellt? Jutta schien es offenbar schon immer gewußt zu haben: Ihre Schwester machte nichts als Ärger. Rolf war neugierig-erfreut: Würde man seine Schwägerin endlich aus dem Verkehr ziehen?

Nun, ich erzählte die Geschichte von Frau Falkenhorsts Garagentor so dramatisch wie möglich. Das Ergebnis war niederschmetternd.

Meine Mutter murmelte: »Daß das Kind aber auch immer so übertreiben muß ...«

Meine Schwester murmelte: »Vom Saubermachen hat sie ja noch nie viel gehalten ...«

Mein Schwager murmelte: »Schade, deswegen wird sie kaum im Knast landen ...«

Noch bevor ich meiner Enttäuschung angesichts der mangelnden Anteilnahme meiner geliebten Familie Ausdruck geben konnte, meldete sich der kleine Martin, der die ganze Zeit schweigend bei uns gesessen hatte, zu Wort:

»Ich will auch was sagen. Ich hab in Mathe 'ne Fünf geschrieben.«

»Wie bitte?« schrie sein Vater. »Ich höre wohl nicht recht!«

»Schrei das Kind nicht so an«, brüllte ich.

»Halt du dich da raus«, schäumte Rolf.

»Rolf, Liebster«, flehte Jutta.

»Ich will, daß aus dem Jungen was wird«, eiferte sich Rolf, »da kann er keine Fünfen nach Hause bringen! Ich hatte nie Fünfen in der Schule!«

»Ja«, spottete ich, »und deshalb hast du heute auch diesen unheimlich verantwortungsvollen Posten mit diesem dicken, fetten Gehalt von neunzehnhundert Mark netto! Wenn wir damals nicht dieses Haus von Omi und Opi geerbt hätten, müßtet ihr alle drei unter einer Brücke schlafen!«

»Jutta«, brüllte er, »wieso hast du ihr erzählt, wieviel ich verdiene? Das ist ein echter Vertrauensbruch! Die muß doch gerade ihr Maul aufreißen! Wenn sie nicht die Mieteinnahmen vom oberen Stock einstreichen könnte, käme sie mit ihrer albernen Schreiberei auch nicht über die Runden!«

»Ist das jetzt in Ordnung mit der Fünf?« piepste Martin.

»Woher willst du das denn wissen«, regte ich mich auf. »Du hast doch keine Ahnung. Ich bin Künstlerin! Du bist bloß ein ignoranter Depp!«

»Kinder, liebe Kinder«, rief meine Mutter, »vertragt euch doch!«

»Ich hatte nicht die einzige Fünf«, stellte Martin klar, »es gab sogar eine Sechs!«

»Wie kannst du meinen Mann einen ignoranten Deppen nennen«, wütete Jutta.

»Ich hätte noch eine ganz andere Bezeichnung für ihn«, erwiderte ich, »aber im Gegensatz zu ihm bin ich zu gut erzogen, um sie auszusprechen!«

Meine Mutter bezog die letzte Bemerkung auf sich und lächelte geschmeichelt.

»Ja, das ist wahr. Wenn ich eines geschafft habe, dann war es, meinen Kindern gute Manieren beizubringen. Und ich denke, sogar bei Mona ist mir dies halbwegs gelungen!«

»Was heißt hier: halbwegs?« fragte ich empört.

»Willst du damit etwa andeuten, meine Mutter hätte mich nicht gut erzogen?« Rolf war schon wieder beleidigt.

»Keineswegs«, protestierte ich, »du weißt ganz genau, wie gern ich deine Mutter habe. Lotta und ich waren von Anfang an gute Freunde – was man, nebenbei bemerkt, von ihr und Jutta nicht gerade behaupten kann. Trotzdem finde ich, daß ihre Bemühungen hinsichtlich deiner Erziehung nicht auf fruchtbaren Boden gefallen sind.«

»Das war absolut gemein«, keifte Jutta, »ihr beide könnt leicht gute Freunde sein – schließlich ist sie nicht deine Schwiegermutter!«

»Und was soll das mit dem unfruchtbaren Boden bedeuten«, schimpfte Rolf, »du hast es doch gerade nötig!«

»Bitte, bitte«, flehte Mami, »was soll denn diese Streiterei bringen? Hier geht es doch nicht um Erziehungsmethoden!«

»Aber um was geht es denn sonst?« fragte Rolf überrascht.

Ja, plötzlich wußte keiner mehr Bescheid. Martins Fünf war völlig in den Hintergrund getreten. Er lächelte mir erleichtert zu, und ich grinste zurück. Ich gönnte es ihm.

»Jetzt wollen wir aber damit aufhören«, legte meine Mutter fest. »Seht mal, wir haben uns schon so lange nicht mehr gesehen. Laßt uns doch dieses glückliche Zusammentreffen in völliger Harmonie feiern, laßt uns ...«

»Ich gehe mal die Latrine taufen«, verkündete ich. Dieses Harmoniegedudel schlug mir auf die Blase. Ich konnte mir beim Verlassen des Zimmers nur zu deutlich die fassungslosen Gesichter der lieben Familie vorstellen, aber gewisse Regeln der Strategie verboten es mir, mich umzudrehen. Noch während ich im Badezimmer beschäftigt war, hörte ich Mamis laute Stimme:

»Laßt uns jetzt glücklich und zufrieden sein, daß wir alle so gesund und munter beisammen sein dürfen. Wir wollen nicht mehr streiten, sondern harmonisch unser Wiedersehen genießen. Das ist doch wirklich nicht schwer, wir müssen nur alle etwas guten Willen zeigen ...«

Ich beschloß, etwas schlechten Willen zu zeigen, und schrie vom Bad aus:

»Wer zum Teufel hat dieses verflixte einlagige Toilettenpapier gekauft? Das ist ja wohl die größte Sauerei!«

Ich ignorierte die kühlen befremdeten Mienen, die mir bei meiner Rückkehr ins Wohnzimmer entgegenstarrten. Vergnügt legte ich den Arm um Martins Schulter und fragte:

»Was hältst du von dem einlagigen Klopapier, Martin? Mal ganz ehrlich!«

Der arme Junge war sichtlich hin- und hergerissen. Einerseits fühlte er sich durch die Tatsache geschmeichelt, daß ich, seine Tante Mona, an seiner Meinung interessiert war. Andererseits entging ihm aber auch nicht der drohende Paß-bloß-auf-was-du-jetzt-sagst-Gesichtsausdruck seines Vaters. Nun, so klein er noch war, er probierte es mit Diplomatie. »Weißt du, Tante Mona, das Papier ist eigentlich gar nicht so schlecht. Man braucht nur viel mehr davon als von dem normalen, dicken Papier!«

»Das Papier war im Sonderangebot«, knurrte Rolf.

»Ja, Papi«, wandte sein Sohn schüchtern ein, »aber wenn man so viel davon nehmen muß, spart man doch eigentlich nichts, oder?«

»Und du hast Angst, daß aus dem Jungen nichts wird«, höhnte ich, »Martin hat von Ökonomie wesentlich mehr Ahnung als du!«

Ich glaube, Martin blickte nicht ganz durch, aber er kapierte, daß ich ihn gelobt hatte, und strahlte glücklich vor sich hin.

Nachdem ich wieder Platz genommen hatte, kehrte wirklich Harmonie ein. Das heißt, wir lächelten uns alle gegenseitig an und hatten uns nicht das geringste mitzuteilen. Ich griff nach der Sektflasche und stellte fest, daß sie leer war – ein Umstand, der wohl zum größten Teil mir zu verdanken war.

Ich erhob mich. Ohne Sekt war dieses Familientreffen sowieso nicht länger zu ertragen.

»Tut mir leid, Leute, aber ich muß mich jetzt auf den Weg machen.«

»Schon«, rief Jutta, »bleibst du denn nicht noch zum Essen?«

Ich überlegte. Eine kurze Gaumenbefriedigung versus einen friedlichen und ruhigen Abend. Eine schwere Entscheidung.

»Nein, Jutta, ich muß wirklich gehen.«

Ich überhörte die jammervollen Proteste meiner Mutter und küßte jeden – außer Rolf natürlich – flüchtig auf die Wange. Jutta begleitete mich zur Tür.

»Warum mußt du denn so plötzlich weg?« erkundigte sie sich argwöhnisch.

Ich lächelte nur geheimnisvoll und schwieg.

»Nun sag schon«, platzte sie neugierig heraus, »mit wem triffst du dich heute noch? Mit Helmut oder diesem Fotografen?«

»Mal sehen«, grinste ich. »Du weißt doch, Jutta«, und mit gespielter Theatralik zitierte ich aus der letzten Szene von »Endstation Sehnsucht«: »Ich habe mich immer auf die Freundlichkeit von Fremden verlassen!«

Ein Blick auf ihre verständnislose Miene sagte mir alles: Meine dramatischen Fähigkeiten waren hier fehl am Platz. Hätte ich Jutta erzählt, Tennessee Williams wäre der Name meines Briefträgers – sie hätte mir ohne weiteres geglaubt!

Kapitel 2

Eine Sache möchte ich hier wirklich mal klarstellen: Ich führte bei weitem nicht das orgiastische Leben, das meine Schwester Jutta bei jeder Gelegenheit so süffisant andeutete.

Helmut hatte wenig Zeit für mich, weil er entweder im Theater oder bei Dreharbeiten herumhing, und Uwe, nun, der meldete sich sowieso höchstens einmal in der Woche – wenn überhaupt. Die meiste Zeit über war ich mit meinem Gefühlschaos allein gelassen. Ich erinnerte mich voller Wehmut an meine Teenagerzeit. Damals war der Sänger David Bowie mein ganz großer Schwarm gewesen. Ich sammelte all seine Platten und Filme, und die Wände meines Zimmers waren bis zum letzten Quadratzentimeter mit seinen Postern tapeziert. Es war eine schöne Zeit gewesen. Natürlich hatte ich immer gewußt, daß ich diesem Mann niemals persönlich begegnen würde, aber meine Tag- und Nachtträume von ihm hatten mir über die Schulzeit hinweggeholfen – diese grauenvolle Zeit ohne Freunde und ohne Gleichgesinnte, die Zeit, in der ich anfing zu begreifen, daß ich anders war als die anderen. Selbstverständlich hatte ich es dem guten David übelgenommen, als er dieses silikonbusige Fotomodell Iman geheiratet hatte, aber zum Glück war ich bereits weit über Zwanzig gewesen und somit in der Lage, diese Neuigkeit zu verkraften.

Natürlich hatte sich meine Mutter ständig über meine Schwärmerei mokiert:

»Warum gehst du nicht aus und lernst ein paar nette Jungs kennen? Sieh dir deine Schwester an, die ist wenigstens normal. Kannst du dich nicht einmal so benehmen, wie es sich für dein Alter gehört? Andere Mütter machen sich Sorgen, daß ihre Töchter schwanger werden könnten, aber ich ... ich muß befürchten, daß aus dir ein kompletter Einsiedler wird!«

Womit, nebenbei bemerkt, mal wieder feststeht, daß man es Müttern eigentlich nie recht machen kann.

Nun, als ich achtzehn Jahre alt geworden war, lernte ich einen Kerl kennen, der Thomas hieß. Ich persönlich machte mir nicht allzuviel aus ihm, in unseren besten Zeiten konnte ich gerade mal so etwas wie schwesterliche Gefühle für ihn aufbringen. Wenn Sie die Beziehung zwischen mir und Jutta genau beobachten, dann merken Sie, wie wenig das in meinem Fall bedeutete. Na ja, er jedenfalls himmelte mich geradezu an. Ich beschloß, meiner Mutter den Gefallen zu tun und mich »normal« zu benehmen – ich fing also etwas mit ihm an. Aus diesem Gefallen heraus entstanden die zwei schlimmsten Jahre meines Lebens. Ich wurde den Kerl einfach nicht mehr los. Wenn ich ihm nur schemenhaft andeutete, daß mir an dieser Beziehung nicht sehr viel lag, brach er in Tränen aus. Mit achtzehn war ich noch ziemlich weichherzig veranlagt und fiel immer wieder darauf herein. Nach zwei Jahren hatte er endlich die bittere Wahrheit erkannt: Ich war zwar äußerlich sein Typ, aber all die gewünschten Eigenschaften, die er in mich hineininterpretiert hatte, besaß ich nicht im geringsten. Ich war keineswegs bereit, die Rolle der zukünftigen aufopferungsvollen Ehefrau und Mutter zu übernehmen. Ich war lediglich eine verrückte Emanze mit schriftstellerischen Ambitionen. Für diese Erkenntnis hatte er tatsächlich zwei Jahre gebraucht! Ich glaube, dies ist das beste Beispiel für die Ignoranz der männlichen Bevölkerung.

Drei Tage nach dem glorreichen Familientreffen hatte Helmut einen ganzen Abend lang Zeit für mich. Oh, er war süß – so süß, wie er immer war. Er trank meinen merkwürdigen Instant-Eistee und aß meinen Pichelsteiner Eintopf aus der Dose mit einer Miene, als hätte ich ihm Nektar und Ambrosia vorgesetzt. Wenn Helmut irgend etwas wundervoll finden wollte, dann konnte er das auch. Schließlich war er Schauspieler und daran gewöhnt, in jede nur erdenkliche Rolle zu schlüpfen. Während er mir versicherte, daß er mich liebte und daß ich eine tolle Frau war, streichelte ich Zerberus, seinen Dobermann-Rüden. Mit dem Hund gab es überhaupt keine Probleme. Die Zuneigung zwischen Zerberus und mir war echt und tief. Das ist das Einzigartige an Hunden: Man muß niemals befürchten, daß ihre Liebe nur geheuchelt oder einfach ein Irrtum ist.

Später, im Bett, war Helmut der zärtliche und aufmerksame Lieb-haber, der er von Anfang an gewesen war. Warum zum Teufel empfand ich trotzdem immer noch dieses Gefühl von … na ja, von Fremdheit? Irgendwann, das wußte ich genau, würde es einen Riesenknall geben, und Helmut würde mich so sehen, wie ich wirklich war. Ich wollte nicht, daß er mein komisches Essen mochte. Ich wollte nicht, daß er mich für eine besonders tolle Frau hielt. Wenn er gesagt hätte: »Hör zu, Mona, du bist im Haushalt ein kompletter Versager, und du bist manchmal so uner-träglich launenhaft, daß ich dich erschießen könnte. Aber ich habe mich nun mal in dich verliebt, und ich werde bei dir bleiben, auch wenn ich in dieser verstaubten Wohnung zum Asthmatiker werde, mir durch deinen Büchsenfraß ein chronisches Magenleiden zu-ziehe oder schlicht und einfach wegen dir in der Klapsmühle lande«, ja, wenn er das gesagt hätte – das wäre wirklich Liebe ge-wesen.

Etwa eine Woche danach verbrachte ich den Abend bei Uwe. Er kam niemals zu mir in die Wohnung, nein, ich mußte mich stets ins Auto setzen und den weiten Weg zu ihm fahren.

Unsere telefonischen Verabredungen verliefen immer nach dem gleichen Schema: Er rief mich an, fragte, wie es mir ging, ich sagte: fein, er fragte, ob ich kommen wolle, ich sagte ja oder nein (meistens sagte ich ja), und dann trimmte ich mich zurecht und fuhr los.

Schon auf der Hinfahrt war ich hypernervös. Es ist verdammt schwer, bei einem Mann Eindruck zu schinden, der einen nicht liebt.

Zum Glück hatte er (wie meistens) an diesem Abend eine Flasche Sekt kalt gestellt. Alkohol kann unter gewissen Umständen eine Riesenerleichterung bedeuten. Die Zeit von neun bis elf verlief ziemlich glatt. Miteinander quatschen, ja, das konnten wir gut. Wir waren immerhin beide so etwas wie Künstler, und wenn wir in diesem Sinne gemeinsam auf einer rosaroten Wolke schwebten, entwickelte sich fast so ein Gefühl wie Vertrautheit.

Dieses Gefühl endete abrupt, als kurz nach elf das Telefon klingelte. Schon beim ersten Klingeln verzog ich mich schweigend ins Badezimmer. Ich wollte nicht dabeisein, wenn er mit seiner Freundin Lisa telefonierte. Der einzige Grund, warum ich trotz dieser unmöglichen Situation immer noch stoisch an dieser Beziehung festhielt, war der Umstand, daß Uwe ganz offensichtlich mit dieser Frau nicht besonders glücklich zu sein schien. Natürlich war dieser Gedanke naiv. War ich vielleicht mit Uwe glücklich? Nein. Brachte ich es fertig, ihn deswegen zu verlassen? Nein. Liebe ist schon ein furchtbar hirnloser Zustand.

Im Bett hatte ich wie immer das Gefühl, die ganze Arbeit allein machen zu müssen. Na, Sie wissen schon: Faß mich hier an, tu dies, tu das, kraul mir meinen Rücken ... das ging so lange, bis er tief und fest eingeschlafen war. Vielleicht lag der Umstand des plötzlichen Schlafes – um den ich ihn wirklich beneidete! – auch am Haschisch. Ja, seien Sie ruhig schockiert: Jedesmal, wenn ich bei ihm war, holte er dieses kleine Döschen heraus und drehte sich einen Joint. Ich habe nie verstanden, was an diesem Zeug so toll sein soll. Ich bekomme davon höchstens einen Hustenanfall. Aber bei mir hat alles Pflanzliche sowieso noch nie gewirkt, ob es nun Baldrian, Hopfen, Passionsblume oder Johanniskraut ist – oder eben Haschisch.

Als er schlief, zog ich mich an, trank die Sektflasche leer und fuhr nach Hause. Ich hatte es mir abgewöhnt, bei ihm zu übernachten. Es ist nicht besonders erheiternd, wenn der Kerl, neben dem man geschlafen hat, um halb sieben aus dem Bett springt, nur um telefonisch seine Freundin zu wecken.

Zum Glück geriet ich nie in eine Polizeikontrolle. Zwar habe ich nach mehreren Gläsern Sekt noch mehr Selbstbeherrschung als andere Leute, die nüchtern sind, aber die Bullen wären nach einer Blutprobe vermutlich anderer Meinung gewesen.

Wie immer fühlte ich mich auf der Heimfahrt entsetzlich elend. Und als ich zu Hause in meinem eigenen Bett lag, war das Gefühl noch immer da. Meine Familie hatte recht. Ich hatte wirklich einen Sprung in der Schüssel. Wieso tat ich mir das überhaupt an? Andererseits: War es so abwegig, Gefühle in jemanden zu investieren, der diese nicht erwiderte? War es für mich nicht eigentlich die logischste Konsequenz überhaupt? Hatte ich nicht von jeher versucht, meiner Mutter zu imponieren, ohne daß es mir auch nur einmal geglückt war? Also, bitte: Es war nicht meine Schuld.

Vielleicht sollte ich auswandern, überlegte ich. Vielleicht nach Schottland. Ach nein, lieber nicht. Dort gab es doch diesen scheußlichen Haggis: Schafsinnereien in einem Schafsdarm und zu allem Überfluß noch diese grauenvolle Hafergrütze dazu. Irland? Ob das Essen dort besser war? Grüne Wiesen, Schafe, um mich herum nur ein paar Farmer, die ich mit ihrer komischen irischen Mundart sowieso niemals verstehen würde. Und zwei große Schäferhunde, die mir Gesellschaft leisten würden. Die abends, wenn ich vor dem Kamin saß, ihre Köpfe in meinen Schoß legten ... und wahrscheinlich mit ansehen mußten, wie ihr Frauchen sich mit irischem Whiskey in einen schlechten Schlaf trank. Insgesamt gesehen würde vermutlich alles beim alten bleiben.

Ich konnte zu diesem Zeitpunkt nicht ahnen, daß die Lösung meines Problems schon so gut wie unterwegs war.

Am Tag nach unserem Treffen rief mich Uwe an und erklärte, welch ein wunderschöner Abend es mit mir gewesen wäre. Er fragte, ob es mir gutgehe, und versprach, sich bald wieder zu melden.

Von da an herrschte Funkstille. Absolute, totale Funkstille.

Etwa zweieinhalb Wochen später rief ich ihn in seiner Wohnung an – was ich sonst nie tat. Er war ausgesprochen freundlich zu mir.

»Was willst du denn eigentlich«, herrschte er mich an. »Laß mich doch in Ruhe und lebe dein Leben ... ich bin schließlich nicht dein Halt.«

Nein, das war er sicher nicht. Tatsache war, daß es praktisch überhaupt keinen Halt in meinem Leben gab.

»Aber was hast du denn«, fragte ich angstvoll, »willst du mich loswerden?«

Er antwortete nicht.

»Was ist denn plötzlich los?« fragte ich verzweifelt.

Er holte tief Luft.

»Ich denke, wir sollten die Sache für eine Weile ruhenlassen.«
Das war zweifellos eine äußerst euphemistische Umschreibung für die eigentlich gemeinten Worte: »Geh zum Teufel, ich habe keinen Bock mehr auf dich.«
»Ist gut«, sagte ich leise und legte den Hörer auf. Ich trank an diesem Abend keine Weinschorle, sondern mehrere Gläser Grappa, den ich für den Notfall in meinem Küchenschrank deponiert hatte. Und eins stand fest, dieser Notfall war zweifellos eingetreten.

Ich hörte auf zu schlafen. So unglaublich es klingen mag, aber seit diesem Anruf gelang es mir nicht mehr, mich wie ein normaler Mensch ins Bett zu legen und zu schlafen. Wenn ich ordentlich einen im Tee hatte, schlief ich, wenn ich Glück hatte, für drei Stunden ein und stand danach senkrecht im Bett. Ich konnte es nicht fassen. Der Mann, den ich liebte, hatte mir einen regelrechten Arschtritt verpaßt. Vielleicht wäre ich mit einem gebrochenen Herzen noch halbwegs fertig geworden. Aber die Vorstellung, daß es mir nicht gelungen war, gegen eine häßliche Frau – ich hatte ihr Foto gesehen und war fast in Ohnmacht gefallen – anzukommen, die vom Alter her praktisch meine Mutter hätte sein können und die der gute Uwe ständig als »Drachen« bezeichnete – ja, diese Vorstellung brachte mich fast um. Offenbar war ich, was menschliche Beziehungen anbelangte, der größte Versager aller Zeiten. Oh, dieser Schmerz! Diese Demütigung! Diese Blamage! Und was das ärgerlichste war: Ich, als überzeugte Feministin, ließ es zu, daß mir ein Mann – ich betone: ein Mann!!! – solche Gefühle wie Schmerz, Demütigung und Blamage zufügte! Am liebsten wäre ich auf der Stelle gestorben! Zum Glück hatte ich keine Zeit zu sterben und mußte mich demzufolge ein wenig zusammenreißen.
Oh, ich war richtig gut. Ich schaffte es nicht nur, in dieser Zeit mein Buch fertigzuschreiben und meinem Verleger abzuliefern, es gelang mir sogar, mir von keinem Menschen in meiner Umgebung etwas anmerken zu lassen. Ich fand, das war eine wirklich reife Leistung.

Jutta rief mich etwa einmal die Woche an, um mich über ihre Schwangerschaft auf dem laufenden zu halten. Ich hörte mir diesen Mist geduldig an und verlor nicht ein Wort über meine eigenen Probleme. Als sie mich zwischendurch besuchte, um mir die neueste Ultraschall-Aufnahme zu zeigen, bemerkte sie nur geringschätzig:

»So langsam siehst du wie eine wandelnde Leiche aus. Kannst du deine verdammten Bücher nicht bei Tag schreiben, so wie jeder vernünftige Mensch?«

»Bitte fluch nicht, Jutta«, ermahnte ich sie, »das Baby könnte sonst einen falschen Eindruck von dir erhalten.«

»Oh, sicher, du hast recht«, flüsterte sie und rieb beruhigend ihren Bauch.

Helmut fehlte es ebenfalls an jeglichem Durchblick.

»Ich glaube, du arbeitest zuviel, Liebes«, sorgte er sich und strich über meine Wange.

»Du weißt doch«, lächelte ich, »ich bin der geborene Workaholic!«

Er erwiderte mein Lächeln, und schon war das Thema abgeschlossen.

Ich war allein. Vollkommen allein. Doch genau diese Tatsache erweckte meine letzten Lebensgeister. Wenn es den Leuten, die mich angeblich liebten, sowieso egal war, ob ich an gebrochenem Herzen starb oder nicht, dann konnte ich ebensogut am Leben bleiben.

Von nun an trank ich nur noch Weinschorle und ließ den Grappa im Schrank. Gelegentlich schlief ich sogar wieder eine Nacht beziehungsweise einen Vormittag durch.

Das Leben ging weiter. Irgendwie tat es das ja immer. Und wie hieß es so schön? »Ich hab ihn geliebt und im Herzen getragen, nun ist er verrutscht und liegt mir im Magen.« Endlich kapierte ich, was es mit diesem Spruch auf sich hatte!

Kapitel 3

Über all dem Schlamassel bezüglich meines Liebeskummers war mir schändlicherweise eine weltbewegende Sache völlig entfallen: Frau Falkenhorsts Garagentor!

Ehrlich gesagt ging mir ihre ganze Aufregung so ziemlich an meinem verlängerten Rücken vorbei. Was konnte die schon gegen mich unternehmen? Kein Gericht der Welt würde sich – noch dazu, wenn es keinerlei Zeugen gab – mit solch einem hirnrissigen Kram befassen. Gut, die beiden Flecken waren nach wie vor da – ich hätte mich lieber vierteilen lassen, bevor ich auch nur daran gedacht hätte, dort Hand anzulegen!

Jedenfalls war ich ziemlich verblüfft, als eines Mittags ein sehr merkwürdig aussehender Brief in meinem Briefkasten lag. Ich sage merkwürdig, weil es sich nicht um die Art Post handelte, die ich sonst immer erhielt, wie etwa: Briefe von Versandhäusern, bei denen ich gelegentlich bestellte, Preisausschreiben, Kataloge und so weiter.

Nein, es war ein sehr korrekt aussehender weißer Umschlag, die Adresse fein säuberlich computerausgedruckt – allerdings fehlte der Absender. Sehr verdächtig.

Hatte diese hysterische Kuh etwa wirklich einen schmierigen kleinen Winkeladvokaten aufgetrieben, der in solchen Geldschwierigkeiten steckte, daß er sich mit einem derartigen Mist abgab?

Offenbar nicht. Nachdem ich mit einigem Unbehagen den Umschlag aufgeschlitzt hatte, stellte sich heraus, daß der Brief von Frau Falkenhorst persönlich stammte! Hier ist der genaue Wortlaut:

VERSCHMUTZTES GARAGENTOR

Sehr geehrtes Fräulein Manntey,

nachdem es nun unmöglich war, mit Ihnen ein sachlich vernünftiges Gespräch zu führen, wende ich mich auf diesem Wege noch mal schriftlich an Sie, um diese Angelegenheit auf einem nachbarlich gütlichen Wege zu regeln. Am 10. 08. 1995 (zufällig hielt ich mich in meiner Garage auf) fuhren Sie Ihren Wagen aus der Garage so dicht an mein Garagentor, daß es vibrierte. Ich lief sofort hinaus und entdeckte am Tor den ersten dicken, schwarzen Flekken. Leider waren Sie schon zu weit entfernt, als daß ich Sie darauf aufmerksam machen konnte. Zu einem Anruf fehlte mir aus beruflichen Gründen leider die Zeit. Außerdem nahm ich an, daß, wie es selbstverständlich und üblich ist, Sie den Schmutz, den Sie verursachten, auch entfernen würden. Meine Annahme war wohl falsch, denn am 19. 08. 1995 entdeckte ich den zweiten größeren Flecken an meinem Garagentor. Sie wissen sehr genau, daß Sie die einzig Schuldige sind, daher kann von Verleumdung keine Rede sein. Warum fahren Sie nicht rückwärts in Ihre Garage, damit wäre der Stein des Anstoßes beseitigt? Oder reichen Ihre Fahrkenntnisse dazu nicht aus? Sie wissen, daß ich Sie rechtlich belangen kann, und zwar wegen

BESCHÄDIGUNG FREMDEN EIGENTUMS!

Die von Ihnen wohl in der Erregung ausgesprochenen »Freundlichkeiten« möchte ich ausnahmsweise noch einmal vergessen.

Ich werde zum Wochenende diese von Ihnen verursachten Rußflecken entfernen, soweit das möglich ist. (DAS LETZTE MAL!) In Ihrem Interesse möchte ich Sie bitten, zukünftig Ihre Fahrweise so einzustellen, daß derartige Verschmutzungen nicht mehr auftreten.

Mit freundlichen Grüßen
Iris Falkenhorst

Ich starrte den Brief an und war erschüttert. Diese arme Frau! Offensichtlich war sie nicht nur vollkommen übergeschnappt – nein, sie schien auch noch ein heimliches Verhältnis mit diesem verflixten Garagentor zu unterhalten! Anders konnte ich mir die ganze Aufregung nicht erklären.
Ansonsten war ihr Brief natürlich eine grobe Unverschämtheit. Schon die Anrede! »Sehr geehrtes Fräulein Manntey«... Von wegen »sehr geehrt«, das war ja der blanke Hohn! Hatte dieser dum-

men Person noch niemand beigebracht, daß man heutzutage keine Frau mehr mit »Fräulein« ansprach, außer, sie legte Wert darauf? Und dann diese pathetische Schilderung mit genauem Datum, lächerlich! Ich wäre die einzig Schuldige – ja, von was denn? Schließlich hatte ich niemanden ermordet! Beschädigung fremden Eigentums – ha! Diese doofe Nuß stellte sich an, als hätte ich ihre Garage in die Luft gesprengt! Und meine Fahrweise ging sowieso niemanden etwas an!

Ich war ernstlich betrübt. Der Wahnsinn grassierte wirklich überall, sogar im Haus nebenan! Ob so etwas ansteckend war?

Nun gut, bevor ich mich mit irgend etwas ansteckte, steckte ich mir eine Zigarette an und überlegte. Es gab praktisch zwei Möglichkeiten: Entweder, die gute Frau hatte einen akuten Anfall von Paranoia erlitten. Dann bildete sie sich in ihrer geistigen Umnachtung sicherlich ein, sie hätte mir mit ihrer Pseudogroßmut einen besonderen, wenn auch unverdienten Dienst erwiesen. In diesem Fall rechnete sie mit einem reuevollen, demütigen Brief von meiner Seite. Konnte sie vergessen, kam nicht in die Tüte. Oder, und das war die wahrscheinlichere Möglichkeit, sie wollte mich mit diesem Schreiben schlicht und einfach provozieren. Klar, sie rechnete voller Naivität mit einem unverschämten, wenn auch gerechtfertigten Antwortschreiben. Und genau mit diesem Wisch würde sie dann freudestrahlend zum nächstbesten Anwalt rennen.

Okay. Ich war nicht auf den Kopf gefallen. Ich unternahm gar nichts. Nicht das geringste!

Ich wußte, das würde sie am meisten ärgern.

Als ich das nächste Mal mein Auto benötigte, stand Frau Falkenhorsts griechische Putzfrau am Gartentor und beäugte mich wie ein Eunuch seinen ihm anvertrauten Harem. Ich schielte kurz zum besagten Garagentor hinüber: Die Flecken waren restlos verschwunden. Ich nickte der Putzfrau freundlich zu, stieg in mein Auto und fuhr in aller Seelenruhe rückwärts aus der Garage heraus. Durch das Seitenfenster konnte ich beobachten, wie die gute Reinemachefrau drohend ihre erhobene Faust schüttelte und mit wütender Miene vor sich hin schimpfte. So eine brave Frau! Sie hatte ihre Anweisungen von »oben« erhalten und führte sie nun treu und redlich aus. Ich winkte ihr fröhlich zu und dachte: Wie schön, daß es noch so ergebene Angestellte gibt! Wo es doch immer heißt, man fände heutzutage kein anständiges Personal mehr!

Kapitel 4

Meine zweite große Leidenschaft – neben der Schriftstellerei natürlich! – war das Theater. Seit meiner Studienzeit war ich dort als Statistin tätig. Zugegeben, ich gehörte zu denjenigen, denen man immer die blöden »unsichtbaren« Jobs zuschanzte, wie Requisitenaushilfe, Umbau, Beleuchtung und so weiter. Wahrscheinlich schaffte ich es einfach nicht, mich bei meinem Chef beliebt genug zu machen für die heißbegehrten Bühnenauftritte – doch sei's drum. Ich mochte den Laden, und die paar Mark zusätzlich kamen mir auch sehr gelegen. Außerdem waren die Arbeitszeiten für mich alte Nachteule sehr günstig. Die Proben, ja, die waren mörderisch, weil eben tagsüber, beziehungsweise morgens! Doch sobald das Stück lief, mußte ich nur noch abends zur Vorstellung dort aufkreuzen – einfach ideal. Und noch dazu steuerfrei!
An diesem Abend fungierte ich allerdings als stinknormale Zuschauerin. Ich hatte mittels meines Statistenausweises eine (sehr!) verbilligte Karte für Bizets Oper »Carmen« erstanden.
Die Aufführung interessierte mich brennend – nicht nur wegen der tollen Musik, sondern auch weil etliche Statisten, mit denen ich gut bekannt war, dort mitwirkten. Unter anderem auch der gute Burkhard Fischer. Ich hatte ihn bei den Proben zu irgendeiner italienischen Oper kennengelernt. Zugegeben, in seinem Kostüm – schwarze Satin-Kniebundhose, Rüschenhemd, lange Brokatweste, dazu das weiße Make-up – hatte er halbwegs imposant gewirkt. Außerdem war es für mich eine blöde Zeit gewesen.

Ich war bereits in Uwe verliebt, er aber wollte augenscheinlich nichts von mir wissen. All das hatte zu einer kurzen Begegnung zwischen Herrn Fischer und mir geführt. Ich betone »kurz«, denn der Zauber war sehr schnell verflogen. Im wirklichen Leben trug er, als leidenschaftlicher Sportler, ständig potthäßliche Trainingsanzüge, und rein kommunikativ kamen wir auch auf keinen grünen Zweig. Das witzige war nur, daß er immer noch scharf auf mich war – rein körperlich, versteht sich.

In der Stierkampfszene war es endlich soweit: Sie traten auf, die Toreros, die Matadore und der restliche Pöbel. Mittendrin Burkhard Fischer als Torero. Er, ein Meter siebzig groß, schmächtig (er selbst war natürlich überzeugt, er hätte einen sportlich durchtrainierten Körper), bekleidet mit einem goldglitzernden, knappsitzenden Kostüm, vollführte seinen Gang über die Bühne. Mit dem hochnäsigsten Gesichtsausdruck, den man sich überhaupt vorstellen kann, beehrte er die Solosänger, die Chormitglieder und die übrigen Statisten mit kleinen wohlwollenden Seitenblicken. Männer, dachte ich. Steck sie in enge Torerohosen, und schon bilden sie sich ein, sie wären sexy! Immerhin mußte ich so herzlich lachen, daß die Zuschauer in der Bankreihe vor mir sich wütend nach mir umdrehten. Es kümmerte mich nicht. Ich hatte mein Amüsement für diesen Abend gehabt!

Einige Tage später traf ich ihn leibhaftig in der Kantine des Nationaltheaters. Mit einem strahlenden Lächeln – er war der einzige, der dieses blöde Grinsen für unwiderstehlich hielt – setzte er sich zu mir an den Tisch.

»Nettes Kostüm«, stellte ich fest, »woraus ist das?«

»Im Opernhaus läuft heute ›Die Hochzeit des Figaro‹«, informierte er mich mit jammervoller Stimme. »Das ist so ein blöder Auftritt! Ich bin von der linken Zuschauerseite aus praktisch gar nicht zu sehen!«

Somit waren die besten Plätze für diese Oper ganz offensichtlich auf der linken Seite.

»Aber«, und nun hellte sich seine Miene auf, »in den vier anderen Opern, in denen ich mitwirke, habe ich wirklich ganz tolle Auftritte und bin ziemlich lange auf der Bühne!«

Ich hätte ihn erwürgen können. Dieser unscheinbare Kerl tobte sich auf der Bühne aus, während ich – die geborene Künstlerin! – sich bei irgendwelchen dämlichen Underground-Jobs abschuften durfte!

»Was willst du denn«, fuhr ich ihn zornig an, »möchtest du lieber Umbau im Schauspielhaus machen?«

Er legte seine Hand auf mein Knie.

»Komm doch mal wieder zu mir.«

Ich legte meinen Kopf schräg und schaute Burkhard forschend an.

»Sag mal, Fischer ... Ist es nicht langsam unter deiner Würde, mich jedesmal, wenn wir uns treffen, so anzubetteln?«

Er war beleidigt. Doch bevor er entsprechend darauf reagieren konnte, nahm Ulla, eine Kollegin von uns, unaufgefordert an unserem Tisch Platz.

»Na, wie geht's euch?« rief sie strahlend.

Ich hasse diese Art von Menschen. Ständig fragen sie, wie es einem geht, und nie wollen sie eine ehrliche Antwort hören.

Sie war bester Laune. Sie war ausgeschlafen, gesund und braun gebrannt. Sie war frisch dauergewellt. Sie war zum Kotzen.

Nachdem Fischer ihr versichert hatte, wie blendend es ihm ging, wandte sie sich an mich:

»Na, Mona? Du siehst aber wirklich blaß aus! Du solltest mal ins Solarium gehen!«

»Nee«, antwortete ich, »ich möchte auf keinen Fall so viele Falten im Gesicht haben wie du!«

Sie lachte, als hätte ich einen besonders guten Witz gemacht. Blöde Schnepfe.

Fischer warf mir einen peinlich berührten Seitenblick zu, den ich wohlweislich ignorierte. Er versuchte es mit leichtem Geplauder.

»Hat jemand von euch gestern abend auf RTL diesen Kinofilm gesehen? ›Bram Stoker's Dracula‹?«

Ich wußte genau, welchen Film er meinte, trotzdem fragte ich geziert:

»Dracula? Du meinst die Verfilmung von Francis Ford Coppola? Das mußt du schließlich dazusagen!«

»Ist mir doch egal, wer Regie geführt hat«, gab er ungeduldig zurück. »Wie fandet ihr ihn?«

»Ey, ich fand ihn echt geil«, rief Ulla begeistert.

Ich runzelte die Stirn. Diesen Ausspruch konnte man wohl kaum als ernsthafte Kritik bezeichnen. Ebensowenig Burkhard Fischers Bemerkung:

»Ja, der war nicht schlecht gemacht. Wie fandest du ihn, Mona?«

Ich straffte meine Schultern und setzte mich in Positur.

»Der Film ... also, gut. Was ich wirklich lobend erwähnen möchte, ist die ausgezeichnete Kameraführung. Hier werden rasche, hart aufeinanderfolgende Schnitte vermieden, statt dessen wird sehr viel mit weichen Überblenden gearbeitet, zum Beispiel Minas Medaillon verwandelt sich in einen Vollmond. Auch die vielen Nachtaufnahmen sind hervorragend gelungen und äußerst stimmungsvoll, wenngleich ich zugeben muß, daß sie auf der großen Kinoleinwand einen weitaus imposanteren Effekt erzielen als auf dem kleinen Fernsehbildschirm. Die Zeichnung der einzelnen Personen ist, meiner Ansicht nach, völlig überzogen, um nicht zu sagen, grotesk. Van Helsing ist recht witzig gespielt, sein Zynismus ist durchaus berechtigt. Allerdings befürchte ich, daß er, anstatt Minas Seele zu retten, viel lieber mit ihr kopulieren würde. Und Mina! Winona Ryder ist ja wirklich süß, aber während des ganzen Films hegt sie nur einen echten Wunsch, nämlich mit dem verdammten Vampir zusammen in die Kiste zu steigen, und das auch noch im doppelten Sinne: Kiste als Bett oder als Sarg. Die liebe Lucy, im Buch ein braves, unschuldiges Mädchen, wird im Film als verhindertes Flittchen dargestellt, das mit einem Vampirdasein eigentlich nur Karriere machen kann. Jonathan Harker ist der alles verzeihende Waschlappen. Aus Jack Seward wäre wahrscheinlich ein Junkie geworden, und man hätte ihn in sein eigenes Irrenhaus eingeliefert, aber zum Glück ist er ja gezwungen, auf Vampirjagd zu gehen, und hat somit eine sinnvolle Beschäftigung. Quincey Morris' Worte: ›Kleines Mädchen, ich halte Ihre Hände, und Sie haben mich geküßt ...‹ sind zwar direkt aus dem Buch zitiert, werden jedoch in einen derart verfremdeten Zusammenhang gebracht, daß sie eigentlich nur lächerlich wirken können. Arthur, beziehungsweise Lord Godalming, ist relativ unbedeutend, außer natürlich in der Szene, als er Lucy Blut spendet. Schließlich darf man den Wert einer Blutspende niemals unterschätzen, es könnte jeden von uns treffen! And last but not least: Der gute Graf Dracula – kein böses, satanisches Ungeheuer, sondern ein unglücklicher Krieger mit gebrochenem Herzen, dem schweres Unrecht zugefügt wurde. Natürlich kann er nichts dafür ... wie bei so vielen Gerichtsfällen. Der Terrorist, der Bombenleger, der Vergewaltiger, der Amokläufer und sogar der Mörder: sie alle können nichts dafür, wenn sie nur nachweisen können, daß sie eine beschissene Kindheit hatten. Kurzum: Der Film behandelt nicht die Bekämpfung des personifizierten Bösen, und es geht auch nicht darum, daß die Freundschaft und die Treue untereinander viel Gutes bewirken können ... nun ja, zugegeben, die Personen in Bram Stokers Buch sind teilweise so edel, hilfreich und gut, daß es einem sämtliche Zähne ziehen könnte – egal. Im Film geht es jedenfalls um unerfüllte Liebe, Leidenschaft und jede Menge Sex-Appeal. Klar, man kann die Vorlage interpretieren, wie man will. Ich denke, der Regisseur – vielleicht auch der Drehbuchautor – ist ein ausgesprochener Freudianer. Ich halte nicht allzuviel von Sigmund Freud. Ich bin der Meinung, daß seine Ansicht, der Sexualtrieb sei alleinige Grundlage seelischen Lebens, eine irrige Vereinfachung darstellt, die unweigerlich zum Materialismus führen muß. Ich bin, offen gesagt, mehr für C.G. Jung, der die Einseitigkeit der Psychoanalyse, von Freud ausgehend, überwindet und das individuell Unbewußte durch das kollektiv Unbewußte, in dem die erblichen Archetypen ruhen, ergänzt. Er hat ... «

Verwirrt hielt ich inne, als ich plötzlich bemerkte, daß Ulla und Fischer mit glasigen, ausdruckslosen Augen auf die Tischplatte starrten.

»Hey, hallo«, rief ich, »seid ihr noch wach?«

»Ja ... nein ... ich weiß nicht ...«, flüsterte Ulla.

»Bitte, Ulla – und auch Herr Fischer! Würdet ihr gütigst aus eurer

Kontemplation auftauchen, damit ich mit meiner Ausführung fortfahren kann«, rügte ich.

Nun kam Leben in Ulla.

»Du bist schuld«, schrie sie den armen Fischer an, »mußtest du sie unbedingt nach diesem blöden Film fragen? Du kennst sie doch! Du weißt doch, wie sie ist!«

Herr Fischer machte ein Gesicht, als sei er gerade geteert und gefedert worden.

»Ulla-Schatz«, versuchte ich sie zu beruhigen, »jetzt warte doch mal. Der interessanteste Teil meiner Filmkritik kommt doch erst noch!«

»Nein«, kreischte sie hysterisch, »ich gehe. Und wenn ich mich auf der Toilette verstecken muß – aber ich gehe!«

Und weg war sie. Ich grinste vergnügt vor mich hin. Das hatte Spaß gemacht. An manchen Tagen lohnte sich das Aufstehen geradezu!

Herr Fischer fixierte mich mit erboster Miene.

»Soll ich dir sagen«, begann er zornig, »wieso dich kein Regisseur auf der Bühne haben will? Warum du immer nur die langweiligen und unsichtbaren Aufgaben bekommst?«

Er wartete meine Antwort nicht ab, sondern fuhr zähneknirschend fort:

»Weil du eine widerliche, negative, ätzende und zersetzende Ausstrahlung hast!«

»Ätzend und zersetzend bedeutet so ziemlich das gleiche«, belehrte ich ihn freundlich.

Noch bevor er darauf reagieren konnte, erklang die Stimme des Inspizienten aus dem Lautsprecher:

»Statisterie Schauspielhaus! Bitte für den Pausenumbau zur Bühne kommen!«

Ich erhob mich, tätschelte kumpelhaft Herrn Fischers Schulter und sagte:

»Ich habe dich vor ein paar Tagen in ›Carmen‹ gesehen! Ehrlich, diese Figur, diese Haltung, diese Ausstrahlung ... die hat man oder man hat sie nicht! Du hast sie ohne Zweifel nicht!«

Ich tänzelte gut gelaunt in Richtung Bühne. Ich war zufrieden mit mir. Nun rannten in diesem Theater doch wirklich genug Verrückte durch die Gegend – und trotzdem schaffte ich es immer wieder, mich von der großen Menge abzuheben!

Kapitel 5

Die Wochen zogen sich endlos und öde dahin. Ich war noch in der geistigen Vorbereitungsphase für mein drittes Buch (bevor die nicht abgeschlossen ist, kann ich kein einziges Wort zu Papier bringen). Die Theaterstücke, bei denen ich mitwirkte, wurden kaum gespielt. Helmut war ganz reizend zu mir, ohne mich auch nur annähernd zu verstehen, ich trauerte immer noch diesem unsäglichen Uwe nach, hatte nach wie vor akute Schlafstörungen, und Jutta informierte mich weiterhin eisern über den Verlauf ihrer Schwangerschaft. Als ob mich dieser Quatsch interessiert hätte! Verstehen Sie mich nicht falsch: Ich wünschte meiner Schwester von Herzen, daß sie die Geburt glänzend und ohne allzuviel Schmerzen überstehen würde. Ich wünschte ihr ein gesundes Baby. Ich wünschte ihr alles Gute der Welt – nur dieser ganze Schwangerschaftskram enervierte mich völlig. Wenn man selbst mit der Sache nicht viel am Hut hat, ist das ewige Gerede über Blähungen, Aufstoßen, schwere Beine und hormonell bedingte Stimmungsschwankungen nicht gerade sehr amüsant. Aber egal – ich hatte Jutta auf irgendeine komische Art gern und hörte mir ihre stundenlangen Monologe am Telefon an. An einem Mittwoch, es war gegen Ende November, verkündete sie:
»Mona, ist das nicht toll! Am fünfzehnten Dezember ist es soweit!«
»Was ist soweit?« fragte ich verblüfft.
»Na, die Geburt! Der Arzt hat es genau ausgerechnet!«
»Ich würde mich nicht so sehr darauf verlassen«, warnte ich. »Ich kam zwei Wochen vor dem eigentlichen Termin zur Welt.«

»Ja, du«, erwiderte sie geringschätzig, »du hast dich ja noch nie an irgendwelche Termine halten können! Du kommst entweder zu früh oder zu spät. Aber pünktlich kommst du nie!«

»Ach so«, rief ich sarkastisch aus, »jetzt weiß ich endlich mal, woran das liegt! Ich hatte schon als Ungeborenes meine wahre Bestimmung erkannt! Na, das wird deinem Baby ganz sicher nicht passieren!«

»Bestimmt nicht«, meinte sie in überzeugtem Tonfall, »mein Baby kommt am fünfzehnten Dezember. Du wirst es ja sehen!«

Der Dezember kam – so unweigerlich und gnadenlos, wie er jedes Jahr kommt. Ich hasse diesen Monat. Weihnachten, Silvester – es ist eine einzige Qual. An Weihnachten, dem Fest der Liebe, fühle ich mich so ungeliebt wie an keinem anderen Tag im Jahr. Und an Silvester, dem Tag der Besinnung, dem Tag der guten Vorsätze oder eben dem Tag, an dem alle außer mir fröhlich feiern, habe ich meistens eine ausgewachsene Depression und versuche mir krampfhaft einzureden, daß im nächsten Jahr bestimmt alles viel besser laufen werde. Vielleicht würde es dieses Mal ein wenig leichter sein. Helmut würde mir sicherlich Gesellschaft leisten. Zusammen mit Zerberus, seinem wundervollen Hund!

Es war der fünfzehnte Dezember, morgens um acht Uhr. Einmal mehr riß mich das Läuten des Telefons aus dem Schlaf.

»Mona, hier ist Rolf. Jutta hat gesagt, ich soll dich anrufen. Wir haben heute nacht um drei Uhr zwanzig eine kleine Tochter bekommen!«

»Fein«, flüsterte ich schlaftrunken, »ist alles in Ordnung … ich meine, mit beiden – mit Jutta und dem Baby?«

»Alles bestens! Jutta meinte schon kurz nach der Geburt, ich solle dir Bescheid geben. Aber natürlich war sie noch erschöpft und hat sich nicht um die Uhrzeit gekümmert. Also habe ich mit dem Anruf gewartet bis jetzt.«

»Falsch, lieber Rolf! Jutta wußte durchaus, wovon sie redete. Sie weiß, daß ich morgens um halb vier noch putzmunter bin, während ich um acht Uhr morgens für gewöhnlich schlafe.«

Wenn Sie glauben, daß Rolf sich nun bei mir entschuldigte, dann haben Sie sich geschnitten. Er sagte nur: »Okay, ich habe dich informiert. Bis dann, Mona«, und legte auf.

Ich rauchte eine Zigarette – zur Feier des Tages, schließlich war ich nun zweifache Tante –, legte mich ins Bett und wurde stinksauer, weil es mir nicht gelang, wieder einzuschlafen!

Am späten Nachmittag besuchte ich Jutta in der Klinik. Ich hatte kaum die Tür geöffnet, da rief sie mir schon freudestrahlend entgegen:

»Habe ich es dir nicht gesagt! Fünfzehnter Dezember! Ich wußte, das Kind würde pünktlich kommen! Hast du es schon gesehen?«

Ich gab ihr einen Kuß.

»Nein, Jutta, ich wollte zuerst nach dir sehen. Wie fühlst du dich?«

Die Frage war eigentlich überflüssig. Sie sah aus wie das blühende Leben. Jedenfalls weitaus gesünder als ich.

Nachdem sie mir versichert hatte, wie glücklich sie war, und ich ihr versichert hatte, wie froh ich für sie war, begann der ungemütliche Teil der Unterhaltung.

»Mona, ich habe eine tolle Idee! Es ist doch bald Weihnachten. Und da habe ich mir gedacht, wir feiern am fünfundzwanzigsten Dezember ein richtig schönes Familienfest. Zu Ehren des Babys!«

»Familienfest«, stammelte ich erschüttert. Bloß das nicht. Nicht schon wieder!

»Ja«, fuhr sie begeistert fort, »und alle müssen kommen! Mami und Papi, du natürlich, Lotta ... wir können Rolfs Mutter ja nicht ausschließen, es ist immerhin ihr Enkelkind – und du mußt unbedingt deinen Helmut mitbringen!«

»Helmut«, krächzte ich mit ausgetrockneter Kehle.

»Klar! Oder ... du machst doch nicht etwa immer noch mit diesem Fotografen rum?«

»Nein«, sagte ich leise und fühlte die Stiche in meinem Herzen, »nicht im geringsten.«

»Na, fein! Dann ist ja alles geregelt!«

Im Geiste formulierte ich eine passende Ausrede. Aber ich wußte, es wäre zwecklos. Jutta konnte unter bestimmten Umständen eine immense Hartnäckigkeit an den Tag legen!

Ich war fest entschlossen, mir bis zum Weihnachtsfest eine handfeste Grippe zuzulegen. Ich würde doch nicht auf diese blöde Familienfeier gehen, noch dazu mit Helmut im Schlepptau!

Ich gab mir wirklich jede nur erdenkliche Mühe: Ich nahm mein Vitamin-C-Pulver nicht ein. Ich war ständig viel zu leicht bekleidet für die Jahreszeit. Ich riß zehnmal am Tag sämtliche Fenster auf. Das Ergebnis war gleich Null. Ich bekam nicht einmal einen Schnupfen!

Natürlich hätte ich Jutta belügen können, etwa in der Art:

»Juttaleinchen, ich weiß, heute ist unser großartiges Familienfest. Leider kann ich nicht kommen, ich bin fürchterlich erkältet. Ja, du hast richtig gehört, ich habe wahnsinnig hohes Fieber und Halsweh und Husten und Schnupfen ... Ich habe mich so sehr auf die Feier gefreut, ganz ehrlich, aber es wäre doch nicht fair von mir, euch alle anzustecken, vielleicht sogar das arme Baby! Das kann ich einfach nicht verantworten! Ich bin ganz schrecklich enttäuscht, aber ich werde in Gedanken bei euch sein!«

Das klang theoretisch hervorragend – praktisch jedoch würde mir Jutta kein einziges Wort davon glauben. Nein, die wäre imstande, mit dem Baby auf dem Arm und dem Fieberthermometer in der Hand in meine Wohnung zu stürmen. Lügen war also sinnlos. Ich probierte es anders.

»Helmut, Schätzchen, meine Schwester hat uns für den fünfundzwanzigsten Dezember zu einer Familienfete eingeladen, um die Geburt ihres Babys zu feiern. Ist das nicht albern? Wir müssen selbstverständlich nicht hingehen. Du hast sicherlich keine Lust. Meine Familie ist der langweiligste Haufen der ganzen Welt.«

»Ich würde deine Familie sehr gerne einmal kennenlernen«, versicherte Helmut, dieser Idiot.

»Nein, mein Lieber, das würdest du nicht. Du würdest dich dort nur ausgesprochen unwohl fühlen, glaub es mir!«

»Ich möchte aber gerne zu dieser Feier gehen«, widersprach er, »das ist doch eine reizende Geste von deiner Schwester, daß sie auch mich eingeladen hat! Fast, als würde ich zur Familie gehören!«

Genau das paßte mir ja nicht!!!

»Helmut, meine Schwester haßt Hunde. Kannst du dir das vorstellen? Ist das nicht widerlich? Du könntest nicht einmal deinen Zerberus mitbringen!«

»Ja, das ist natürlich schade, aber meine Pensionswirtin ist ausgesprochen nett. Sie wird sich bestimmt für ein paar Stunden um ihn kümmern. Das macht sie doch auch, wenn ich im Theater bin.«

Ich verlor die Beherrschung und schrie ihn an:

»Herrgott, du verstehst mich einfach nicht!«

Er küßte mich auf die Stirn.

»Sag deiner Schwester, daß wir ihre Einladung mit Vergnügen annehmen werden.«

Ich verbrachte die Tage bis Weihnachten in einem Zustand äußerster Verzweiflung. Am Morgen des fünfundzwanzigsten Dezember prüfte ich meinen Körper auf das leiseste, winzigste, unbedeutendste Anzeichen irgendeiner Krankheit hin. Doch da war nichts. Absolut nichts! Ich war kerngesund. Alle Leute klagten über Erkältung, und ich, die nicht einmal richtig schlafen konnte, ausgerechnet ich blieb davon verschont. Es war einfach nicht fair!

»Wie schön«, rief Jutta enthusiastisch, »endlich seid ihr da!«

Ihr Enthusiasmus galt ohne Zweifel Helmut. Zugegeben, er sah hinreißend aus. Er trug dunkle Hosen, ein helles Seidenhemd mit passender Weste und einen anthrazitfarbenen Herrenblazer aus Kaschmir. Ich trug einen langen schwarzen Pullover mit V-Ausschnitt, schwarze Glanzleggings und schwarze Overkneestiefel aus Nappaleder mit hohen Absätzen. Wir beide paßten zusammen wie die buchstäbliche Faust aufs Auge, aber das war mir gerade recht.

Helmut begrüßte die Damen mit formvollendetem Handkuß und die Männer – Papi, Rolf und den kleinen Martin – mit markantem Handschlag. Ich wurde mal wieder kaum beachtet, aber Helmut, der große Schauspieler, bekannt aus Film, Fernsehen und Theater, der wurde mit Begeisterung aufgenommen. Jutta errötete unter seinem Handkuß wie eine Pfingstrose, meine Mutter kicherte wie ein Teenager, und sogar Lotta, Juttas Schwiegermutter und meine Busenfreundin, blickte ihn hingerissen an. Ich verzog mich übel gelaunt ins Kinderzimmer, um mir das Baby mal in aller Ruhe aus der Nähe anzuschauen. Eigentlich hatte ich es immer schon gewußt, aber jetzt stand es fest: Der Mann konnte nicht der Richtige für mich sein – nicht, wenn meine Familie so entzückt von ihm war!

Das Baby sah gesund und rosig aus. Leider war es seinem Vater wie aus dem Gesicht geschnitten. Die arme Kleine. Hoffentlich würde sie wenigstens später mal so etwas wie Intelligenz oder Begabung vorzuweisen haben.

»Mona, da bist du ja!«

Die liebe Familie plus Helmut war mir gefolgt und versammelte sich nun wie aufs Stichwort um das Kinderbettchen.

»Was ist«, fragte ich, »stoßen wir gleich auf das Baby an?«

Ich brauchte angesichts dieser familiären Idylle dringend etwas zu trinken. Leider wurde meine berechtigte Forderung gänzlich überhört.

»Ist sie nicht süß«, flüsterte Jutta, »sieht sie nicht wie ihr Vater aus?«

»Die Kleine ist ganz der Herr Papa«, bestätigte Helmut.

Er sprach ein wahres Wort gelassen aus.

»Ja«, schwelgte Lotta in Erinnerungen, »so hat mein Rolf in diesem Alter ausgesehen, ganz genau so!«

»Ist es nicht merkwürdig«, stellte meine Mutter fest, »wie unterschiedlich Geschwister aussehen können? Martin kommt ganz nach seiner Mutter, während die Kleine hier bestimmt nach ihrem Vater kommen wird. Bei meinen Kindern ist es genauso: Mona schlägt ihrem Vater nach: klein, zierlich, blasse Haut und rötliches Haar, und Jutta sieht mir ähnlich: groß, kräftig, gebräunter Teint und dunkle Haare.«

Kräftig war für Jutta ziemlich untertrieben: Sie trug immer noch ihre Umstandskleidung, weil alles andere zu eng geworden war.

Rolf lächelte, ganz der stolze Vater, Papi sagte gar nichts – er hat während seiner Ehe nie viel zu sagen gehabt –, und mein Neffe Martin verkündete: »Ich finde das Baby total häßlich.«

Ich unterdrückte ein Grinsen, meine Schwester wurde kreideweiß vor Bestürzung, und Mami sagte mit sanftem Vorwurf:

»Martin, das kann doch nicht dein Ernst sein.«

»Wirklich, Martin«, wies ihn sein Vater zurecht, »das darfst du nicht sagen.«

Ich kapierte gar nicht, was sie hatten. Martin hatte nur das in Worte gefaßt, was sowieso alle dachten, aber nicht laut aussprachen. Ob die Kleine nun häßlich war oder ob sie ihrem Vater ähnelte – wo lag da der Unterschied?

»Ist doch völlig egal«, versuchte ich abzulenken, »wir feiern heute die Geburt dieses Kindes, also laßt uns endlich darauf anstoßen!«

Plötzlich waren alle von dieser Idee begeistert. Komisch, ich hatte den Vorschlag erst wenige Minuten zuvor schon einmal ausgesprochen, und da war er glatt überhört worden. Ich hoffte bloß, daß Jutta für dieses Ereignis mehr als nur eine Flasche Sekt besorgt hatte. Der Tag war noch jung, und irgendwie mußte er schließlich bewältigt werden!

»Ich habe eine ganze Kiste Sekt gekauft«, verkündete Jutta – eine äußerst beruhigende Tatsache! Sogleich begann sie ihren Mann zu instruieren:

»Rolf, hol doch bitte eine Flasche aus dem Kühlschrank und bring das Tablett mit den Gläsern mit! Zwei Flaschen sind kalt gestellt, aber eine müßte vorerst reichen.«

Wie sich herausstellte, reichte die Flasche für sieben Erwachsene eben doch nicht aus. Mir wurde natürlich zuletzt eingeschenkt, und ausgerechnet ich bekam nur einen winzigen Schluck ab.

»Na, zum Anstoßen reicht es«, meinte Rolf.

»Das tut es eben nicht«, protestierte ich wütend, »macht sofort noch eine Flasche auf, oder ich gehe nach Hause! Ich bin nicht gewillt, mit diesen drei Tropfen auf meine Nichte zu trinken!«

Meine Mutter kicherte nervös und wandte sich entschuldigend an Helmut:

»Ja, unsere Mona! So war sie schon immer. Kein Baby auf der ganzen Welt konnte so zornig nach seinem Fläschchen brüllen wie sie. Mona ist ein Flaschenkind, müssen Sie wissen. Ich konnte mein erstes Kind leider nicht stillen, das hat erst bei Jutta geklappt.«

»Mami«, sagte ich, »das interessiert Herrn Barker nicht die Bohne.«

»O doch, natürlich«, beeilte er sich zu versichern, »solche frühkindlichen Erlebnisse sind immer äußerst interessant. Sehen Sie, ich beispielsweise wurde zehn Monate lang gestillt.«

»Das ist der Grund, warum er heute immer noch so wild auf große Brüste ist«, bemerkte ich.

»Hier, Mona«, rief Jutta, »hier haben wir die zweite Flasche! Du bedienst dich selber, nicht? Ja, fein, dann können wir ja endlich ... Rolf, möchtest du ein paar Worte sagen?«

Ich verstand nicht, wieso die Frau auf einmal so hektisch war. Hatte ich vielleicht wieder mal etwas Unpassendes gesagt?

»Den Toast übernehme ich«, gab ich bekannt. Rolf würde nur stundenlang dämliches Gewäsch von sich geben, und bis zum Ende seiner Rede wäre jegliche Kohlensäure aus dem Sekt entwichen. Die Kohlensäure ist bei Sekt entscheidend: Sie aktiviert die Aufnahmebereitschaft der Magenschleimhäute und garantiert eine optimale Verwertung des Alkohols.

Ich erhob also mein – gutgefülltes! – Glas und deklamierte feierlich:

»Wir haben uns zu dieser wundervollen Feier versammelt, um dieses Kind herzlich willkommen zu heißen und ihm alles Glück der Erde zu wünschen. Alles Gute für dich, liebe, kleine ... äh, wie soll sie eigentlich heißen?«

»Wir sind noch nicht ganz sicher«, lächelte Jutta, »wir schwanken zwischen Johanna und Lisa!«

Lisa! Lisa!!! So hieß Uwes Freundin! So hieß dieser Drache!!!

Es war mir vollkommen gleichgültig, ob der blöde Toast nun beendet war oder nicht – ich trank mein Glas in einem Zug leer.

»Jutta«, flüsterte ich mit heiserer Stimme, »was gibt es denn da zu überlegen? Du kannst dieses wunderschöne Baby doch nicht allen

Ernstes auf den Namen Lisa taufen lassen! Sieh mal: Johanna – das bedeutet Mut, Stärke, Kraft! Denk an Jeanne d'Arc!«

»Die ist auf dem Scheiterhaufen verbrannt worden«, warf Jutta nüchtern ein.

»Das spielt doch keine Rolle«, beschwor ich sie. »Lisa – das klingt nach einer schwangeren Kuh mit braunen Flecken –, aber Johanna! Das ist doch ein toller, ein ganz wundervoller, klassischer Name! Hör mal auf den Klang: Johanna Genshofer! Ist das nicht beeindruckend? Dagegen: Lisa Genshofer! Das hört sich an, als hätte sie den Intelligenzquotienten eines Melkschemels! Das kannst du deiner Tochter unmöglich antun!«

»Stimmt«, gab Rolf mir ausnahmsweise recht, »ich war sowieso mehr für Johanna.«

Die übrigen Anwesenden stimmten ihm zögernd zu. Den Ausschlag gab allerdings der liebe Helmut, indem er berichtete, daß seine heißgeliebte Großmutter ebenfalls den Namen Johanna getragen habe. Diesem schlagkräftigen Argument konnte sich keiner mehr entziehen.

»Also, auf Johanna«, rief Jutta.

Für diesen, nun hoffentlich endgültigen Toast schüttete ich hastig mein zweites Glas Sekt hinunter. Meine Hände zitterten. Nein, ich war noch nicht darüber hinweg. Ganz und gar nicht. Wenn man der Kleinen tatsächlich den Namen Lisa gegeben hätte – er wäre mir für den Rest meines Lebens um die Ohren geschlagen worden! Das hatte ich nun wirklich nicht verdient. Verdammte Familienfeier. Nun hatte ich schon wieder eine akute Depressionsanwandlung, und das nur, weil meine Schwester zu dämlich war, dem Kind einen vernünftigen Namen zu geben!

Lotta schien etwas bemerkt zu haben, denn sie rief plötzlich mit munterer Stimme:

»Nach diesem Toast gehen Mona und ich auf die Terrasse und rauchen eine Zigarette!«

»Ach, das ist doch nicht nötig«, meinte Jutta, die tolerante und perfekte Gastgeberin, »ich kann ja hinterher lüften ...«

»Nicht nötig! Es macht uns nichts aus!«

Ich warf Lotta einen dankbaren Blick zu. Wir schnappten uns unsere Mäntel – ich riß mir außerdem die angebrochene Sektflasche unter den Nagel – und verzogen uns ins Freie.

Lotta beobachtete kritisch, wie ich mit bebenden Fingern mehrere Zigaretten hintereinander rauchte und mir einen Schluck nach dem anderen von dem Sekt genehmigte. Sie war es, die das Schweigen brach.

»So, Mona, jetzt sag mir endlich, was mit dir los ist!«

»Was soll schon los sein?«

»Ach, ich kenne dich doch! Mir kannst du nichts vormachen. Du quälst dich mit irgendeiner Sache herum, ich weiß nur nicht, mit welcher.«

»Du bist lieb, Lotta, aber ... jetzt nicht, bitte. Ich mag jetzt nicht darüber reden. Es ist sowieso total albern.«

»Mona, es tut mir weh, wenn ich dich so sehen muß. Du weißt, ich liebe dich. So sehr, als wärst du meine Tochter!«

»Du meinst«, grinste ich mit einem Anflug von Galgenhumor, »du meinst doch nicht etwa, du hättest lieber mich zur Schwiegertochter gehabt als Jutta?«

»Du«, ächzte sie, »du und mein Rolf? Nein, Kindchen, das würde ich dir nicht wünschen und meinem Rolf auch nicht!«

Wir lagen uns in den Armen und lachten, bis unsere Augen tränten. Plötzlich bemerkten wir, daß wir nicht allein waren. Wir drehten uns um und tatsächlich! Da stand der kleine Martin mit trotzig vorgeschobener Unterlippe.

»Niemand kümmert sich um mich«, klagte er, »alle reden bloß über das blöde Baby!«

»Komm her«, sagte Lotta besorgt und drückte ihn an sich, »du hast ja nicht einmal deine Jacke an. Freust du dich gar nicht über dein Schwesterchen?«

»Nee«, schmollte er. »Zuerst schon, aber jetzt denke ich, ein Hund wäre besser gewesen!«

»Wie ich dich verstehe«, seufzte ich.

»Warum muß ich denn eine Schwester haben?« fragte Martin verständnislos. »Ich brauche sie doch überhaupt nicht!«

»Aber natürlich«, sinnierte ich, »natürlich brauchst du eine Schwester, Martin. Wer sonst soll dir ein Leben lang vorbeten, daß du eine unverbesserliche Schlampe bist? Daß du dich nicht in das einfügen kannst, was man allgemein als ›normales Leben‹ bezeichnet? Wer sonst, außer deiner Schwester?«

»Pssst«, zischte Lotta, »du machst dem Jungen ja nicht gerade sehr viel Mut!«

»Paß auf, Martin«, fuhr ich etwas zerknirscht fort, »eines Tages werdet ihr, du und deine Schwester Johanna – ich betone: Johanna, nicht Lisa! –, euch genauso lieben, wie Jutta und ich uns lieben!«

Aus irgendeinem Grund brach Martin in Tränen aus. Oje! Was hatte ich denn nun schon wieder falsch gemacht?

»Wir gehen besser wieder hinein«, seufzte Lotta. »Martin, hör auf zu weinen. Tante Mona hat nur Spaß gemacht.«

Ich verschluckte noch rasch den restlichen Sekt, legte voller Gewissensbisse meinen Arm um Martin, und so kehrten wir zu dritt in den Schoß der Familie zurück.

Martin hatte sich übrigens geirrt. Es wurde durchaus nicht nur über das Baby gesprochen. Ich vernahm beim Eintreten noch die letzten Worte meiner Mutter:

»Natürlich ist Mona in Haushaltsdingen nicht gerade eine Koryphäe – aber sie ist ein liebes Ding, ganz ehrlich!«

»Das weiß ich«, bestätigte Helmut, »das weiß ich doch!« Er bemerkte uns und lächelte mir liebevoll zu: »Setz dich zu mir, Schatz!«

Ich ließ mich mißmutig neben ihn auf das Sofa plumpsen und füllte mein Glas. Jutta hatte in Ermangelung der zweiten Sektflasche – die nun leer war! – eine dritte geöffnet.

»Wenn es nur an mir liegen würde«, verkündete meine Mutter, »dann würde ich Ihnen versichern, daß ich mir keinen besseren Schwiegersohn wünschen könnte als Sie!«

»Ja«, sagte Helmut und sah mich bedeutungsvoll an, »aber leider liegt es ja nicht nur an Ihnen, nicht wahr?«

Ich leerte langsam mein Glas, genoß das Gefühl der Trunkenheit, das allmählich von mir Besitz ergriff, und dachte mit einem unwiderstehlichen Schwindelgefühl über die Sache nach. Vielleicht war es ja gar keine so schlechte Idee? Vielleicht würde mir gerade

das guttun – ein gesichertes Leben, ein Ehemann, ein Heim ...
Vielleicht würde ich Uwe darüber vergessen können. Vielleicht
würde dieser Schmerz schlagartig nachlassen. Vielleicht würde die
Ehe ja gutgehen. Vielleicht würde ich endlich wieder schlafen
können. Ach, es gab so viele Vielleichts ...
Ich mußte an mein großes Idol denken, den skandalumwitterten
englischen Dichter Lord Byron. Hatte der es nicht genauso gemacht? Auch er hatte sich aus Verzweiflung in eine Ehe gerettet,
nachdem er durch sein Inzestverhältnis mit seiner heißgeliebten
Schwester Augusta ziemlich in die Bredouille geschlittert war. Zugegeben, die Ehe hatte nur ein Jahr lang gehalten, und meine
Situation war auch nicht ganz die gleiche. Egal: Wenn meine Ehe
mit Helmut scheitern würde, dann müßte ich nicht wie Byron ins
Exil, sondern könnte womöglich jeden Monat einen dicken, fet-
ten Scheck für meinen Unterhalt abkassieren. Und bis es soweit
war, würde ich sowohl Helmut als auch meine Familie zu den
glücklichsten Menschen auf dieser Erde machen! In meinem
Sektrausch erschien mir dieser Gedankengang völlig logisch.
Ich tastete unsicher nach Helmuts Hand.
»Aber eines sage ich dir gleich: Ich werde weiterhin in erster Linie
Bücher schreiben, und ich weigere mich, kochen zu lernen!«
»Heißt das«, stotterte Helmut atemlos, »du bist einverstanden,
daß wir heiraten?«
»Warum nicht?« gab ich ziemlich gleichgültig zurück.
Ein allgemeiner Jubel brach los. Helmut riß mich in seine Arme
und drückte mich an seine Rippen, bis ich nach Luft schnappte.
Meine Mutter umarmte mich, meine Schwester knutschte mich
regelrecht ab. Lotta, Papi und sogar Rolf bekundeten ihre Freude.
Als sich der erste Rummel gelegt hatte, meinte Mami:
»Ihr heiratet doch so bald wie möglich, oder? Wißt ihr, ich bin ge-
gen lange Verlobungszeiten«, und mit einem verschmitzten Lä-
cheln fügte sie hinzu: »In dieser Zeit haben die Paare nämlich die
Möglichkeit, sich gegenseitig vor der Hochzeit allzu genau zu
prüfen ... und wer will das schon!«
Ich war verblüfft. Hatte ich diese Weisheit nicht bereits in dem
Theaterstück »Bunbury« gelesen? Doch, ganz bestimmt! Und

solch ein Ausspruch kam von meiner Mutter, die von Oscar Wilde niemals etwas gehört hatte! Mr. Wilde war ein kluger Mann gewesen – bei meiner Mutter mußte es sich jedoch um einen puren Zufallstreffer handeln.

Meine Verlobung wurde bis spät in die Nacht hinein gefeiert. Alle waren mächtig aufgedreht und vergnügt – und keiner merkte, wie besoffen ich inzwischen war.

»Ich bin so glücklich«, flüsterte Helmut in mein Ohr, »bist du's auch?«

»Sicher«, murmelte ich und dachte, wie großartig es doch war, daß mir durch diese kombinierte Baby- und Verlobungsfeier immerhin eine dieser entsetzlichen Familienfeten erspart bleiben würde.

»Die Hochzeit findet spätestens Ende Januar statt«, verkündete Helmut, als wir uns endlich gegen ein Uhr nachts verabschiedeten.

Alle umarmten und küßten uns. Jeder war mit Helmut inzwischen per du, sogar Martin nannte ihn bereits »Onkel Helmut«! Ich wollte nur noch ins Bett, um meinen Rausch auszuschlafen. Trotzdem lächelte ich tapfer und ließ die ganze Zeremonie über mich ergehen.

Auf der Heimfahrt spürte ich ein widerliches Kratzen und Stechen in meiner Kehle. Na, phantastisch! Die Erkältung, auf die ich so mühevoll hingearbeitet hatte, nur um diesem mir verhaßten Familientreffen auszuweichen, die bekam ich jetzt. Leider zu spät. Und das im wahrsten Sinne des Wortes!

Kapitel 6

Ich lag mit der schlimmsten Erkältung meines bisherigen Lebens im Bett und fühlte mich pudelwohl. Ja, Sie können es mir glauben: Zum ersten Mal genoß ich es in vollen Zügen, krank zu sein. Woran das lag? Nun, alle kümmerten sich um mich! Es war zu schön, um wahr zu sein. Meine Mutter erkundigte sich mehrmals täglich am Telefon nach meinem Wohlergehen. (Und ob der Hochzeitstermin denn schon feststünde.) Meine Schwester machte es genauso. Verlobt zu sein hatte zweifellos etwas für sich. Mit einemmal, quasi über Nacht, war ich zu einer wichtigen Person geworden. Nach einunddreißig Jahren war das ein tolles Gefühl. Mein Helmut tat alles, was seiner Ansicht nach nötig war, um seine Verlobte am Leben zu erhalten. Da ich mich strikt weigerte, einen Arzt aufzusuchen, rannte er in die Apotheke, um mir ein ganzes Arsenal an Medikamenten zu beschaffen. Außerdem stürzte er in den Supermarkt, um mehrere Flaschen Glühwein zu besorgen. Seine Verlobte mußte schließlich bei Laune gehalten werden, gerade jetzt, wo sie sich fast die Lunge aus dem Leib hustete und nicht eine einzige Zigarette rauchen konnte! Allerdings wurde ich trotz meiner Krankheit dazu verdonnert, in dick eingepacktem Zustand irgendwann zwischen Weihnachten und Neujahr mit ihm aufs Standesamt zu fahren, um das Aufgebot zu bestellen. Vor lauter Naseputzen und Schniefen und halb im Delirium bekam ich dort überhaupt nichts mit und war, wieder zu Hause angekommen, gezwungen zu fragen:

»Wann findet die Sause nun statt?«

»Unser Termin ist am dreißigsten Januar um vierzehn Uhr«, verkündete Helmut strahlend, »freust du dich?«

»Vierzehn Uhr ist okay«, krächzte ich, »da bin ich wenigstens halbwegs wach. Und wenn du mir jetzt noch eine große Tasse Glühwein heiß machst, freue ich mich um so mehr!«

Vielleicht nutzte Helmut mit Absicht meinen fieberumnebelten Zustand aus, um die zukünftige Wohnsituation zu erörtern:

»Weißt du, Mona, ich habe es mir folgendermaßen gedacht: Nach der Hochzeit könnte ich meiner Pensionswirtin kündigen und bei dir einziehen. Es wird vielleicht ein bißchen eng, aber wenn meine Verträge hier abgelaufen sind, werden wir wohl sowieso nach Wien gehen. Du könntest deine Eigentumswohnung verkaufen oder auch vermieten – ganz wie du willst. Was hältst du davon?«

Mit heiserer Stimme machte ich ihm klar, daß es völliger Blödsinn wäre, so überstürzt dieses wunderbare Zimmer in der Pension aufzugeben. Verheiratet oder nicht, wir hätten schließlich noch nie zusammengelebt, noch dazu auf so engem Raum, und es wäre besser, die Sache etwas langsamer anzugehen. Was die Übersiedelung nach Wien betraf, nun, da sollte er doch gefälligst warten, ob seine Verträge nicht vielleicht verlängert werden würden. Bevor er protestieren konnte, drückte ich seine Hand und bat ihn, mich jetzt bitte eine Weile schlafen zu lassen, immerhin sei ich todkrank. Demonstrativ rollte ich mich auf die Seite und begann zu schnarchen.

Kaum war ich wieder wach, wurde ich erneut mit Hochzeitsplänen bombardiert.

»Mona, wir haben die Organisation für die Feier noch gar nicht besprochen. Wie viele Leute willst du eigentlich einladen?«

»Nur die Familie«, murmelte ich verschnupft, »also, ich meine die komischen Leute, die du bereits kennengelernt hast. Die muß ich wohl leider Gottes einladen.«

Er fand diesen Ausspruch ungeheuer witzig und brach in ein herzliches Lachen aus.

»Du bist immer so lustig, sogar wenn du krank bist! Nun, ich habe außer meiner Exfrau und den zwei Mädchen ja keine Familie, aber ich werde einen sehr netten Kollegen aus dem Theater einladen. Ihn hätte ich nämlich gerne als Trauzeugen. Ich habe ihn bereits gefragt, und er würde es gerne machen.«

»Na, das ist ja die Hauptsache«, sagte ich und schneuzte mir kräftig die Nase.

»In welchem Restaurant wollen wir feiern? Wir werden natürlich ein geschlossenes Nebenzimmer reservieren und ein ausgiebiges Hochzeitsmenü mit mehreren Gängen … nein, Schatz, du brauchst dir keine Sorgen zu machen, natürlich geht die ganze Feier auf meine Rechnung!«

Davon war ich sowieso ausgegangen.

»Helmut, das ist nicht das Problem. Ich will nicht so eine blöde, spießige Hochzeitsfeier haben. Diese mehrgängigen Menüs, die sind doch Mist. Als ersten Gang werden Terrinen mit einer versalzenen Brühe und ein paar einsamen Markklößchen herumgereicht. Alle Gäste sind inzwischen von der ewigen Warterei völlig ausgehungert und prügeln sich förmlich um diese dämlichen Terrinen. Und der erste, der eine erwischt, angelt sich alle Klößchen heraus!

Die anderen, die keine Klößchen abbekommen, brechen in empörte Protestschreie aus. Na, und der Salat! Der besteht für gewöhnlich aus einigen schlecht gewaschenen Blättern, die im Öl geradezu ertrinken, und wenn nicht mindestens einer der Gäste eine Schnecke im Salat findet, dann hat er einen unerhört guten Tag erwischt. Der Hauptgang! Ein schlecht geschnittenes Stück Fleisch mit dicken Fetträndern, und dazu gibt es Erbsen aus der Tiefkühltruhe, die so grün sind, als hätte man sie mit Absinth bestrichen. Als weitere Beilage gibt es wahlweise Pommes frites, die genauso ölig sind wie der Salat, oder weiße, zermatschte, geschmacksneutrale Spätzle. Der Nachtisch besteht dann aus Supermarkt-Eis mit nicht mehr ganz frischer Schlagsahne und so harten Krokantkrümeln, daß man sich sämtliche Plomben herausbeißt. Nee, Helmut – kein vorbestelltes Hochzeitsmenü! Wir reservieren einfach einen Tisch für soundso viele Personen, sagen jedem Gast, für wieviel Mark er futtern darf, und dann soll jeder essen, was er will!«

Es war mein voller Ernst. Helmut hegte jedoch ganz offensichtlich ein weitaus größeres Zutrauen zur Gastronomie als ich. Von einem monströsen Lachkrampf geschüttelt, verkündete er:

»Mona, du bist eine Wucht! Wo hast du das nur wieder gelesen?«

»Nirgendwo«, erwiderte ich, »das habe ich auf Juttas Hochzeitsfeier erlebt!«

Allmählich ging mir das Geschwafel um diese blöde Hochzeit

ganz gewaltig auf den Keks. Wieso mußte eigentlich immer ein solches Brimborium abgezogen werden? Warum konnten wir nicht einfach unsere Trauzeugen schnappen – Helmuts Theaterfritzen und meine Freundin Lotta – und mit ihnen das standesamtliche Ritual über uns ergehen lassen? Hinterher könnten wir alle gemütlich ein Bier trinken, und dann könnte jeder friedlich nach Hause gehen. Aber nein – man mußte sich ja an »gewisse Formen« halten ... Himmel, wie mich das ankotzte. Langsam konnte ich sogar Claudia Schiffer verstehen. Die arme Frau wurde doch auch ständig gefragt, wann sie denn nun endlich ihren David Copperfield zu heiraten gedenke. Ihre Antwort: »Wir haben es nicht so eilig mit der Heirat, wir genießen erst mal unsere Verlobungszeit.« Ja, inzwischen konnte ich die verstehen. Die Verlobungszeit war bestimmt das Beste an der ganzen Geschichte. Siehe meine Familie: Auf einmal behandelten sie mich wie ein menschliches Wesen! Wenn dieser Zustand auch Annehmlichkeiten bot, war es doch eigentlich sehr traurig: Obwohl es die Suffragetten gegeben hatte, obwohl die Frauenbewegung schon vor etlichen Jahren wiederbelebt wurde und Alice Schwarzer immer noch quicklebendig war – Mona Manntey wurde erst am Tage ihrer Verlobung für ihre Familie wertvoll! Diese Tatsache war so bejammernswert, daß ich mich unmöglich darauf einlassen konnte, eingehender darüber nachzudenken.

Da Helmut zu Silvester im Theater zu tun hatte, verbrachte ich den Abend mit Zerberus, einer Wolldecke und einer Flasche Glühwein vor dem Fernseher. Als Helmut dann endlich erschien, waren der Hund und ich längst eingeschlafen. Das war das Gute an dieser Erkältung: Ich konnte wenigstens mal wieder so richtig schlafen!
Am zweiten Januar war ich fieberfrei, die Halsschmerzen und der Schnupfen waren abgeklungen. Allerdings hustete ich wie die Kameliendame. Als ich dann noch nach einem fünfminütigen Hustenanfall einen dünnen Streifen Blut in meinem Taschentuch entdeckte, war der Fall für mich klar: Die galoppierende Schwindsucht hatte mich erwischt! Und das im Jahre 1996! Was, wenn ich

ganz plötzlich sterben mußte? Oh, es war zum Weinen: Kein Armand Duval – sprich Uwe! – würde nach meinem Tod in Tränen zerfließen, geschweige denn mich wieder ausbuddeln lassen, nur um mich noch ein letztes Mal zu sehen! Ich tat mir fürchterlich leid. Wie würde wohl meine Familie auf meinen bald eintretenden Tod reagieren? Ich sah es genau vor mir, das ganze Szenarium meiner Beerdigung: Eisige Kälte. Grauer Himmel. Ein leichter Nieselregen. Meine Schwester, das Baby dick eingewickelt auf ihrem Arm, Martin an ihrer Hand. Sie würde schluchzen: »Oh, die arme Mona! So einsam in dieser staubigen, unaufgeräumten Wohnung zu sterben! Gewiß, sie war eine Schlampe – aber das hat sie nicht verdient!« Rolf würde murmeln: »Hätte sie sich nicht eine andere Jahreszeit zum Sterben aussuchen können? Bis diese verdammte Beerdigung überstanden ist, sind die Straßen garantiert spiegelglatt!« Meine Mutter würde hemmungslos heulen: »Oh! Wo sie doch kurz vor der Heirat mit diesem gutaussehenden Filmschauspieler stand! Jetzt muß sie ledig von dieser Erde scheiden! Oooooooh!« Papi würde überhaupt nichts sagen, er war daran gewöhnt, daß seine Frau ihm ständig über den Mund fuhr. Lotta würde flüstern: »Ihr könnt alle sagen, was ihr wollt, aber sie war auf ihre Weise ein gutes Mädchen – jawohl, ein gutes Mädchen!« Helmut würde vor lauter Trauer fast in das offene Grab hineinfallen. »Gerade hatte ich mich an ihren Büchseneintopf gewöhnt! Ach, ich werde nie wieder eine Frau finden wie sie – die meinen Hund so liebhat! Ach, ich habe ganz vergessen, das Hochzeitsmenü bei ›Chez Luna‹ abzusagen! Das muß ich unbedingt noch machen!« Und mein alter Uwe? Vermutlich würde er nicht einmal etwas von meinem Tod erfahren. Aber falls ein Wunder geschehen sollte und er an meiner Beerdigung teilnähme, dann würde er sicherlich auf meinen Sarg starren und mit leiser Stimme zu mir sprechen: »Na, Kätzchen? Ist dein Hintern eigentlich noch warm? Du hast wenigstens gewußt, was eine anständige Massage bedeutet. Lisa wußte das nie.«

Die ganze Szene war so ergreifend, daß ich ein bißchen weinen mußte.

Ich gab noch zwei Tage lang beim Husten geringe Spuren von

Blut von mir – und dann war ich plötzlich gesund. Einfach so. Keine galoppierende Schwindsucht. Kein Dahinsiechen. Keine Beerdigungsfeier.

Na, schön. Ich würde nicht sterben. Meinetwegen. Auch gut. Ich würde weiterleben. Vielleicht würde ich sogar diese dämliche Hochzeitsfeier überstehen!

Nachdem ich meiner Schwester Jutta bei meinem Leben geschworen hatte, daß ich nicht mehr ansteckend war, kam sie mich besuchen – mit Johanna natürlich. Es war etwa gegen elf. Ich war zwar halbwegs ausgeschlafen, aber noch nicht angezogen.

»Mona«, begrüßte sie mich vorwurfsvoll, »immer noch in Nachthemd und Bademantel! Also, langsam solltest du dir das abgewöhnen!«

»Wieso denn«, gähnte ich.

»Na – jetzt, wo du bald verheiratet sein wirst!«

»Was hat das denn damit zu tun? Helmut weiß, wie ich in diesem Aufzug aussehe. Wo also liegt das Problem?«

»Mona, ich bitte dich! Du kannst doch diese merkwürdige Tageseinteilung in deiner Ehe nicht beibehalten wollen!«

Ich schenkte uns beiden Kaffee ein.

»Meine liebe Jutta: Helmut kennt meine Tageseinteilung sehr genau. Er wird sie genauso akzeptieren, wie ich seine akzeptiere!«

»Ha! Was mußt du denn schon groß akzeptieren? Daß du stundenlang weiterschlafen kannst, während dein Mann längst bei der Arbeit ist? Daß er alleine ins Bett geht, während du armes Ding noch an deinem Computer sitzen mußt? Lächerlich!«

»Sicher«, verteidigte ich mich, »ich muß beispielsweise Ohrstöpsel tragen, nur damit er mich beim Aufstehen nicht stört!«

»Was heißt: stört«, empörte sich Jutta. »Ich stehe jeden Morgen auf, nur um Rolf und Martin das Frühstück zu machen! Das gehört sich nun mal so!«

»Helmut kann morgens nichts essen! Und seinen dämlichen Kaffee kann er sich selbst kochen. Er ist an Kantinenessen gewöhnt, und ein Kind werden wir auch nicht haben. Also, laß mich bitte in Ruhe mit diesem ganzen Mist!«

Jutta schwieg einige Minuten beleidigt vor sich hin. Ich seufzte innerlich. Kein Mensch konnte so intensiv, demonstrativ und ausdauernd schmollen wie meine Schwester Jutta. Außer Mami vielleicht. Von ihr hatte sie das wahrscheinlich auch geerbt. Das und so manches andere.

»Können wir nicht von etwas anderem reden«, durchbrach ich enerviert ihr eisiges Schweigen. Jutta ging sofort darauf ein, aber dadurch wurde es nicht besser.

»Was wirst du anziehen, Mona?«

»Anziehen«, fragte ich verwirrt, »meinst du heute?«

Sie verdrehte die Augen, als ob sie es mit einem begriffsstutzigen Kind zu tun hätte. »Nicht heute! Ich spreche von deiner Hochzeit! Was wirst du tragen?«

»Äh, ja, ich weiß noch nicht ... Woher soll ich wissen, was ich am dreißigsten Januar tragen will?«

Sie wurde allmählich etwas ungeduldig.

»Du hast dir doch bestimmt ein Kleid für diesen Anlaß gekauft!«

»Nein, habe ich nicht. Ich bin doch nicht plemplem und trage mitten im Winter ein Kleid! Denkst du, ich hätte Lust mir die Beine zu erfrieren?«

Jutta verdrehte schwärmerisch die Augen. Au Backe. Jetzt kam bestimmt wieder die Ach-wenn-ich-an-meine-Hochzeit-zurückdenke-Arie.

»Ach, Mona. Wenn ich an meine Hochzeitsfeier zurückdenke ... Dieses wunderschöne Brautkleid, das ich trug! Die knappsitzende, figurbetonte Korsage aus weißem Satin! Der lange Volantrock aus zartem Tüll! Und der Schleier! Dieses hauchdünne Etwas, das wie Meereswellen über meine nackten Schultern floß und in dem leise ein sanfter Sommerwind spielte ...«

Seltsam. Ich konnte mich nur daran erinnern, daß Jutta in diesem Kleid wie ein weißgepuderter Hummer ausgesehen hatte. Immerhin, sogar meine prosaische Schwester konnte unter solchen Umständen ziemlich poetisch werden!

»Natürlich hat das Kleid fast dreitausend Mark gekostet«, gab sie zu.

»Mehr als mein Computer samt Bildschirm und Drucker«, warf ich spöttisch ein. »Und wozu? Nur, damit es jetzt in deinem Kleiderschrank vergammelt und vergilbt!«

»Du bist total unromantisch«, warf meine Schwester mir gekränkt vor. »Das Kleid vergammelt doch nicht! Es hängt unter einer schützenden Plastikhülle und wird mich auf ewig an den wundervollsten Tag meines Lebens erinnern!«

»Klar«, erwiderte ich freundlich, »und falls Rolf plötzlich sterben sollte, kannst du es noch ein zweites Mal benutzen!«

Jutta warf mir einen eisigen Blick zu, zog es aber vor, mit ihren Ermahnungen fortzufahren.

»Daß du aus der Kirche ausgetreten bist, das ist solch ein Jammer! Wir hätten Johannas Taufe und deine kirchliche Trauung am selben Tag feiern können!«

Ich legte meinen Arm um sie.

»Ach, Schätzchen, überleg doch mal! Zwei Feste am selben Tag, das ist doch doof! Auf diese Weise kommen wir zu zwei großen Familienfeiern! Und was gibt es für uns Schöneres als eine richtig feine, gigantische Familienfeier?«

Sie lächelte versonnen.

»Ach ja. Du hast recht – ausnahmsweise mal. So eine Feier ist doch immer wieder toll, nicht wahr?«

Ich nickte, aber insgeheim dachte ich: Arme alte Jutta. Die würde wohl nie einen Sinn für meinen Sarkasmus entwickeln.

Zum Glück fiel ihr ein, daß sie dringend nach Hause gehen mußte, um für Martin, der um dreizehn Uhr Schulschluß hatte, das Mittagessen zu kochen. Ich strich über Johannas kahles Köpfchen, umarmte meine Schwester und schloß erleichtert meine Wohnungstür hinter den beiden. Endlich hatte ich wieder meine Ruhe.

Der dreißigste Januar rückte unaufhaltsam näher. Nun, angesichts der Tatsache, daß ich diesen Umstand hier so deutlich betone, denken Sie vielleicht, ich hätte gewisse Probleme mit diesem Datum gehabt. Nein, dem war nicht so. Ich hatte nicht etwa Bauchschmerzen bei dem Gedanken, bald eine verheiratete Frau zu sein.

Ich bekam auch keine Schweißausbrüche, wenn ich mir vorstellte, in Kürze mit Helmut vor einem Standesbeamten zu stehen, während alle Anwesenden begierig auf mein Ja warteten. Nein, ich war das, was ich immer war – absolut cool. Jawohl, ich verdrängte den Gedanken an die Hochzeit nicht etwa, ich bereitete mich vielmehr ganz gewissenhaft darauf vor. Ich zog sogar die wohlgemeinten Ratschläge meiner lieben Schwester Jutta in Betracht. Sie war der Meinung, ich sollte mir für diesen speziellen Anlaß ein neues Kleid kaufen ... Gut, ich wanderte durch die Stadt, bis ich schließlich das Richtige gefunden hatte: eine wunderschöne, graumelierte Bundfaltenhose aus Flanell. Die war sowieso viel praktischer als ein Kleid. Wann in aller Welt trug ich schon mal ein Kleid? Meine Haare stellten das zweite Problem dar. Die Trauung fand an einem Dienstag um vierzehn Uhr statt. Montags hatten alle Friseurgeschäfte geschlossen. Klar, ich hätte am Dienstag morgen früh aufstehen und zum Friseur gehen können. Aber ich war doch nicht verrückt. Ich wollte doch nicht zu meiner eigenen Hochzeit mit frisch frisiertem Kopf, aber dafür mit dick verquollenen Augen und lila Augenschatten erscheinen! Samstags hatten die Friseurläden geöffnet, aber nur bis ein Uhr mittags. Was soll's, dachte ich und ließ mir einen Termin für Freitag nachmittag geben. Der lief dann ungefähr so ab:

»Was wünschen Sie denn?« fragte die junge Friseurin und fuhr prüfend mit der Hand durch meinen Pagenschnitt.

»Ich möchte toll aussehen«, verkündete ich, »ich werde nämlich am Dienstag um vierzehn Uhr heiraten!«

»Am Dienstag um vierzehn Uhr«, wiederholte sie entsetzt, »ja, wieso kommen Sie dann heute? Sie hätten doch am Dienstag morgen kommen können. Dann hätten wir Sie frisieren und gleich den Brautkranz befestigen können!«

Ich beruhigte die gute Frau und versicherte, daß ich ohnehin nur standesamtlich heiratete.

»Ja, trotzdem«, fuhr sie fort, »dann wären Sie doch ganz frisch frisiert worden!«

»Hören Sie«, erwiderte ich freundlich, »frisieren kann ich mich selbst. Ich möchte nur einen neuen Schnitt!«

»An was hätten Sie da gedacht? Vielleicht etwas kürzer? Ich könnte Ihren Nacken ein wenig anrasieren und an den Seiten nur die Spitzen schneiden. Das würde Ihnen bestimmt gut stehen!«

»Nein, danke. Machen Sie mir bitte einen Herrenschnitt. Nacken anrasieren ist eine sehr gute Idee, nur die Deckhaare dürfen nicht zu kurz werden. Ich habe so merkwürdige Wirbel am Hinterkopf, die muß ich noch verdecken können! Ach, und das Ganze vielleicht ein bißchen asymmetrisch ... mit einem Seitenscheitel. Links ist meine gute Seite!«

»Einen Herrenschnitt«, ächzte sie, »Sie möchten sich so kurz vor Ihrer Hochzeit das Haar abschneiden lassen?«

»Aber ja«, lächelte ich, »das will ich schon seit längerer Zeit tun, und ich denke, nun ist der Moment gekommen! Schließlich hat man im Mittelalter den Delinquenten vor ihrer Hinrichtung auch die Köpfe geschoren, nicht wahr?«

Ich glaube, nie im Leben werde ich den fassungslosen und entgeisterten Blick dieser Friseurin vergessen!

»Das war doch bloß ein Scherz«, beruhigte ich sie, »es geht in Ordnung, mein zukünftiger Mann wird begeistert sein.«

»Einverstanden«, murmelte sie erschöpft und machte sich mit einem unüberhörbaren Seufzer an die Arbeit.

»Oh«, stellte Helmut spätabends, als er aus dem Theater kam, fest. »Du hast deine Haare schneiden lassen!«

»Ja«, strahlte ich, »gefällt es dir?«

»Nun ja ... es betont zumindest deine wundervollen, slawischen Wangenknochen!«

Mehr fiel ihm dazu nicht ein.

An einem eisigen, aber trotzdem sonnigen Wintermorgen, es war ungefähr viertel nach elf, riß ich das Kalenderblatt des neunundzwanzigsten Januars ab. Heute war der dreißigste! Heute war mein Hochzeitstag! War das nicht toll!!!

Nach einer Kanne Kaffee und einem ausgiebigen Bad begann ich mit der Aktion: Verwandlung der Mona Manntey in eine Braut. Nun, die Kleidung war einfach. Ein weißes Hemd, meine schwarze Lieblingskrawatte aus Seide mit weißen Pünktchen und natürlich meine neue Flanellhose. Dazu konnte ich meinen langen, schwarzen Mantel tragen und selbstverständlich die schwarzen Schnürschuhe aus Lackleder. Ich fand, ich sah einfach umwerfend aus. Jedenfalls nicht so spießig wie die meisten Bräute. Mein Haar war frisch gewaschen und dank des praktischen Kurzhaarschnitts in wenigen Minuten in Form gelegt. Nur die übliche leichenhafte Blässe meines Gesichts irritierte mich ein wenig. Doch auch das war kein Problem. Wozu hatte ich denn mein hervorragendes »Fairy Queen Powder Rouge«? Die Aufschrift auf der Dose war schließlich sehr ermutigend: »Nur ein Hauch von Fairy Queen Powder Rouge auf Ihren Wangen, und Sie haben die erfrischende und märchenhafte Ausstrahlung einer Feenkönigin!« War das nicht himmlisch? Ich ergiff den dicken Puderpinsel und bestäubte meine Wangenknochen mit Rouge. Das Ergebnis war einfach überwältigend! Ich sah nicht mehr wie eine Leiche aus – ich sah wie eine geschminkte Leiche aus! Nur noch etwas Kajal, Puder und Lippenstift, und die angemalte Leiche war perfekt! Klasse, nicht? Na, wenn das keine echte Bilderbuchbraut war!

Kurz nach halb zwei holte Helmut mich ab. Es war geplant, daß ich mit ihm in seinem Wagen zum Standesamt fuhr, Mami und Papi würden in ihrem Auto und Jutta, Rolf, Martin, Lotta und Klein-Johanna in Rolfs Auto kommen.

Helmut küßte mich auf die Stirn, versicherte mir, wie »extravagant« ich mal wieder aussähe, und dann fuhren wir los. Wir waren nicht die ersten, die sich beim Standesamt einfanden. Genau gesagt waren wir sogar die letzten, alle anderen waren bereits da. Komisch: Meine liebe Familie war weitaus schärfer auf die Hochzeit als das Brautpaar selbst! Sie umarmten mich mit überwältigendem Enthusiasmus, dann wurde ich kritisch beäugt.

»Also, Mona, ich weiß nicht ...«, murmelte meine Mutter.

»Was ist«, fragte ich, »gefalle ich euch nicht?«

»Nun«, meinte Jutta in gedehntem Tonfall, »wenn du nicht die Braut, sondern der Bräutigam wärst, würde ich sagen, du siehst sehr gut aus. Helmut sieht übrigens sehr gut aus ... Ach Gott, du hast ja deine Haare schneiden lassen! Warum denn nur?«

»Darum«, informierte ich.

Helmuts Trauzeuge entpuppte sich als ein Schauspieler, den ich flüchtig kannte und nie als sonderlich überragend eingestuft hatte. Aber er hatte bei dieser Geschichte ja zum Glück nicht allzuviel zu tun. Wir schüttelten uns die Hände und tauschten die üblichen Belanglosigkeiten aus, dann gingen wir alle hinein.

Eine ganze Weile verbrachten wir wartend im Gang auf einer ziemlich unkomfortablen Holzbank. Ich stellte fest, daß man dort nicht rauchen durfte, und war nur ein ganz kleines bißchen angesäuert. Aber endlich war es soweit: Unsere Namen wurden aufgerufen. Helmut, ich und der Rest betraten feierlich den kleinen, recht nüchtern eingerichteten Raum. Der Standesbeamte im schwarzen Anzug saß hinter einer Art Schreibtisch, erhob sich jedoch bei unserem Eintreten und schüttelte jedem die Hand. Dann ging's los.

»Liebes Brautpaar, liebe Gäste. Lassen Sie mich anläßlich dieses besonderen Ereignisses noch ein paar Worte sprechen. Die Ehe beruht nicht nur auf gegenseitiger Zuneigung, sondern in erster Linie auf Verantwortung. Sie ist ...«

Ich hörte nicht hin, sondern blickte versonnen im Raum umher. Meine liebe Familie! Alle waren sie da, diese überaus entzückenden Menschen. Sie waren extra gekommen, um den schönsten Tag meines Lebens mit mir zu feiern! Ach, sie waren alle so süß. Meine Mami: Sie trug ein dunkelgrünes Kostüm und blickte so stolz und glücklich in meine Richtung, wie sie es in den einunddreißig Jahren zuvor nie getan hatte. Sie hatte Papis Arm ergriffen und strahlte ihm ins Gesicht, als wollte sie sagen: »Siehst du, das ist unsere Mona!«

Papi, froh darüber, daß seine Frau mal so guter Stimmung war, strahlte fröhlich zurück.

Und Jutta, meine Schwester! Sie trug ein blaßgelbes Kleid, das wundervoll zu ihrem dunklen Haar paßte und in dem sie, sogar mitten im Winter, wie ein strahlender Frühlingsmorgen aussah. Johanna, schlafend auf ihrem Arm, war das bravste Baby der Welt. Ach, und wie süß sah erst der kleine Martin aus! Er trug zur Feier des Tages einen neuen dunkelblauen Blazer, und man hatte ihm sogar eine rote Krawatte umgebunden. Richtig zum Knuddeln!

Und ich, ich war die leibliche Tante dieser wunderbaren Kinder! Sogar Rolfs Blicke erschienen mir heute weit wohlgesonnener als sonst.

Lotta war die Schönste von uns allen in ihrem bordeauxfarbenen Seidenkleid und dem wagenradförmigen Hut. Sie zwinkerte mir liebevoll zu und freute sich für mich womöglich noch mehr, als ich mich selbst freuen konnte.

Ja, es war alles einfach wunderschön. Neben mir dieser gutaussehende, charmante, liebevolle und erfolgreiche Mann, der in wenigen Minuten mein Ehemann sein würde und mit dem ich Hand in Hand zusammen in eine goldene Zukunft wandeln würde …

»Frau Mona Manntey«, erklang die Stimme des Standesbeamten, »wollen Sie den hier anwesenden Helmut Barker zu Ihrem rechtmäßig angetrauten Ehemann nehmen und ihm in guten wie auch in schlechten Zeiten eine treue Gefährtin sein, dann antworten Sie bitte mit Ja.«

»Nein«, sagte ich.

Ich schwöre Ihnen, ich hatte das nicht geplant! Es war einfach so passiert.

Verstohlen schaute ich mich um. Jedem, aber wirklich jedem Anwesenden hing die Kinnlade fast bis zum Bauchnabel herunter. Man hätte die sprichwörtliche herniederfallende Stecknadel in dieser unheilschwangeren Stille hören können. Ich schloß die Augen, atmete einmal tief durch und wartete auf ein Gefühl der Panik, der Reue. Aber da war nichts. Absolut nichts! Ich war nur erleichtert.

Zum Donner, dachte ich, was bilde ich mir eigentlich ein? Bloß weil alle glaubten, eine Heirat könnte mein Leben retten, bloß deshalb stand ich hier! Helmut, gut, der war in Ordnung, und ich hatte ihn ja auch wirklich sehr gern. Aber wieso mußte ich ihn deshalb gleich heiraten? Ich wollte nicht heiraten! Ich wollte einfach nicht!!! Warum auch? Nur damit Mami und Jutta ausnahmsweise nichts zu meckern hatten? Nein danke, das war die ganze Sache nicht wert. Um auch ja keine Mißverständnisse aufkommen zu lassen, wiederholte ich noch einmal laut und deutlich: »Nein, ich will nicht!«

So, jetzt mochte kommen, was wollte. Sollten sie mich ausschimp-
fen, schütteln oder schlagen! Meinetwegen aufs Rad spannen,
vierteilen – oder was auch immer! Meine Entscheidung stand fest.
Felsenfest!
Die angespannte Stille begann sich zu lösen. Etwa so:
»Mona, Kind! Was redest du da?« schrie Mami.
»Mona! Bist du komplett übergeschnappt?« schrie Jutta.
»Jetzt verstehe ich gar nichts mehr!« schrie Lotta.
»Heißt das, ich habe diesen blöden Anzug umsonst angezogen?«
schrie Rolf.
»Fällt das Festessen nun auch aus?« schrie Papi.
»So stand das aber ursprünglich nicht im Drehbuch!« schrie Hel-
muts Schauspielerfreund.
»Mona, wie konntest du mir das antun?« schrie Helmut.
»So was ist in meiner ganzen Amtszeit noch nicht vorgekom-
men!« schrie der Standesbeamte.
So ungefähr lief es ab. Jedenfalls waren alle am Schreien. Und mir
fiel nun die undankbare Aufgabe zu, sämtliche Schreihälse wieder
zu beruhigen.
Ich ergriff Helmuts Hand.
»Helmut, nun sei doch nicht traurig. Ich hab dich lieb, ehrlich,
und es hat überhaupt nichts mit dir zu tun. Aber wir müssen
doch nicht unbedingt heiraten. Wir können weitermachen wie
bisher! Ist doch sowieso viel besser. Sieh mal, die Ehe ist eine
wunderbare Institution. Aber wer will schon in einer Institution
leben?«
Zu den übrigen Anwesenden sagte ich:
»Bitte, seid nicht böse. Laßt uns essen gehen und fröhlich sein!
Was ist denn schon groß passiert?«
Helmut fuhr herum. Seine Augen sprühten nur so vor Zorn.
»Du denkst, damit ist alles wieder gut, ja? Noch nie, noch nie in
meinem ganzen Leben hat mich eine Frau derart gedemütigt!
Weitermachen wie bisher? Das glaubst du also? Diesen infantilen
Gedanken kannst du dir abschminken!«
Bebend vor Wut stürmte er hinaus. So, nun war es geschehen –
das, was ich immer befürchtet hatte. Helmut war endlich aufge-

wacht. Der Knackpunkt unserer Beziehung war jetzt aufgedeckt: Helmuts Eitelkeit war stärker als seine Liebe zu mir.

»Er hat völlig recht«, meldete sich meine Mutter lautstark zu Wort. »Was du dir heute erlaubt hast, ist einfach unverzeihlich. Immer hast du nur Ärger gemacht, und immer wieder sind wir darüber hinweggegangen. Aber was zuviel ist, ist zuviel! Du bist ... ein Schandfleck für unsere Familie! Kommt, Kinder, wir gehen!«

Mit diesen einladenden Worten packte sie die Handgelenke von Jutta und Rolf und zerrte die beiden gewaltsam aus dem Raum.

»Kommst du, Mutter?« wandte Rolf sich gebieterisch an Lotta. Und tatsächlich! Lotta schaute mich zwar verstört und mitleidig an, folgte aber wie in Trance dem Befehl ihres Sohnes. Das hätte ich nicht von Lotta gedacht. Die Frau war ja ein echter Judas!

Johanna, empfindlich gestört durch die Brüllerei, war aufgewacht und brüllte nun selbst wie am Spieß. Als bereits alle das Zimmer verlassen hatten, konnte ich noch Juttas zärtliche Stimme hören: »Na, na, mein Liebling! Hat dich die böse Tante Mona so aufgeregt?«

Helmuts Trauzeuge, enttäuscht über die Streichung seines gewichtigen Auftritts, zuckte die Achseln und schloß sich den Davoneilenden solidarisch an.

Ich war allein mit dem Standesbeamten. Mit einem müden Lächeln wandte ich mich an den einzigen Menschen, der noch bei mir ausharrte:

»Sehen Sie – wie üblich bin ich an allem schuld! Immerhin ... Mein ganzes Leben lang war ich die Schlampe der Familie. Und nun bin ich durch ein einziges kleines Nein zum Schandfleck der Familie avanciert. Sogar eine Schlampe hat gewisse Aufstiegsmöglichkeiten!«

Ich winkte ihm freundlich zu – sein Unterkiefer hing immer noch ziemlich weit unten – und machte mich auf den Weg. Unten auf der Straße blickte ich mich hoffnungsvoll um – natürlich vergebens. Alle waren weg, keiner hatte auf mich gewartet. Warum auch. Langsam trabte ich zur nächsten Bushaltestelle. Inzwischen pfiff ein eisiger Wind, sogar ein leichter Nieselregen hatte eingesetzt. Zwanzig Minuten lang mußte ich auf den Bus warten. Dann fuhr ich nach Hause, einsam und unendlich traurig – der Schandfleck der Familie.

Kapitel 7

Eigentlich war ich mir keiner Schuld bewußt. Was hatte ich denn so furchtbar Schlimmes angestellt? Ich hatte lediglich entdeckt, daß diese ganzen Hochzeitspläne im Grunde genommen ein riesiger hirnrissiger Quatsch gewesen waren. Und da ich ein intelligenter Mensch bin, hatte ich diesen Fehler im letzten Augenblick korrigiert. Das war alles. Wieso also waren alle Beteiligten so wahnsinnig sauer auf mich? Helmut, gut. Bei ihm konnte ich mir ja noch halbwegs erklären, warum er wütend und verletzt war. Aber die anderen? Nein, Sir, da blickte ich wirklich nicht mehr durch.

Nichtsdestotrotz, um des lieben Friedens willen, beschloß ich, jeden einzelnen anzurufen und ... na ja, mich nicht gerade zu entschuldigen, aber wenigstens zu erklären, weshalb es so gekommen war, und jeden zu bitten, mir doch nicht böse zu sein.

Mit Helmut fing ich an.

»Helmut, hier ist Mona!«

»Mona«, versetzte er kalt, »ich kenne keine Mona.«

Ich glaubte ernsthaft, daß er sich einen Scherz mit mir erlaubte, und begann zu lachen.

»Nun komm schon, Helmut! Ich weiß, daß du wütend bist. Und sicher hast du auch allen Grund, aber ... Glaub mir doch, es hatte wirklich nichts mit dir zu tun. Ich bin nun mal nicht geschaffen zum Heiraten, nimm es doch bitte nicht persönlich! Es tut mir leid, wenn du enttäuscht bist, aber es ändert doch letztendlich nichts zwischen uns!«

»Ach nein«, versetzte er eisig, »es ändert nichts? Nun, wenn du meinst ... Wie steht es denn mit diesem Fotografen? Hättest du lieber ihn geheiratet als mich? Na, was ist? Bekomme ich heute noch eine Antwort?«

Irgendwer schien ganz langsam den Boden unter meinen Füßen wegzuziehen.

»Fotografen«, stammelte ich, »wie ... woher ... was ...«

»Hör mit diesem gespielten Gestotter auf. Deine Schwester Jutta hat mir alles darüber erzählt. O Mona. Wie konnte ich mich bloß so täuschen. Du hast mir die ganze Zeit etwas vorgemacht. Du hast mich nie geliebt. Du bist ... eine Schlampe!«

»Und der Schandfleck der Familie«, ergänzte ich. Diese Bemerkung war eigentlich sarkastisch gemeint, aber Helmut bestätigte nur:

»Jawohl. Das jedenfalls hat deine Mutter gesagt.«

»Wann habt ihr euch denn so ausführlich über mich unterhalten?« fragte ich bitter.

»Gestern«, erwiderte er, »nach der geplatzten Trauung. Wir fuhren zur Wohnung deiner Schwester. Immerhin hatten wir alle eine kleine Stärkung nötig.«

Ich konnte inzwischen nicht mehr, trotzdem erkundigte ich mich mit letzter Kraft:

»War Lotta auch dabei?«

»Selbstverständlich war sie dabei! Sie gehört doch zur Familie!«

Ohne ein weiteres Wort warf ich den Hörer auf die Gabel. Ich hatte genug gehört.

Es war die Höhe. Meine eigene Familie hatte es nicht für nötig befunden zu fragen: »Mona, was war denn los? Wieso hast du das gemacht?« Und damit nicht genug: Jutta, meine Schwester Jutta, hatte natürlich sofort mein kleines Geheimnis ausplaudern müssen, mit dem Ergebnis, daß die Beziehung zu dem einzigen Mann, den ich jemals aufrichtig geliebt hatte, von allen in den Dreck gezogen werden konnte. Und was blieb unter dem Strich übrig? Ich war eine kleine, miese, billige Schlampe – aber die Hauptsache war, meine Familie hatte ein entsprechendes Etikett für mich! Sogar Lotta hatte mitgemacht. Ich glaube, das tat fast am meisten weh.

Am allermeisten jedoch tat es mir leid um Zerberus. Ihn würde ich wohl nicht mehr zu Gesicht bekommen. Welch ein Jammer ...
Den Hund hatte ich wirklich geliebt. Und Helmut – was wollte er eigentlich? Ich hätte ihn heiraten, mir ein nettes, bequemes Leben machen und sein ganzes Geld ausgeben können. Ich hatte es nicht getan, aber wurde das vielleicht wohlwollend anerkannt? Nein! Statt dessen beklagte er sich, ich hätte ihn nie geliebt!
Aber egal – ich brauchte die ganze Sippschaft nicht. Sollten sie doch alle zum Teufel gehen, sollten sie mich doch kreuzweise ...
Ich kam allein und ohne das ständige Gemecker sowieso viel besser zurecht. »Der stärkste Mann der Welt ist der, der ganz allein dasteht ...« Wer hatte das so ungefähr in einem Theaterstück zum Ausdruck gebracht? Ibsen? Wahrscheinlich. Nun, jedenfalls hatte er recht gehabt. Ich fühlte mich tatsächlich als stärkste Frau der Welt! Was hatte ich denn noch zu verlieren? Alle meine Angehörigen hatten mich verlassen, ich stand wirklich völlig allein da. Irgendwie fühlte ich mich mit Lord Byron verbunden. Kein Wunder, daß er versucht hatte, sich eine gutbürgerliche Fassade zu errichten, und Annabella Milbanke heiratete, nachdem die Londoner Gesellschaft sich pikiert von ihm distanziert hatte!
Trotzdem, der Vergleich mit Lord Byron hinkte ein wenig. Immerhin hatte der gute George Gordon, wie schon erwähnt, seine Halbschwester Augusta verführt. Ich dagegen wäre nicht einmal auf den Gedanken gekommen, so etwas zu tun! Selbst wenn Jutta nur meine Halbschwester gewesen wäre, schon der Gedanke – pfui Teufel! Vielleicht hätte Lord Byron vor Jutta ebenfalls haltgemacht. Möglich. Sogar sehr wahrscheinlich. Sie wäre ihm bestimmt viel zu spießig gewesen. Außerdem stehe ich nicht besonders auf Frauen – was bei mir nicht viel bedeutet. Trotz meiner einunddreißig Jahre hatte es bisher nur einen Mann gegeben, der mich richtig gereizt hatte – und ehrlich gesagt, war es dem lieben Uwe auch nicht gerade gelungen, mich mit seiner Fünf-Minuten-Nummer besonders zu berauschen ... Herr Uwe Rieder war sicherlich kein zweiter Casanova. Blieb ihm nur zu wünschen, daß sein heißgeliebter Drache namens Lisa Karena Landberg anderer Ansicht war!

Wie auch immer: Wenn jedermann beschlossen hatte, gemein zu mir zu sein – oh, ich konnte unter Umständen auch gemein werden! Und zwar ganz gewaltig!

Es war nur wenige Tage nach meinem Telefonanruf bei Helmut. Ich hatte meinen Job im Theater erledigt und saß nun im Casino bei meiner zweiten Karaffe Rotwein, als plötzlich eine fröhliche Stimme meinen Namen rief.

»Ach, Karin«, sagte ich erstaunt, »du bist hier? Hattest du heute einen Job in der Oper?«

Sie nickte, dann sprudelte sie los.

»Ich habe gehofft, dich hier zu treffen. Stell dir vor: Gestern war ich auf der Beleuchtungsprobe für ›Nora‹. Und dort habe ich einen wahnsinnig netten jungen Mann getroffen, der bei diesem Stück die Hospitanz übernommen hat. Er ist achtundzwanzig Jahre alt und ...«

»Was habe ich mit einem Achtundzwanzigjährigen zu schaffen?« erkundigte ich mich hoheitsvoll. »Das ist doch wirklich nicht meine Altersklasse!«

»Nun hör doch erst einmal zu! Er hat Germanistik studiert, genau wie du. Er sucht eine Stelle beim Theater, aber eigentlich würde er viel lieber Dramatiker werden. Ja, im Ernst, er möchte Theaterstücke schreiben. Ich habe ihm von dir erzählt, daß du schon zwei Bücher herausgebracht hast und ...«

»Falsch«, korrigierte ich, »mein zweites Buch erscheint erst im April.«

»Ist doch egal! Er will dich jedenfalls kennenlernen! Er möchte wissen, wie du zum Schreiben gekommen bist und wie du einen Verleger gefunden hast. Er hat noch nie im Leben eine echte Schriftstellerin getroffen!«

Ich schwieg. Du lieber Himmel, da taten sich ja Abgründe auf! Wie sollte man wohl zum Schreiben kommen! Das steckte in einem, aus, fertig, basta! Wie ich einen Verleger gefunden hatte! Wie naiv war der Kerl eigentlich? Ich hatte Talent – und jede Menge Porto investiert! Er war noch niemals einer echten Schriftstellerin begegnet ... Ja, wie stellte er sich denn eine echte Schriftstellerin vor? Bildete er sich ein, wir hätten zwei Köpfe und drei Augen? Was zum Teufel erwartete er denn?

»Er ist fast jeden Abend hier«, plauderte Karin munter weiter, »nur ausgerechnet heute nicht. Aber morgen, da treffe ich ihn wieder beim Beleuchten. Kann ich ihm sagen, daß du morgen abend hier sein wirst?«

Ich lächelte hintergründig. »Aber ja! Mit dem allergrößten Vergnügen. Wir wollen dem Jungen doch nicht den Genuß vorenthalten, eine ›echte‹ Schriftstellerin kennenzulernen ...«

Am nächsten Tag widmete ich mich derart exzessiv meinen Gymnastikübungen, daß ich mir wohl zum x-ten Male in meinem Leben den Ischiasnerv einklemmte. Mit neunzehn Jahren war mir das zum ersten Mal passiert. Der Orthopäde, den ich mit schmerzverzerrtem Gesicht aufgesucht hatte, versicherte mir, daß meine Wirbelsäule zwar wunderschön sei, meine Knochen jedoch etwas zu weich wären und es somit leichter zu Verspannungen und »Verhakungen« kommen könne. Er empfahl mir Calciumtabletten und regelmäßige Gymnastik. Nun, ich hielt mich an diese Anweisungen – Sie sehen ja, mit welchem Erfolg. Die Tatsache, daß ich wohl für den Rest des Tages – oder womöglich noch länger – durch die Gegend humpeln würde, beeinträchtigte mein Vorhaben jedoch keineswegs. Am Abend machte ich mich startklar für meinen »Schriftstellerauftritt«. Mein Outfit bestand aus einem weißen Rüschenhemd, einer langen bestickten Weste aus schwarzer Seide, einem schwarzen Halsband aus Samt und einer engen schwarzen Steghose. Oh, ich fand mich wundervoll – ich sah fast aus wie der junge Lord Byron! Mein Gesicht war vor lauter Schmerzen kreideweiß geworden. Ich stäubte noch ein wenig weißen Puder darüber, verzichtete auf das Rouge und den Abdeckstift für meine dunklen Augenschatten und verwendete nur einen Hauch meines pflaumenfarbenen Lippenstifts. Jetzt noch den langen dunklen Mantel und die schwarzen Stiefel mit den hohen Absätzen, und das Bild des romantischen Dichters aus dem neunzehnten Jahrhundert war perfekt!

»Hallo, Mona«, rief mir Karin munter entgegen, als ich das Casino gegen acht Uhr betrat. Sie übernahm auch sofort und unaufgefordert die Zeremonie des gegenseitigen Vorstellens. »Mona, das ist Tim. Tim, das ist Mona – unsere Schriftstellerin!«
Ich lächelte ihm gnädig zu. Der Junge sah stinknormal aus: Jeans, Sweatshirt und ein ziemlich schüchterner Gesichtsausdruck.
»Hallo«, grüßte er begeistert, »ich war so neugierig darauf, dich kennenzulernen!«
Ich zog pikiert die rechte Augenbraue hoch. Schön, im Theater war es üblich, daß fast jeder jeden duzte. Aber trotzdem – ein wenig mehr Respekt des Möchtegernschreibers gegenüber der Profischriftstellerin wäre doch wünschenswert gewesen!
»Guten Abend«, erwiderte ich den Gruß mit kehliger Stimme. »Setzen wir uns doch dort drüben hin, da sind wir allein und ungestört. Darauf lege ich Wert, denn ich gebe nur sehr selten ein Interview, mußt du wissen!«
Karin glotzte mich völlig entgeistert an, ich jedoch übersah ihr Entsetzen und bedeutete Tim mit einer eleganten Handbewegung, mir zu folgen.
Ich humpelte mühsam voraus, Tim mit sichtlicher Nervosität hinterher.
»Hast du dich verletzt?« erkundigte er sich besorgt. »Du hinkst ja!«
»Ich habe einen Pferdefuß – wie Mephistopheles«, erklärte ich, fügte jedoch gleich darauf beruhigend hinzu: »War nur'n Scherz ... obwohl – wer will's wissen?«
Er wirkte einigermaßen schockiert. Mit bedeutungsvoller Stimme fuhr ich fort:
»Natürlich würde es meine Schmerzen ein wenig erleichtern, wenn du mich zu einem Glas Sherry einladen würdest!«
Gehorsam trottete er zur Theke. Mensch, war der bescheuert. Er wußte noch nicht einmal, daß es in diesem blöden Laden überhaupt keinen Sherry gab!
Entsprechend frustriert kam er auch wieder zurück.
»Du, es tut mir ehrlich leid, aber hier gibt es keinen Sherry!«
»Macht nichts«, erwiderte ich mit einem gequälten Seufzen, »eine

einfache Karaffe Rotwein tut es auch. Wir Künstler sind ja an Entbehrungen gewöhnt!«

Der dumme Hund trabte tatsächlich von neuem los, um mir den verdammten Rotwein zu besorgen. Ob der sich von allen Frauen so herumkommandieren ließ?

»Dir geht es wohl ziemlich mies«, fragte er anschließend teilnahmsvoll. »Hast du sehr schlimme Schmerzen? Du bist so wahnsinnig bleich!«

Ich lächelte mitleidig.

»Ich denke, du willst Dramatiker werden? Nun, wenn du das Schreiben ernsthaft betreibst und wirklich dazu bestimmt bist – na, dann wirst du bald genauso aussehen!«

Er starrte mich mit schreckgeweiteten Augen an.

»Ja, aber wieso denn?«

Ich legte meine Hand auf seinen Arm und erklärte in mütterlichem Tonfall:

»Mein lieber Tim, wir Künstler sind Geschöpfe der Finsternis! Wir arbeiten die ganze Nacht und schlafen den halben Tag durch. So ähnlich wie ein Vampir. Hast du denn noch nie erlebt, wie du nachts zum Mond emporgeblickt und mit einem Glas Wein in der Hand eine Schreibblockade durchbrochen hast?«

Er schüttelte verzweifelt den Kopf.

»Apropos Wein«, bemerkte ich, »die Karaffe ist leer. Bitte hol mir noch eine.«

Und wieder gehorchte er aufs Wort. Der Junge sollte nicht Dramatiker, sondern Butler werden, dachte ich insgeheim.

»Hast du überhaupt schon mal etwas geschrieben«, fragte ich, als er mit dem Wein zurückkam, »hast du schon irgend etwas von dir an einen Verlag geschickt?«

»Nein«, murmelte er schüchtern, »nicht so direkt ...«

»Also indirekt«, fuhr ich ihn an, »was denn nun? Was befähigt dich deiner Meinung nach zum Schreiben? Nebenbei bemerkt, es ist viel schwieriger, Dramen an den Mann zu bringen als beispielsweise Romane. Aber wieso willst du das? Warum? Los, antworte!«

»Weshalb schreist du denn so?« wollte er entsetzt wissen. »Ich denke nur … ja, es muß einfach toll sein, wenn du ein Stück schreibst, das dann in einem richtigen Theater inszeniert wird!«

Ich lachte spöttisch auf.

»Weißt du, wie lange so etwas dauern kann? Falls es jemals wahr wird … Nein, Tim, du hast die falsche Einstellung. Du bist nicht zum Schreiben geboren. Das fühle ich. Du hast nichts von einem Künstler in dir!«

»Woher willst du das wissen?« fragte er beleidigt.

Ich schüttelte stumm, aber vielsagend den Kopf, nahm einen großen Schluck Rotwein, zündete mir eine Zigarette an, schlug die Beine übereinander und lehnte mich behaglich zurück.

Wenn man sich schon mit einem völligen Idioten unterhalten muß, sollte man wenigstens halbwegs bequem sitzen.

»Tim, Herzchen, beantworte mir folgende Fragen: Nimmst du gerne einen zur Brust, wenn du arbeitest? Nicht, weil du auf Alkohol stehst, sondern um die Möglichkeit zu erlangen, Hemmungen abzubauen und völlig frei für neue Ideen zu werden? Brauchst du das Schreiben, um deine innersten Gedanken zu offenbaren, weil dir ja sowieso niemand zuhört? Ist es für dich ein Mittel, deine einsamen Nächte auszufüllen? Benutzt du deine Tage, um darüber nachzudenken, was du als Nächstes schreiben willst? Ist dir die schnöde Gesellschaft der meisten Menschen zuwider? Fühlst du die Freiheit, die über dich kommt, wenn langsam die Nacht hereinbricht und alles dunkel und still wird? Wenn all die anderen schlafen, während du schöpferisch tätig sein kannst? Die Nacht – weißt du, daß die Stille der Nacht das Hinaushorchen, noch mehr aber das In-sich-Hineinhorchen begünstigt? Kapierst du, was Novalis meinte, als er sagte: ›Nach innen geht der geheimnisvolle Weg. In uns oder nirgends ist die Ewigkeit mit ihren Welten, die Vergangenheit und Zukunft‹?«

Ich war ein wenig ins Schwärmen geraten. Eigentlich hätte ich selbst mir noch stundenlang zuhören können, doch da ich fürchtete, daß meine Rede für jemanden wie Tim geistig ein bißchen zu hoch war, fuhr ich etwas nüchterner fort:

»Beobachtest du die Menschen insofern, als sie dir Impulse für neue Charaktere in deinen Werken liefern könnten? Verstehst du überhaupt, wovon ich rede?«

Er schüttelte reichlich niedergeschmettert den Kopf.

»Ist es nicht eher so«, fuhr ich freundlich fort, »daß du die Gesellschaft anderer Menschen brauchst, dich bei ihnen wohl fühlst? Daß du ein geregeltes Einkommen willst, einen geregelten Schlaf und überhaupt ein geregeltes Leben? Habe ich recht?«

Er nickte, überglücklich darüber, endlich etwas kapiert zu haben.

»Wieso willst du dann Schriftsteller werden?« brüllte ich ihn unvermittelt an.

»Dramatiker«, verbesserte er eingeschüchtert.

»Ist doch völlig egal«, schimpfte ich. »Du bist viel zu normal, um ein Künstler zu sein! Glaub es mir, ich kenne mich aus!«

»Aber«, Tim wagte doch tatsächlich mir zu widersprechen, »du willst doch damit nicht allen Ernstes behaupten, daß alle Menschen, die schreiben, einsam und zurückgezogen leben?«

»Ich rede nicht von irgendwelchen Leuten, die sich einbilden, unbedingt schreiben zu müssen«, herrschte ich ihn an, »ich spreche hier von Künstlern!«

Er versuchte es mit einem letzten, verzweifelten Einwand.

»Wieso sollte die Tatsache, daß ich eine Freundin habe, mich davon abhalten, künstlerisch tätig zu sein?«

»Ach, hör doch auf! Es geht nicht um diverse Bumsgeschichten. Offenbar verstehst du rein gar nichts. Lord Byron hatte etliche Affären, aber trotzdem war er einsam und unverstanden. Es geht nicht um die äußere, sondern um die innere Einsamkeit. Und? War Lord Byron ein Künstler – ja oder nein?«

»Ich habe nie etwas von ihm gelesen«, gestand Tim.

Ich schnappte nach Luft. Allmählich hatte ich genug. Zum Glück war ich ein geduldiger und nachsichtiger Mensch. Ich tätschelte Tims Schulter.

»Tim, Schatz … Wieso belegst du nicht ein paar BWL-Kurse und bewirbst dich bei einer Bank? Warum tust du dir das an? Sicher, es ist vollkommen verständlich, daß du uns Künstler bewunderst. Aber es ist doch nicht nötig, daß du dich so quälst! Akzeptiere einfach, daß du durchschnittlich und untalentiert bist, und du wirst noch ein ganz vergnügtes Leben führen können!«

Tims Gesicht spiegelte Mordgedanken.

Ich kramte in der Tasche meines langen Mantels und zog eine kleine Pfeife heraus. Es war eine ganz gewöhnliche Tabakpfeife, die meinem verstorbenen Großvater gehört hatte und die ich aus purer Sentimentalität all die Jahre über aufbewahrt hatte.

»Ach, wie dumm«, murmelte ich, »ich wollte mir gerade ein Pfeifchen zurechtmachen, und nun merke ich, daß ich mein Opium zu Hause vergessen habe … Du hast wohl nicht zufällig etwas dabei?«

Tims Reaktion war beachtlich. Stürmisch sprang er auf, stieß dabei mit den Knien an die Tischkante – der Dussel warf beinahe mein Weinglas um –, grapschte hektisch nach seiner Jacke und rief mit unüberhörbarer Panik:

»Es ist schon spät, ich muß nach Hause!«

Bevor ich auch nur »piep« sagen konnte, war er auf und davon. Ich leerte genüßlich meinen Wein und lächelte amüsiert vor mich hin. Ich war mal wieder stolz auf meine Menschenkenntnis. DER wollte ein Künstler sein? Wo er nicht mal den harmlosesten Spaß verkraften konnte? Ausgeschlossen, sage ich Ihnen. Völlig ausgeschlossen.

»Hey, was ist denn? Was hast du mit dem armen Jungen angestellt?«

Karin, die drei Tische weiter gesessen hatte, war herbeigeeilt und blickte mich mißtrauisch an.

»Angestellt?« Ich war die personifizierte Unschuld. »Ich habe gar nichts angestellt. Im Gegenteil, ich bin immer glücklich, wenn ich jungen Leuten auf den rechten Weg helfen kann!«

Ich schlüpfte in meinen Mantel, warf Karin eine Kußhand zu und machte mich humpelnd, aber in bester Stimmung auf den Heimweg.

Kapitel 8

Eigentlich war ich inzwischen wieder ganz obenauf. Mein alter Uwe wollte nichts mehr von mir wissen – na und! Für meine Familie war ich untragbar geworden – was soll's! Von wegen, Liebe war das einzig Wichtige auf der Welt. Wer hatte das bloß aufgebracht? Ich war Künstlerin, ich schrieb mein drittes Buch, ich kam wunderbar alleine zurecht!

An einem Sonntagabend klingelte das Telefon.

»O nein«, schimpfte ich laut vor mich hin. »Wenn mich irgendwer morgen früh um acht bei einer Beleuchtungsprobe sehen will, dann beißt er aber auf Granit!«

»Manntey«, meldete ich mich genervt.

»Ja, hallo«, antwortete eine tiefe Stimme.

Das genügte. Er brauchte nicht mal seinen Namen zu sagen.

»Hallo«, krächzte ich. »Mit dir habe ich, ehrlich gesagt, überhaupt nicht mehr gerechnet!«

»So schnell schon«, lachte die Stimme leise. »Wie geht's dir, Mona?«

»Phantastisch«, behauptete ich energisch, »einfach super. Mein zweites Buch ist angenommen worden. Das dritte ist in Arbeit.«

»Prima«, sagte Uwe, und nach einer kleinen Pause: »Sehen wir uns mal wieder?«

»Weißt du«, ich war wirklich sehr beherrscht, »du kannst von Glück reden, daß ich überhaupt noch mit dir spreche!«

»Wieso solltest du nicht? Ich habe dir nichts getan.«

Mir blieb die Spucke weg. Er hatte mir nichts getan! Nein, er hatte mir nicht das geringste getan. Er hatte mir lediglich das Herz gebrochen, mein Vertrauen in die Männerwelt zerstört – zugegeben, dieses Vertrauen war nie allzu groß gewesen – und mich in eine akute Depression gestürzt. Das war aber auch schon alles!

»Nun, ich weiß nicht«, erwiderte ich kühl, »ich fühle mich, um es wie eine Dame auszudrücken, ein klein wenig verarscht. Als du mir mitgeteilt hast, ›wir sollten es für eine Weile ruhen lassen‹, nun, da dachte ich, daß du mir auf deine zarte und mitfühlende Art beibringen wolltest, daß nun endgültig Schluß mit uns beiden sei. Oder habe ich da irgend etwas falsch verstanden?«

Sarkastische Anspielungen waren bei diesem Mann reine Zeitverschwendung. Er meinte nur, ja, ich solle das doch nicht so eng sehen, sicher sei das blöd von ihm gewesen, aber es wäre damals eben nicht anders gegangen.

Wir plauderten noch einige Minuten miteinander. Schließlich verkündete er, er rufe von seinem Büro aus an und wolle jetzt gerne nach Hause fahren, würde sich aber bald wieder bei mir melden. Wir verabschiedeten uns freundschaftlich und legten beide auf.

»Was bildet dieser Kretin sich eigentlich ein«, brüllte ich anschließend, »der glaubt doch nicht allen Ernstes, ich würde mich noch mal mit ihm treffen! So ein Idiot! Für was hält der sich?«

Als Uwe einige Tage später wieder bei mir anrief, willigte ich in ein Treffen ein. Na ja, was war denn schon dabei? Die letzten Monate hatte ich hauptsächlich damit verbracht, mir auszumalen, was ich ihm alles an den Kopf werfen wollte, falls wir uns noch mal begegnen sollten. Das hatte nichts mit Liebe zu tun, verstehen Sie? Aber nun war die Gelegenheit eben mal da, das mußte man ausnutzen.

Das Treffen wurde zu einem reinen Fiasko. Wir gingen in eine Kneipe, weil ich mich weigerte, zu ihm nach Hause zu kommen. Ich verbrachte den Abend damit, ihm zu erklären, daß er ein Schwein war, und er brüllte mich an, daß ich mal wieder überhaupt nichts kapieren würde.

Als ich wieder daheim war, kam ich zu der Erkenntnis, daß sich sogar ein Abend vor der Glotze mehr gelohnt hätte als diese blödsinnige Verabredung. Egal – einen Versuch war es wert gewesen. Nun würde er sowieso nie wieder anrufen, und ich hatte meine Ruhe.

Zwei Wochen später rief Uwe wieder an. Diesmal war es offenbar dringend. Nachdem ich ihm verkündet hatte, nein, ich würde nicht zu ihm kommen, schrie er:

»Aber ich brauche dich!«

»Wieso«, fragte ich gelassen, »hat Lisa keine Zeit oder keine Lust?«

Nach langem Herumgedrucke rückte er endlich mit der Wahrheit heraus: Er hatte mit Lisa Schluß gemacht! Monatelang hatte ich voller Sehnsucht auf diesen Ausspruch gewartet. Jetzt, da ich wußte, daß dieser Mann sowieso endgültig für mich verloren war, löste diese Mitteilung nur ein unangenehmes Befremden in mir aus. Die Beendigung dieser Beziehung hatte nicht das mindeste mit mir zu tun. Trotzdem beging ich einen Riesenfehler: Ich versuchte als Künstlerin über den Dingen zu stehen und hörte mir den ganzen Mist von A bis Z an.

Ja, also Lisa. Diese Frau war seine große Liebe gewesen. Aber wie sie ihn immer behandelt hatte! Sogar ihre zwölfjährige Tochter hatte sie gegen ihn aufgehetzt. Und dabei war er immer so mitfühlend gewesen. Wenn sie geweint hatte, hatte er ihre Trauer mitgefühlt. Wenn sie gelacht hatte, hatte er ihre Freude mitgefühlt. Wenn sie ihren Orgasmus hatte, dann hatte er den ebenfalls mitgefühlt. (An dieser Stelle hätte ich beinahe gekotzt.) Ja, und der Sex wäre immer so exzessiv zwischen ihnen gewesen. Aber sobald sie fertig war, hatte sie ihn wie ein lebloses Stück Fleisch von sich weggeschoben – außer natürlich, sie wollte gleich noch mal.

»Sie hat mich nie so gestreichelt und massiert, wie du es getan hast, Mona«, versicherte er.

(Na, toll! Darauf konnte ich mir aber was einbilden!)

Ich beschreibe dieses Telefongespräch nur in groben Zügen – es ist ja nicht unbedingt nötig, daß Ihnen genauso übel wird wie mir damals.

Schließlich war ich der Meinung, daß ich mein Soll als Seelsorgerin erfüllt hatte. Ich beendete das Telefonat mit der Erklärung, es tue mir zwar sehr leid für ihn, aber für die Rolle der Lückenbüßerin sei ich mir zu schade.

Ich konnte es nicht fassen. Männer! Waren die alle so dämlich? Oder liefen die besonders schlimmen Exemplare ausgerechnet mir immer über den Weg?

Bestimmt fragen Sie sich jetzt, warum ich mich mit diesem Kerl überhaupt noch abgab – und in gewisser Weise ist diese Frage auch berechtigt. Nun, es ist einfach so: Selbst die begabteste Schriftstellerin braucht ab und zu eine gewisse Inspiration von außen. Begegnungen mit außergewöhnlichen Menschen können oftmals zu sehr konstruktiven Gedanken führen – in welchem Sinn auch immer. Na, und wie viele interessante Menschen hatte ich denn zur Beobachtung? Etwa meine Statistenkollegen, die es als besondere Ehre auffaßten, eventuell mal mit einem Solisten gemeinsam auf der Bühne zu stehen, und speichelleckend versuchten, sich in dessen Ruhm zu sonnen? Deren Liebe zum Theater bei weitem nicht so groß war, daß sie bereit gewesen wären, zur Abwechslung mal ein paar Requisiten durch die Gegend zu schleppen, weil sie in ihrem eigentlichen Beruf ja schon genug Frustration ertragen mußten? Oder die Schauspieler und Sänger, die wiederum derart klischeehaft waren, daß eine genaue Beobachtung sowieso keinen Wert hatte? Ja, das waren die Leute, die mir zur Verfügung standen. Die ich ständig unter die Lupe nahm, ohne daß sie sich dessen bewußt waren, und die so überhaupt nichts hergaben.

Uwe, ja der war auf seine Weise schon etwas Besonderes. Er war nicht der strahlende Sonnyboy, der ständig lächelte und immer einen flotten Spruch auf den Lippen hatte. Er hatte etwas Melancholisches an sich, und wie bei allen Menschen, die nicht ständig vor sich hin grinsten, wirkte sein Lächeln wie ein Sonnenstrahl an einem grauen Wintermorgen. Vielleicht war es das gewesen … gut möglich. Inzwischen war ich mir über meine Gefühle für ihn aber längst nicht mehr im klaren. Liebte ich ihn immer noch? Oder hatte ich mich einfach an den Gedanken, ihn zu lieben, gewöhnt? Oder bildete ich mir lediglich ein, daß es in jedem bedeutsamen Künstlerleben mindestens eine große unglückliche Liebe geben müßte? Ich wußte es nicht. Irgend etwas, irgendeine unbestimmte Sehnsucht war nach wie vor vorhanden. Aber bei Licht betrachtet war der Mann doch ein kompletter Idiot. Wenn ich nur an die Besuche bei ihm zu Hause dachte! Wenn ich nach der langen Autofahrt bei ihm angekommen war und auf die Toilette stürzte, lautete meine erste Frage fast immer: »Uwe, hast du kein Toilettenpapier mehr?« Wenn er die Frage verneinte, war ich stets gezwungen zu rufen: »Bring mir mal bitte meine Tasche. Da sind wenigstens ein paar Tempos drin!«

Oder seine übliche Aufforderung zum Tanz: »Mona, ich würde dich jetzt gerne nackt sehen!«

Und meine Reaktion, über die er sich immer so künstlich aufregen konnte: »Wozu denn?«

Also, ich bitte Sie! Das sagte doch schon alles!

Meine Schwester Jutta, ja die war auf ihre Art auch eine interessante Persönlichkeit. So spießig und kleinbürgerlich sie sich auch immer gab, ich wurde nie den Gedanken los, daß unter der Oberfläche ein gewisses Feuer schwelte.

Nicht, daß ich meine Schwester vermißte. Bilden Sie sich bloß keine Schwachheiten ein. Sie wollte nichts mehr von mir wissen, gut. Ich brauchte sie nicht. Obwohl ... in gewisser Weise hatte sie mich schon inspiriert. Sie war eben so ganz anders als ich, das hatte immer einen unbestimmten Reiz ausgemacht. Gegensätze ziehen sich ja bekanntlich an. Aber die Dinge standen eben wie sie standen, und wenn sie sich nicht mehr bei mir meldete – ich würde bestimmt nicht den ersten Schritt machen! Hatte ich gar nicht nötig.

An einem ganz gewöhnlichen Dienstag klingelte es gegen drei Uhr nachmittags an meiner Wohnungstür. Wer konnte das sein? Ich hatte keine Freunde, die ohne Anmeldung bei mir hereingeschneit wären. Für die Post war es viel zu spät. Falls es die Zeugen Jehovas sein sollten, würde ich einfach behaupten, ich hätte Keuchhusten!

Es war Lotta.

»Hallo, Mona«, grüßte sie verlegen.

Ich starrte sie nur schweigend und unheilvoll an. Hektisch sprach sie weiter:

»Sieh mal, Kind, ich habe uns eine Flasche Sekt mitgebracht!«

»Ich stelle sie in den Kühlschrank«, verkündete ich mürrisch, »und trinke sie, wenn sie richtig kalt ist und du schon wieder weg bist. Mit Leuten, die etwas gegen mich haben, trinke ich niemals. Und schon gar keinen pißwarmen Sekt!«

»Es macht dir doch nichts aus, wenn ich hereinkomme?« fragte sie schüchtern.

»Frag doch nicht so blöd, du bist ja praktisch schon drin«, knurrte ich und verzog mich mit der Sektflasche in Richtung Küche. Schließlich saßen wir uns im Wohnzimmer gegenüber, sie mit einem nervösen Lächeln und ich mit einem Ausdruck tiefster Verachtung.

Endlich kam sie zur Sache: »Mona, es tut mir leid.«

»Was tut dir leid?« fragte ich desinteressiert.

»Ach, du weißt doch! Die Sache mit deiner Hochzeit. Bestimmt hattest du deine Gründe. Wir hätten alle etwas verständnisvoller reagieren sollen.«

»Ach, wieso denn«, murmelte ich mit aufreizend provokanter Stimme. »Wieso sollte denn meine eigene Familie Verständnis dafür haben, daß ich mich in letzter Sekunde geweigert habe, eine Ehe einzugehen, die sowieso nur vor dem Scheidungsrichter geendet hätte. Warum sollte sich auch nur ein einziger von euch Gedanken darüber machen, was in meinem Inneren überhaupt vorgegangen ist. Nein, Lotta, mach dir keine Sorgen. Ich bin ja nicht so wichtig. Meine Gefühle spielen wirklich keine Rolle.«

Ich verschränkte die Arme über der Brust und starrte vor mich hin. Lotta wirkte äußerst bedrückt – was durchaus in meiner Absicht gelegen hatte.

»Übrigens«, fuhr ich mit einem boshaften Grinsen fort, »wann findet denn eigentlich Johannas Taufe statt? Ihr hättet es doch niemals übers Herz gebracht, die Feier so ganz ohne mich durchzuziehen – oder?«

Inzwischen sah Lotta geradezu sterbenselend aus. Sehr gut.

»Die Feier war letzten Sonntag«, flüsterte sie, den Tränen nahe. »Aber es ist nicht so, wie du denkst. Es war eine einzige Katastrophe!«

»Erzähl mal«, forderte ich voll genüßlicher Vorfreude auf.

»Es war so«, begann sie stockend, »an deinem, äh, Hochzeitstag waren erst mal alle ziemlich wütend auf dich. Ich nicht«, versicherte sie hastig, »ich bin nur mitgegangen, um die Situation etwas zu entschärfen.«

Ich funkelte sie unter zusammengezogenen Augenbrauen so drohend an, daß sie beschämt den Kopf senkte.

»Na ja, ein bißchen«, gab sie zu, »richtig verstehen konnte ich dich eigentlich auch nicht ... Jedenfalls – Helmut wirkte so verzweifelt, daß Jutta ihn spontan fragte, ob er nicht der Taufpate von Johanna werden wolle.«

»Wie rührend«, rief ich spöttisch, »die gute mitfühlende Jutta! Sie wollte doch lediglich all ihren Bekannten unter die Nase reiben, daß Helmut Barker, der berühmte Schauspieler, der Taufpate ihrer Tochter sei! Aber da hat sie sich verdammt geschnitten. Helmut kümmert sich ja kaum um seine eigenen Kinder.«

»Natürlich mußte sie ihm versprechen, daß du bei der Taufe nicht anwesend sein würdest«, murmelte Lotta verlegen.

»Was ihr sicher nicht allzu schwer gefallen ist«, ergänzte ich.

»Sag das nicht«, wurde Lotta plötzlich lebhaft. »Die anschließende Feier wurde in Rolfs und Juttas Wohnung abgehalten. Es war grauenhaft! Helmut war irgendwann total besoffen und brüllte, du wärst eine herzlose Schlampe.«

Das kam nun wirklich nicht gerade überraschend für mich.

»Und Jutta«, fuhr Lotta mit Feuereifer fort, »Jutta wies ihn scharf zurecht! Sie sagte wortwörtlich: ›So darfst du nicht über meine Schwester reden! Mona mag verrückt, chaotisch und sogar schlampig sein – aber sie ist auf gar keinen Fall herzlos! Sie benimmt sich manchmal sehr merkwürdig, sie kann einem den letzten Nerv rauben, und sie tut manchmal Dinge, die kein normaler Mensch nachvollziehen kann, aber sie hat einen guten und sehr liebevollen Kern in sich!‹«

Ich war gerührt, wollte es mir aber unter keinen Umständen anmerken lassen.

»So, das hat die liebe Jutta gesagt? So viel Zuneigung kann ich ja gar nicht verkraften.«

»Ja, das hat sie gesagt«, betonte Lotta vorwurfsvoll, »du brauchst jetzt nicht zu spötteln! Helmut war anschließend sooo klein mit Hut und ist gegangen. Kaum war er weg, brach Jutta in Tränen aus und schluchzte: ›Es ist nicht recht, daß Mona heute nicht hier ist! Das ist doch keine Familienfeier ohne sie!‹«

Ich war ehrlich überrascht. Offensichtlich brachte nicht meine Anwesenheit, sondern meine Abwesenheit Schwung in diese stinklangweiligen Familienfeten!

»Wie hat der Rest reagiert?« erkundigte ich mich kühl.

»Dein Vater hat Jutta lauthals zugestimmt. Deine Mutter sah nur ziemlich betreten aus. Und Rolf hat versucht, Jutta zu trösten.«

Mein Vater hatte es gewagt, den Mund aufzumachen! Wow! Reife Leistung!

»Und was ist jetzt?« fragte ich verärgert. »Wenn es allen soooo sehr leid tut, warum meldet sich dann niemand bei mir? Warum schicken sie dann dich mit der weißen Fahne? Was soll der Quatsch?«

Lotta seufzte.

»Mona – deine Familie ist eben genauso stur wie du!«

»Ich bin nicht stur«, protestierte ich entrüstet, »ich war noch nie stur! Ich bin der nachgiebigste Mensch aller Zeiten! Ich habe nichts getan, ich habe mich von niemandem abgewendet! Habe ich irgend jemanden als ›Schandfleck‹ bezeichnet? Nein!!!«

Lotta ergriff meine Hand.

»Mona, deine Schwester schämt sich. Ich weiß nicht, was deine Mutter empfindet, aber ich konnte diese Frau sowieso noch nie richtig verstehen. Aber Jutta tut es ehrlich leid. Sie vermißt dich. Ruf sie doch einfach mal an.«

»Kommt nicht in Frage«, rief ich empört, »ich denke nicht im Traum daran!«

»Schön«, sagte Lotta leise, »ich habe es jedenfalls versucht. Ich werde wohl besser gehen.«

»Ach, warte doch, Lotta. Ich glaube, der Sekt ist jetzt kalt genug. Na, wie wär's?«

Sie schüttelte traurig den Kopf und ging tatsächlich.

Ich war erschüttert. Lotta verzichtete freiwillig auf Sekt. Offenbar nahm sie die ganze Sache viel zu tragisch. Nun, sollte sie doch. Mir ging das alles am Südpol vorbei.

Immerhin konnte ich nun den ganzen Sekt alleine austrinken.

Dumme Lotta. Sie nahm sich das alles viel zu sehr zu Herzen. Tja, sie war früher Opernsängerin gewesen, und anscheinend gehörte sie zu der sentimentalen und klischeehaften Sorte von Künstlern, die bei uns im Theater zu Dutzenden herumliefen, ganz im Gegensatz zu echten Künstlern wie mir – oder vermutlich auch Lord Byron. Ja, der hätte mich jetzt verstanden. Der gute George war auch sein ganzes Leben lang verkannt und mißverstanden worden – wie ich. Er hatte seinen Kummer stets hinter Zynismus verborgen – wie ich. Keiner hatte sein kompliziertes Innenleben nachvollziehen können – wie bei mir! Er und ich wären bestimmt gut miteinander ausgekommen. Doch was nützte mir das? Der verdammte Kerl war seit 1824 tot!

Ich würde Jutta nicht anrufen. Soweit kam es gerade noch! Ich hatte es nicht nötig, hinter jemandem herzurennen, auch nicht wenn die Person meine einzige Schwester war! Nein, ich war kein Sturkopf. Das brauchte ich mir nicht vorwerfen zu lassen. Sollte Jutta sich doch bei mir melden. Ob sie mich nun anrief oder mir einen Besuch abstattete, ich würde sie anhören und ihr verzeihen – vorausgesetzt natürlich, sie hätte eine angemessene Entschuldigung parat.

Vielleicht würde sich ja auch alles ganz von selbst wieder einrenken. Als mir dieser tröstliche Gedanke kam, stellte ich fest, daß die Sektflasche schon wieder leer war.

Kapitel 9

Ich hatte meinen Umbau beendet und schlurfte, zu Tode gelangweilt, in Richtung Theaterkantine. Die Auswahl an Kollegen, die sich dort bot, war auch nicht gerade sehr erbauend. Ich machte den verzweifelten Versuch, mich heimlich, still und leise an einen anderen Tisch zu verdrücken, da riefen sie auch schon:

»Ach, da ist ja Mona! Komm, setz dich her zu uns!«

Ich lächelte gequält und kam der freundlichen Aufforderung nach. Mir war wirklich nicht nach Gesellschaft zumute. Meine trübe Stimmung durfte ich sowieso nicht an ihnen auslassen, was also konnten sie mir großartig nützen? Burkhard Fischer war natürlich auch wieder dabei. Er wirkte in irgendeiner modernen Oper mit und spielte einen »Elenden«. Man bedenke diese Ironie: Er, der dogmatisch positiv denkende Mensch mit dem ewig blöden Grinsen auf seinem noch blöderen Gesicht, ausgerechnet er mußte einen Elenden verkörpern! Wer in aller Welt war nur auf die Schnapsidee gekommen, ihm diesen Job zuzuteilen?

In seinem Kostüm bot der liebe Fischer allerdings einen recht elenden Anblick: Die Hose schlackerte um seinen schmächtigen Körper herum, der Oberkörper war nackt. Alle Frauen, die in den vorderen Reihen saßen, konnten einem nur leid tun. Ich hatte ja wirklich nichts dagegen, wenn ein Mann Haare auf der Brust hatte. Aber mußte eine halbe Portion wie dieser Fischer gleich mit einem ganzen Urwald gesegnet sein? Ein Urwald, der sich sogar noch auf den Schulterblättern und – igitt! – auf den Fingerknöcheln ausbreitete? Zum Glück war ich gerade nicht beim Essen. Ach, es war zum Heulen. Man konnte selbst mir – einer intelligenten und kritikfähigen Frau – nicht vorwerfen, daß sie sich mit Herrn Uwe Rieder eingelassen hatte. Der war zwar genauso hohlköpfig gewesen wie dieser Fischer – aber zumindest hatte er halbwegs gut ausgesehen. Traurig zündete ich mir eine Zigarette an, inhalierte heftig und bekam prompt einen Hustenanfall.

»Du solltest das Rauchen aufgeben«, kommentierte Fischer mein kleines Mißgeschick.

»Wozu?« fragte ich böse.

»Weil es ungesund ist! Sieh mich an! Ich rauche nicht, treibe viel Sport und ernähre mich gesund. Körperlich fit zu sein ist für mich das Höchste!«

»Willst du hundert Jahre alt werden, oder was soll der Mist?« fragte ich genervt.

»Nun ja«, lächelte er, »wenn es möglich ist …«

»Haben dir deine Mitmenschen etwas besonders Schlimmes angetan, oder willst du ihnen aus reiner Bosheit hundert Jahre lang auf den Wecker fallen?« erkundigte ich mich.

Meine Kollegen brachen in schreiendes Gelächter aus. Fischer war beleidigt.

»Wenigstens bin ich nicht so negativ wie du!«

Klar, das hatte ja wieder kommen müssen. Alle Leute, die mir in puncto Schlagfertigkeit nicht das Wasser reichen konnten, bezeichneten mich als negativ.

Herr Fischer war jedenfalls wild entschlossen zu demonstrieren, was er unter »fit sein« verstand. Er starrte einer wesentlich älteren, ziemlich vollschlanken und zu allem Unglück glücklich verheirateten Statistin hingebungsvoll in den Ausschnitt und murmelte:

»Könntest du dir da nicht einen Schal hinhängen?«

Ich rätselte, wie lange er wohl keine Frau mehr gehabt hatte. Kein Wunder, daß er so viel Sport trieb. Auf irgendeine Weise mußte er es ja loswerden.

Sogar besagte Kollegin lächelte etwas spöttisch.

»Hast du es so nötig, Burkhard?«

»Wo denkst du hin?« empörte er sich. »Mir liegen die Frauen zu Füßen!«

»Also ich nicht«, bemerkte ich trocken.

Wieder lachten alle. Ein ziemlich junges Mädchen, Andrea, ergriff meinen Arm und meinte:

»Es ist schön, wenn du hier bist, Mona. Mit dir ist es immer so lustig.«

»Obwohl ich so negativ bin«, bemerkte ich freundlich. Ein Seitenblick auf den armen Herrn Fischer machte mir klar, daß sein Limit an Toleranz bereits mehr als überschritten war. Gut, ich wollte mal nicht so sein. Ich legte meine Hand auf seine Schulter und sagte todernst:

»Wir sprachen davon, wie fit unser Burkhard doch ist. Ist das nicht beneidenswert? Seht ihn euch an! Ist das nicht ein wunderbar durchtrainierter Körper? Das ist das Ergebnis jahrelanger Disziplin! Ehrlich, ich könnte das nicht!«

Fischer kapierte nie, wenn man ihn auf den Arm nahm. Er lächelte geschmeichelt und meinte voller Bescheidenheit:

»Um die Wahrheit zu sagen, ich habe ein wenig zugenommen.«

»Nein«, rief ich, »das ist nicht möglich! Wo solltest du denn zugenommen haben? Schatz, du mußt dich einfach irren!«

»Ich wog jahrelang sechsundfünfzig Kilogramm«, beteuerte er, »und nun wiege ich fast siebenundfünfzig Kilogramm!«

»Ach, laß dir deswegen bloß nicht noch mehr graue Haare wachsen«, tröstete ich, »das hängt sicherlich mit deiner Körperbehaarung zusammen. Ich wette, wenn du dir bei Gelegenheit mal den Rücken rasierst, hast du sofort dein altes Gewicht wieder!«

Alles grölte. Diese Leute hier waren wirklich leicht zu unterhalten. Burkhard Fischer schien nun aber doch ganz allmählich zu spüren, daß er – um es gelinde auszudrücken – ziemlich massiv veräppelt wurde.

»Die meisten Frauen mögen Männer mit starker Körperbehaarung«, behauptete er.

»Was ist daran so toll?« entgegnete ich achselzuckend. »Wenn mir der Sinn nach Körperbehaarung steht, schaue ich mir einen Lassie-Film an. Dieser Hund hatte nicht nur Haare – er hatte sogar ein Gehirn!«

Ich hatte jetzt so dick aufgetragen, daß sogar Herrn Fischer ein Licht aufging. Man konnte die krampfhafte Anspannung förmlich von seinem Gesicht ablesen. Die Botschaft des Senders war beim Empfänger angekommen und suchte nun verzweifelt nach dessen Hirn!

Endlich war es soweit.

»Habe ich schon erwähnt«, verkündete er siegessicher, »daß ich bei der nächsten ›Tatort‹-Produktion mitwirken werde?«

»Du?« fragte ich ungläubig. »Wie sehr will das Fernsehen denn noch an Niveau verlieren?«

»Jawohl«, überging Burkhard selbstbewußt meinen berechtigten Einwand, »ich spiele einen Bankkunden bei einem Banküberfall.«

Sehr überraschend kam das eigentlich nicht. Schon oft, wenn eine »Tatort«-Folge in der Stadt gedreht wurde, hatte man Statisten von unserem Theater zu den Dreharbeiten bestellt. Mich natürlich noch nie. Ich war in der Chefetage weniger beliebt – ich schleimte nicht so wie gewisse andere. Sogar unser Chef selbst, der ständig betonte, er wäre ausgebildeter Schauspieler, hatte bereits in einer dieser Massenszenen mitgewirkt. Er war fast eine ganze Sekunde lang im Bild gewesen.

»Das freut mich für dich, Herzchen«, erklärte ich aufrichtig. »Die Herausforderung der Fernseharbeit wird dich wenigstens vorübergehend von deinem leeren Bett ablenken!«

Ich winkte allen Anwesenden zu und marschierte gelangweilt zur Schauspielbühne zurück. Das Leben konnte schon verdammt öde sein. Wie hatte sich Frank N'Furter alias Tim Curry in der »Rocky Horror Picture Show« ausgedrückt? »It's not easy having a good time.«

Dem konnte ich nur zustimmen.

Ich hatte Herrn Fischers geplanten »Starauftritt« bei »Tatort« schon während meines nächsten Umbaus wieder vergessen, und das blieb auch so – bis zu jenem denkwürdigen Freitag. Es war nicht Freitag, der dreizehnte – obwohl man es im nachhinein glatt vermuten würde. Nein, es war einfach so, daß ich es mal wieder die ganze Woche über nicht geschafft hatte, zur Bank zu gehen, um mein dickes, fettes Theatergehalt abzuholen. Jetzt mußte ich mich sputen, denn die Bank schloß bereits um fünfzehn Uhr. Pünktlich um vierzehn Uhr neununddreißig reihte ich mich in die Warteschlange ein, was mitten im Winter recht unangenehm sein konnte. Man kommt dick eingemummelt von draußen herein, möchte für die paar Minuten Wartezeit natürlich nicht seine Jacke ausziehen und steht dann schwitzend in einer Reihe von menschlichen Wesen, die nach feuchter Wolle und hitzebedingtem Körpergeruch müffelt.

Als sich der Kunde vor mir gerade zum Gehen wandte, schrie hinter uns eine donnernde Stimme:

»Das ist ein Überfall! Bleiben Sie alle ruhig stehen, dann wird Ihnen nichts passieren!«

Ich drehte mich fasziniert um. Offenbar war ich auf dem Drehset für die nächste »Tatort«-Folge gelandet! Mann, war das toll! Wo ich nicht mal bestellt gewesen war! Komisch nur, daß ich Herrn Fischer noch nicht gesehen hatte. Na ja, die Bank war auch ziemlich überfüllt. Wo hatten die Leute vom Film denn nur ihre Kameras aufgestellt? Wahrscheinlich versteckt, damit die Szene möglichst realitätsnah herüberkam. Schließlich waren wir nur Statisten und keine Profischauspieler. Ich hätte mich gerne noch ein bißchen umgeschaut, aber da jeder kreischend seine Arme in die Höhe riß, machte ich es genauso. Der Schauspieler, der den Bankräuber spielte, stürzte zum Schalter, fuchtelte dem armen Angestellten wie wild mit einer Flinte vor der Nase herum und brüllte:

»Los! Geld her! Alles, was Sie haben! Die Waffe ist geladen! Versuchen Sie nicht, die Polizei zu rufen!«

Mit hocherhobenen Händen betrachtete ich mir die Szene etwas genauer. Dramaturgisch gesehen fand ich sie eigentlich ziemlich miserabel. Der Bankräuber hatte sich eine recht alberne Faschingsmaske übergestülpt, ansonsten trug er Jeans und eine schwarze Lederjacke. So ein ausgelutschtes Klischee! Ich meine, die Bonnie-und-Clyde-Ära liegt schließlich schon einige Jahre hinter uns. Welcher Idiot begeht heutzutage einen Banküberfall? Wir leben ja leider im Zeitalter der Computertechnik. Ein cleverer Bankräuber betätigt sich als »Hacker«, transferiert eine stattliche Summe auf sein Konto und setzt sich dann anschließend ins Ausland ab. Na ja, und dann dieses vorsintflutliche Schießeisen! Das war kein Revolver, das Ding war eindeutig eine Schrotflinte, lächerlich! Ich hatte schon eine Menge Gangsterfilme gesehen, aber ein Banküberfall mit einer Schrotflinte? Der Regisseur mußte entweder gestört oder übermäßig exzentrisch sein. Diese Folge würde wahrscheinlich nur eine minimale Einschaltquote erreichen. Und ausgerechnet hier mußte ich, wenn auch ungebetenerweise, mitwirken. Was für eine Pleite!

Die Sache zog sich ziemlich in die Länge. Ich fragte mich nur die ganze Zeit, warum der Regisseur nicht endlich »Schnitt!« rief. Fand er diese Einstellung denn in Ordnung? Ach, war das frustrierend. Beim Film schien es abzulaufen wie beim Theater: »Wir inszenieren, um uns selbst zu verwirklichen, wir inszenieren doch nicht für diesen Zuschauerpöbel!«

Der Mann am Schalter glotzte den Bankräuber hilflos an und

machte nicht die geringsten Anstalten, die verdammte Kohle endlich herauszurücken. Gehörte das wirklich zum Drehbuch? Oh, war das schlecht! Vielleicht sollte ich zur Abwechslung mal ein Drehbuch schreiben? Obwohl – wenn die Filmgesellschaften solch einen Mist bevorzugten ...

»Wird's bald«, schrie der Bankräuber viel zu pathetisch. Dieser Schauspieler würde bestimmt keinen Preis erhalten, soviel stand fest. Ein echter Jammer, angesichts der vielen arbeitslosen Schauspieler, die verzweifelt auf ihre Chance warteten und sie vielleicht niemals erhielten! Mir wurde jedenfalls die ganze Sache ein wenig zu blöd. Ich würde mich doch nicht zu Tode langweilen lassen, nur um – wenn überhaupt – eine Viertelsekunde lang auf dem Fernsehbildschirm zu erscheinen! Sollten sich doch die anderen profilieren, ich hatte das nicht nötig. Außerdem war ich hier nicht einmal gemeldet und würde vermutlich keinen einzigen Pfennig Gage erhalten.

»Ich gehe nach Hause, viel Spaß noch«, zischte ich den übrigen Statisten zu und marschierte zielstrebig zum Ausgang.

»Stehenbleiben«, brüllte der Bankräuber und zielte mit seiner albernen Flinte direkt auf mich.

Ich war der Meinung, daß er es mit seiner Schauspielkunst ein klein wenig übertrieb.

»Sie können mich mal da, wo ich schön bin«, erklärte ich ungerührt.

Ich war schon beinahe zur Tür hinaus, als ein lauter Knall die Luft durchdrang und ein ungeheuer monströser und brennender Schmerz durch meine Schulter zog.

Eine Alarmsirene schrillte, ein hysterisches Massengeschrei brach los, und ich dachte noch: Seit wann darf beim Film scharf geschossen werden?

An dieser Stelle ging der Vorhang der Barmherzigkeit vor dieser künstlerisch so wertlosen Szene hiernieder, und ich bekam nichts mehr davon mit. Ich wurde einfach ohnmächtig.

Kapitel 10

Als ich erwachte, bekam ich den Schreck meines Lebens. Himmel, wie sah es denn hier aus? Diese kalkweiß getünchten Wände und die geschmacklosen, tristen Vorhänge, das war doch nicht mein Schlafzimmer! Und dieser Mann im weißen Kittel, der neben meinem Bett stand ... Hilfe! Ich wollte den nicht hier haben! Wer hatte den bloß hereingelassen?

»Frau Manntey, Sie sind ja endlich aufgewacht«, sprach der Mann mit freundlicher Stimme zu mir. Mein angeborenes Mißtrauen meldete sich sofort.

»Wer sind Sie? Wo bin ich? Woher kennen Sie meinen Namen?«

Ich wollte mich erheben und rasch die Flucht ergreifen, statt dessen sank ich mit einem überaus schmerzvollen Stöhnen in die Kissen zurück.

Er tätschelte besorgt meinen Arm.

»Beruhigen Sie sich! Sie sind im städtischen Krankenhaus. Ich bin Dr. Wilmer. Ja, Frau Manntey, Sie haben eine gehörige Schrotladung abbekommen. Ihre Schulter war nur so gespickt mit Schrotkugeln. Aber wir haben alle entfernt und Ihnen ein Schmerzmittel injiziert. Keine Sorge, Sie werden wieder ganz gesund.« Langsam dämmerte es mir.

»Ach ja, jetzt fällt's mir wieder ein ... Ist das nicht ein Skandal? Können diese gehirnamputierten Requisiteure vom Film nicht mal Platzpatronen von scharfer Munition unterscheiden? Welch ein Glück, daß ich sowieso nur auf dem Bauch schlafen kann, sonst hätte ich jetzt ein ernsthaftes Problem!«

»Frau Manntey ...«

»Ich werde diese Schweine verklagen, jawohl, das werde ich ... Ich habe Sie das schon mal gefragt, woher kennen Sie mich?«

»Sie hatten Ihre Papiere bei sich. Hören Sie, Frau Manntey ...«

»Können Sie mir einen guten Anwalt empfehlen? Ich meine, ich habe doch keine Ahnung, wie man jemanden verklagt. Muß ich die ganze ARD verklagen? Oder das ›Tatort‹-Team? Oder nur diesen dämlichen Requisitenheini?«

»Eins nach dem anderen«, lächelte der Arzt, »zuerst geben Sie mir mal die Anschrift Ihrer Angehörigen, damit man diese verständigen kann.«

»Angehörige? Ich habe keine. Sie brauchen niemanden zu verständigen. Denen ist es doch sowieso egal, ob ich hier verrecke oder nicht.«

»Aber es wird doch jemanden geben, der sich um Sie sorgt ...«

»Nein«, widersprach ich. »Es gibt niemanden. Keinen Menschen. Ich bin allein. Einsam und verlassen. Keine Familie, keine Freunde, nichts. Und kommen Sie bloß nicht auf die total bescheuerte Idee, meine Schwester Jutta Genshofer in der Sudetenstraße 15 unter der Nummer 60110 anzurufen! Besorgen Sie mir lieber einen guten Anwalt. Was glauben Sie, wieviel mir diese Filmfritzen zahlen müssen? Eine Million? Oder ist das unrealistisch?«

»Gott sei Dank«, flüsterte Dr. Wilmer der eben eingetretenen Flügelhaube zu, »bitte geben Sie der Patientin eine Beruhigungsspritze, Schwester Beate. Sie steht noch stark unter Schock und phantasiert.«

»Hey«, brüllte ich, »was ist nun mit dem Anwalt? Muß ich mich denn um alles selbst kümmern? Bringen Sie mir wenigstens ein Telefon!«

»Nur die Ruhe«, tröstete die Schwester, »es wird ja alles wieder gut.«

Ich verspürte ein kurzes Piek sen in der Armbeuge und schlief bald darauf wieder ein.

Ich wurde wach und erblickte eine hysterisch heulende Jutta an meinem Bett.

»Hey«, rief ich, »was ist denn los? Ist irgendwas mit den Kindern passiert?«

»O Mona!«

Sie sprang auf und schlang stürmisch die Arme um meinen Hals.

»Jutta, bitte«, bat ich mit tapferer Würde, »sei vorsichtig! Meine Wunde!«

»Ja, natürlich«, stammelte sie und sank auf ihren Stuhl. »Mona, es tut mir ja alles so leid! Ich hätte nicht … Wir alle hätten nicht … Ach, ich bin ja so froh, daß du noch lebst!«

Sie schlug ihre Hände vors Gesicht und flennte weiter.

»Jutta, ein bißchen mehr Contenance, wenn ich bitten darf!«

Ich gab mir reichlich Mühe, möglichst cool zu wirken – in Wahrheit jedoch genoß ich die Szene in vollen Zügen!

Sie schluchzte noch eine Weile, irgendwann fragte sie:

»Mona, wie konnte das nur passieren?«

Ich versuchte mit den Schultern zu zucken, stellte aber nach einem kurzen Aufschrei fest, daß dieses Unterfangen nicht zu realisieren war.

»Was weiß ich! Ich war auf der Bank, wollte mir ein bißchen Geld holen, plötzlich merkte ich, daß sie dort gerade den neuen ›Tatort‹ drehten, und ich war als unangemeldete Statistin mittendrin! Als mir die Sache zu bunt wurde, bin ich gegangen, das heißt, ich wollte gehen, doch dann schoß dieser dumme Schauspieler auf mich, was ja nicht weiter schlimm gewesen wäre, wenn die Leute von der Requisite nicht diese blöde Flinte mit richtigen Schrotkugeln geladen hätten. Aber das gibt ein Nachspiel! Ich will Schmerzensgeld! Das steht mir zu!«

Juttas Blick drückte eine aufrichtige Besorgnis aus.

»Bist du vielleicht anderer Meinung«, fragte ich erzürnt, »oder denkst du, gegen die komme ich sowieso nicht an?«

»Mona«, begann Jutta vorsichtig, »bist du wirklich in Ordnung?«

»Soweit man das mit einer durchlöcherten Schulter sein kann – ja!«

Jutta atmete tief durch.

»Bitte erschrick jetzt nicht, Mona. Es handelte sich nicht um irgendwelche Dreharbeiten, verstehst du? Es war ein richtiger Banküberfall! Der Mann, der dich angeschossen hat, war kein Schauspieler, sondern ein Bankräuber!«

Ich brauchte eine Minute, um diese Neuigkeit zu verdauen.

»Das war alles echt«, flüsterte ich fassungslos.

Jutta nickte.

»O mein Gott«, kreischte ich, »warum hat mir das denn keiner gesagt? Mir hätte ja glatt etwas passieren können!«

»Dir ist ja auch etwas passiert«, bemerkte Jutta trocken.

Tja, so gesehen hatte sie natürlich recht. Langsam dämmerte mir die ganze Tragweite dieser Geschichte.

»Du meinst«, fragte ich tief enttäuscht, »es gibt niemanden, den ich verklagen kann? Kein Schmerzensgeld für die arme angeschossene Mona? Überhaupt nichts?«

Jutta schüttelte den Kopf.

»Gott, ist das gemein«, stellte ich fest. »Ich habe aber auch niemals Glück.«

»Du hast kein Glück«, rief Jutta aufgebracht, »du blöde Nuß hast mehr Glück als Verstand! Du hättest getötet werden können! Du hättest viel mehr als eine Schrotladung abkriegen können! Hast du daran schon gedacht?«

Nee, das hatte ich nicht. Egal, die Situation war beschissen, mußte aber konstruktiv angegangen werden.

»Ist der Kerl wenigstens geschnappt worden?«

»Keine Ahnung, Mona. Vielleicht steht morgen etwas darüber in der Zeitung.«

Die Nachtschwester kam ins Zimmer.

»Frau Genshofer, es geht schon auf dreiundzwanzig Uhr zu. Die Patientin muß unbedingt schlafen.«

»Soll das ein Witz sein?« erkundigte ich mich. »Um diese Zeit werde ich für gewöhnlich erst richtig wach!«

Da Jutta aber tatsächlich gewillt war zu gehen, versorgte ich sie noch mit einigen lebensnotwendigen Instruktionen. »Schau mal nach, wo die meine Tasche hingetan haben. Da ist mein Wohnungsschlüssel drin. Den nimmst du und bringst mir morgen meine Zahnbürste, ein paar Pyjamas und meinen Morgenrock. Den blauen mit den Sternen drauf. Und ein paar gute Bücher! Eine durchlöcherte Schulter ist keine Entschuldigung für geistige Trägheit. Ach, und einen Notizblock plus Kugelschreiber. Vielleicht kommen mir ein paar gute Gedanken für mein Buch.«

»Wie wär's gleich mit deiner gesamten Computeranlage?« fragte Jutta spitz.

»Jutta, nun werde doch nicht albern! Wie willst du die denn transportieren, beziehungsweise wo soll ich die denn hier aufbauen? Na, und so lange werde ich kaum hierbleiben müssen. Und bring mir ein bißchen Geld mit! Sicher ist sicher ... Im Küchenschrank, in der linken Schublade, liegt ein Portemonnaie, da müßte genug drin sein. Lieber Himmel, was ist eigentlich mit meinen Kleidern passiert? Die, die ich bei dem Banküberfall getragen habe? Die müssen ja auch durchlöchert und voller Blut sein! Verdammter Mist, das war meine einzig wirklich warme Winterjacke! Was soll ich denn ohne die anfangen?«

»Du hast Sorgen«, murmelte Jutta, küßte mich zum Abschied auf die Stirn und verschwand.

»Nun müssen wir aber schlafen«, verkündete die Nachtschwester.

»Was Sie müssen, weiß ich nicht«, maulte ich, »ich jedenfalls bin hellwach!«

»Sie können nicht hellwach sein! Sie sind verletzt, haben ein starkes Schmerz- sowie ein Beruhigungsmittel verabreicht bekommen. Sie müßten todmüde sein!«

»Ich müßte, ich bin's aber nicht! Ich gehe nie um diese Zeit ins Bett! Ich will einen Fernseher ... und ein Telefon!«

»Morgen«, antwortete die genervte Schwester, »ich werde mich darum kümmern, ich verspreche es Ihnen. Aber jetzt müssen Sie versuchen zu schlafen!«

»Ich – bin – nicht – müde«, protestierte ich mit Nachdruck.

»Ich bringe Ihnen eine Schlaftablette«, seufzte die Schwester.

»Au fein«, freute ich mich, »aber bringen Sie mir besser zwei, ich bin hypernervös, deshalb wirkt das Zeug bei mir nie so richtig.«

Trotz meiner inständigen Bitte brachte die doofe Schnepfe nur eine. Als sie eine halbe Stunde später noch mal bei mir hereinschaute, war sie ziemlich überrascht, daß ich immer noch nicht schlief.

»Ich habe es Ihnen doch gesagt«, erklärte ich mit einer Engelsgeduld, »ich kann um diese Zeit nicht einschlafen. Schon gar nicht mit einer einzigen lausigen Tablette!«

Die Nachtschwester war schwer erschüttert.

»Das habe ich noch nicht erlebt«, murmelte sie vor sich hin, »diese Frau ist ein medizinisches Wunder! Jeder andere wäre halb tot vor Erschöpfung!«

»Kann ich nicht aufstehen und eine Zigarette rauchen«, bettelte ich, »oder könnten Sie mir nicht einen Glühwein oder was Ähnliches besorgen? Es ist so langweilig hier. Um diese Zeit bin ich für gewöhnlich am arbeiten. Ich bin nämlich Schriftstellerin und deshalb ...«

»Ich werde Ihnen noch eine Tablette holen«, flüsterte die Schwester, am Ende ihrer Kräfte, »ich denke, das kann ich in diesem Fall verantworten.«

Ich schluckte die zweite Tablette und tat mein Bestes, um einzuschlafen. Schließlich wollte ich dieser netten Frau doch nicht unnötig auf den Wecker fallen – wo sie so hart arbeiten mußte für ihr Geld! Und wo Krankenschwestern so miserabel bezahlt wurden!

Ehrlich, ich gab mir alle Mühe – aber ich fürchte, die nächsten anderthalb Stunden, die ich brauchte, um in Morpheus' Arme zu sinken, waren die schlimmsten ihres Lebens! Diesen Eindruck hatte ich jedenfalls, obwohl ich nicht erkennen konnte, woran das lag.

Ich schluckte also brav die zweite Tablette herunter und versuchte ein bißchen zu plaudern.

»So eine ganze Nachtwache ist wohl ziemlich anstrengend für Sie, was? Klar, wenn man das nicht jeden Tag macht ... Es ist natürlich eine Frage der Gewohnheit. Außerdem gibt es sowohl Tagmenschen als auch Nachtmenschen. Sie sind sicherlich mehr ein Tagmensch, stimmt's? Na, dann ist es für Sie besonders hart. Ich bin ein hundertprozentiger Nachtmensch. Damit will ich nicht sagen, daß ich für Ihren Job besser geeignet wäre als Sie, ganz im Gegenteil. Man braucht für diesen Beruf bestimmt eine große Portion Idealismus, oder?«

»Ja«, seufzte die Schwester, »obwohl man diesen Idealismus bei manchen Patienten sehr rasch verlieren könnte.«

»Das glaube ich Ihnen«, nickte ich ihr freundlich zu, »aber mit mir haben Sie ja zum Glück keine großen Schwierigkeiten. Warum setzen Sie sich nicht zu mir? Wir könnten ein bißchen quatschen. Oh, ich hätte jetzt Lust auf eine große Tasse heiße Schokolade. Aber Sie brauchen nicht gleich in die Küche zu rennen, ich komme auch gut ohne aus!«

»Sehr gütig von Ihnen«, sagte die Nachtschwester.

»Ist doch Ehrensache«, versicherte ich, »ich schätze Ihre Berufssparte wirklich hoch ein. Wenn ich mir vorstelle, daß Sie sich vielleicht mit irgendwelchen Egozentrikern herumplagen müssen, die ständig Sonderwünsche anmelden! Nein, das wäre nicht mein Ding. Ich habe so schwache Nerven, wissen Sie ... Doch das geht ja den meisten Künstlern so. Wie ich bereits erwähnte, bin ich Schriftstellerin. Keine Dichterin, leider, obwohl ich es gerne wäre. Mein Lieblingsdichter ist Lord Byron. Klar, ich liebe auch Goethe und Schiller, ich habe immerhin Germanistik studiert. Aber mit Byron verbindet mich eine besondere Affinität. Wer ist Ihr Lieblingsautor? Oh, Sie haben wahrscheinlich kaum Zeit zum Lesen. Ja, das kann ich verstehen. Sogar während der Nachtwache kommen Sie wohl kaum dazu. Da gibt es bestimmt haufenweise Patienten, die Sie nachts aus dem Schwesternzimmer herausklingeln, nur um irgendwelche blöden Wünsche zu äußern. Schrecklich, wie viele rücksichtslose Menschen es doch gibt! Apropos schrecklich: Wenn ich meinen Fernseher schon hätte, könnte ich mir nachher ›Eine schrecklich nette Familie‹ ansehen! Schade! Na ja, ich kenne sowieso schon jede Folge. Aber es ist immer wieder lustig. Sehen Sie die Serie auch manchmal? Ach nein, Sie haben bestimmt entweder Nachtwache, oder Sie müssen morgens früh raus. Da können Sie selbstredend nicht um ein Uhr nachts fernsehen. Ich sehe ja auch nicht die ganze Nacht fern, ich bin meistens bei der Arbeit. Schreiben, wissen Sie? Ich habe mir vor ein paar Jahren einen PC gekauft. Früher habe ich Computer total abgelehnt, aber jetzt bin ich froh, daß ich dieses Ding habe. Es bedeutet eine solche Arbeitserleichterung und ...«

»Frau Manntey«, die Stimme der Schwester klang wahrhaft flehentlich, »wollen Sie mir nicht meine Arbeit erleichtern und endlich versuchen zu schlafen?«

»Hab den Wink schon verstanden«, grinste ich kumpelhaft. »Obwohl es sehr nett war, mit Ihnen zu plaudern, Sie sind ...«
»Gute Nacht«, sagte die Schwester hastig und stürzte hinaus. Nanu, was war denn mit der los? Vielleicht hatte sie Durchfall. Das konnte schließlich vorkommen.

Ich starrte ins Dunkel. Mensch, war das öde. Ich war zwar etwas schläfrig von den Tabletten, und meine Glieder waren angenehm schwer, aber einschlafen konnte ich trotzdem nicht.

Später, viel, viel später, steckte die Schwester noch einmal vorsichtig den Kopf durch die halbgeöffnete Tür herein.

»Hallo«, rief ich fröhlich, »ich bin immer noch wach!«

»Frau Manntey«, regte sie sich auf, »so geht das nicht! Ich habe Ihnen zwei Schlaftabletten verabreicht. Mehr darf ich Ihnen wirklich nicht geben!«

»Nehmen Sie das doch nicht so persönlich«, versuchte ich zu trösten, »die Tabletten waren bestimmt einsame Spitze. Aber ich habe sie einzeln und noch dazu im Liegen eingenommen. Auf diese Weise wirken sie eben nicht so schnell. Hätte ich beide zusammen mit einer kleinen Weinschorle hinuntergespült, anschließend eine Zigarette geraucht und wäre dann erst eine Stunde später zu Bett gegangen – ja, dann hätten wir ein optimales Ergebnis erreicht!«

Die Schwester atmete tief durch die Nase ein und blies die Luft langsam durch den Mund wieder aus. Diesen Vorgang wiederholte sie mehrmals. »Machen Sie Atemübungen?« fragte ich interessiert. »Das soll ja wahnsinnig entspannend sein. Ich habe es auch ausprobiert, nur bei mir wirkt es nicht so richtig.«

»Gibt es überhaupt etwas, das bei Ihnen wirkt«, erkundigte sie sich. »Wenn ja, sagen Sie es mir! Sagen Sie es, ich bitte Sie!«

Die arme Frau schien am Rande eines Nervenzusammenbruchs zu stehen. Kein Wunder. Wer weiß, wer ihre armen, geplagten Nerven in dieser Nacht schon strapaziert hatte. Nicht jeder war so anspruchslos und pflegeleicht wie ich.

»Hören Sie«, flüsterte sie, »Sie lieben doch Gedichte. Versuchen Sie, im Geiste Gedichte zu rezitieren. Das wird Sie beruhigen und ablenken. Versuchen Sie es – mir zuliebe!«

»Au ja, das mache ich«, versprach ich.

»Gut.« Ihre Stimme war nur noch ein Hauch. »Dann nochmals erholsame Nachtruhe.«

Dankbar befolgte ich ihren Rat und sprach im Geiste den Text von Edgar Allan Poes »The Raven«. Das klappte auch wirklich hervorragend. Ich war schon beinahe eingeschlafen, als ich bemerkte, daß ich die letzte Strophe des Gedichts nicht mehr wußte. Ich geriet in Panik. Was war mit mir los? Wurde ich alt, verkalkt? War dies der Anfang vom Ende? Ich grübelte so angestrengt nach, daß an Ruhe überhaupt nicht mehr zu denken war. Entsetzt drückte ich den Klingelknopf neben meinem Bett.

»Ist etwas passiert?« fragte die herbeieilende Nachtschwester nervös.

»Da haben Sie mir ja was Schönes eingebrockt«, klagte ich bitter, »mir fällt die letzte Strophe von ›The Raven‹ nicht ein! Das ist zu peinlich! Dieses Gedicht mußte ich schon vor vielen Jahren im Englischunterricht aufsagen und bekam für diesen Vortrag sogar eine Eins! Und nun kann ich es nicht mehr! Glauben Sie, ich werde alt? Oder liegt es daran, daß meine Schulter so weh tut?«

»So«, ereiferte sich die Schwester, »nun reicht es aber. Sie sind die unmöglichste Patientin, die mir jemals untergekommen ist. Es ist einfach unverschämt, wie Sie sich aufführen. Ich werde das nicht länger dulden. Von mir aus bleiben Sie die ganze Nacht wach, aber geben Sie endlich Ruhe! Wenn Sie noch ein einziges Mal ...«

Den Rest der Strafpredigt hörte ich nicht mehr. Plötzlich sah ich die Worte vor meinem geistigen Auge:

»And the Raven, never flitting, still is sitting, still is sitting
On the pallid bust of Pallas just above my chamber door;
And his eyes have all the seeming of a demon's that is dreaming,
And the lamp-light o'er him streaming throws his shadow on the
    floor;
And my soul from out that shadow that lies floating on the floor
Shall be lifted – nevermore!«

Gott sei Dank, ich konnte es noch! Sollte die Nachtschwester ruhig meckern – ich für meinen Teil konnte endlich beruhigt einschlafen.

Kapitel 11

Ich hatte einen wunderschönen Traum: Uwe Rieder wurde öffentlich auf dem Marktplatz direkt vor seinem Geschäft hingerichtet, und ich stand in der vordersten Reihe und schaute genußvoll zu! Gerade hob der Scharfrichter sein Beil – da riß mich eine ganz und gar nicht traumhafte Stimme in die rauhe Realität zurück.
»Frau Manntey! Aufwachen!«
Ich fuhr entsetzt in die Höhe und stammelte:
»Was ist? Was ist los? Brennt gerade das Haus ab?«
»Aber nein«, beruhigte mich die Tagschwester, »ich muß jetzt Ihr Bett machen.«
»Wieso«, gähnte ich, »wie spät ist es denn?«
»Es ist bereits sechs Uhr morgens!«
»Sechs Uhr«, rief ich ungläubig und schloß erschöpft meine Augen. »Na, ich danke. Ich habe ja kaum fünf Stunden geschlafen!«
»Trotzdem muß ich Ihr Bett machen.«
»Nee«, protestierte ich schläfrig, »das müssen Sie nicht. Es ist ja sehr süß von Ihnen – ich kann mich nicht daran erinnern, wann mir jemand das letzte Mal mein Bett gemacht hat –, aber es ist wirklich nicht nötig. Kommen Sie gegen zehn Uhr noch mal her, ich muß noch ein paar Stunden schlafen.«
»Nichts da«, entrüstete sich die Schwester, »Sie stehen jetzt auf und waschen sich. Um acht Uhr gibt es Frühstück, und dann ist Visite.«
Ich versuchte zu handeln.
»Hören Sie. Ich verzichte freiwillig auf das gemachte Bett, das

Frühstück und die Visite, und Sie lassen mich bis zehn Uhr schlafen. Einverstanden?«

»Raus«, herrschte mich die Schwester an, »aber dalli, dalli!«

Dieses Krankenhaus würde ich bestimmt nicht weiterempfehlen. So ein unfreundliches Personal, aber ehrlich.

»Wo soll ich mich denn waschen?« fragte ich.

Sie deutete mit dem Kinn auf ein winziges Waschbecken.

»Da«, rief ich empört, »das kann doch nicht Ihr Ernst sein! Ich will eine Badewanne. Oder wenigstens eine Dusche!«

»Sie werden mit dieser Schulter ganz sicher in keine Badewanne oder Dusche steigen!«

»Und wie soll ich mir dann die Haare waschen?!«

»Gar nicht!«

»Meinetwegen«, maulte ich, »aber werfen Sie mir bloß nicht vor, daß ich spätestens morgen wie eine Pennerin aussehe!«

Sie machte sich an meinem Bett zu schaffen, ich stand unschlüssig herum.

»Worauf warten Sie denn noch, Frau Manntey?«

»Daß Sie das Zimmer verlassen haben«, gab ich seelenruhig zur Antwort, »ich wasche mich doch nicht, während Sie mir dabei zusehen!«

Sie schnappte nach Luft.

»Ich sehe Ihnen nicht zu! Wie Sie sehen, bin ich beschäftigt!«

»Ja, das kann jeder sagen«, bemerkte ich.

»Frau Manntey! Ich habe schon Hunderte von Patienten gesehen, die am Waschbecken standen und ...«

»Na, also«, stellte ich fest, »Sie sagen es ja selbst: Sie gucken ihnen doch zu!«

»Das habe ich nicht gesagt! Seien Sie bloß nicht so eingebildet!«

»Ich bin nicht eingebildet. Ich bin nur ganz besonders scheu und schüchtern. Und ich wasche mich nie, wenn sich noch andere Leute im selben Raum aufhalten.«

Die Schwester klatschte zornig die Steppdecke auf das Laken und verließ zähneknirschend das Zimmer. Ich schlüpfte hoch erfreut in mein frischgemachtes Bett und war schon bald darauf wieder eingeschlafen. Leider hielt diese himmlische Ruhe nur kurze Zeit an.

»Frühstück«, donnerte jemand an mein Ohr.

Ich fuhr hoch und starrte auf das Tablett.

»Deswegen wecken Sie mich auf? Das soll ein Frühstück sein – ganz davon abgesehen, daß ich um diese Zeit nie frühstücke. Eine lumpige Tasse Kaffee, ein lächerliches, nicht mal knuspriges Weißbrötchen, dafür ein Riesenwürfel Butter und ein Klecks Marmelade?«

»Wenn Sie es nicht mögen, dann lassen Sie es stehen«, antwortete der junge Pfleger gelassen.

»Das könnte Ihnen so passen – mich einfach verhungern zu lassen«, sagte ich und aß alles auf. Eine halbe Stunde später war Visite.

»Nun, Frau Manntey, wie fühlen Sie sich heute?« fragte Dr. Wilmer.

»Ich fühle mich beschissen! Dieses Krankenhaus ist die reinste Folteranstalt, jawohl! Schlafentzug ist nämlich eine Folter, das müßten Sie wissen! Wie soll ich denn hier wieder gesund werden, können Sie mir das sagen?«

»Ihre Schulter ist heiß und geschwollen, wir müssen aufpassen, daß Sie keine Infektion bekommen. Ihre Temperatur ist ebenfalls erhöht«, diagnostizierte er unbeirrt. »Sie sind doch hoffentlich gegen Tetanus geimpft?«

»Sicher bin ich das!«

»Gut. Wann war die letzte Impfung?«

»Oh, das weiß ich genau. Ich war vierzehn und in eine Glasscherbe getreten.«

»Prost Mahlzeit«, murmelte er und wandte sich zum Gehen.

»Halt«, rief ich, »was ist mit dem Fernseher und dem Telefon?«

»Wird in Kürze erledigt«, lächelte er, »die Nachtschwester hat an der Pforte eine Nachricht mit der Zusatzbemerkung ›eilig, besonders dringender Fall‹ hinterlassen!«

»Dann ist es ja gut«, war ich erleichtert.

Er hatte nicht zuviel versprochen: Um halb zehn war alles da und einsatzbereit. Ich stieg aus dem Bett und untersuchte den lächerlich schmalen Schrank. Meine Oberbekleidung fehlte – klar, die hatte sicher furchtbar ausgesehen. Aber ansonsten schien sich niemand an meinem Eigentum vergriffen zu haben. Hose, Schuhe, Socken – die Unterhose hatte ich noch an – und meine große Umhängetasche mit den Papieren. So weit, so gut. Ich rief meine Schwester Jutta an.

»Hallo, Juttaleinchen, ich bin's! Warst du schon in meiner Wohnung? Ja? Na, macht nix. Dann mußt du eben noch mal hin. Auf meinem Nachttisch liegen meine Ohrenstöpsel, die brauche ich unbedingt, man hat hier überhaupt keine Ruhe! Und mein kleines flaches Kissen. Hier gibt es Kissen, die sind so dick, daß man einen steifen Nacken und Kopfschmerzen bekommt. Ach, und bring mir mein buntes Zigeunertuch mit! Das mit den Fransen. Ja, ich kann hier nicht mal meine Haare waschen, und man will doch schließlich gut aussehen. Dann brauche ich genug frische Unterhosen, dicke Socken und unbedingt eine warme Jacke. Nimm am besten den dunklen Schurwolleblazer. Was noch … Hausschuhe, richtig! Und meinen Deoroller! Ich darf hier nicht mal duschen! Falls mir noch was einfällt, melde ich mich wieder!«

»Muß das alles sein«, fragte Jutta gequält, »an die meisten Sachen habe ich schon selbst gedacht. Kann ich dir den Rest nicht morgen bringen?«

»Natürlich«, erwiderte ich zuckersüß, »aber habe ich schon erwähnt, wie leid es mir getan hat, daß ich Johannas Taufe versäumt habe?«

»Ich werde an alles denken«, flüsterte Jutta.

»Fein«, rief ich erfreut, »du bist eine gute Schwester, Jutta! Manchmal wenigstens.«

Ich legte auf und wählte Uwes Geschäftsnummer.

»Foto-Design Rieder, guten Tag«, meldete er sich.

»Hallo, Uwe, hier ist Mona! Ich liege im Städtischen, ein Bankräuber hat mir gestern eine Ladung Schrot durch die Schulter gejagt. Sieh mal in die Zeitung, vielleicht steht es heute schon drin. Besuchst du mich mal?«

»Klar«, sagte er, »wenn ich Zeit habe. Aber im Augenblick ist es ungünstig, ich habe gerade Kundschaft hier. Gute Besserung, Mona!«

Soweit Uwes Anteilnahme. Was hatte ich von dem Scheißkerl auch anderes erwartet? Auf den hätte man schießen sollen, nicht auf mich!

Die Zeit bis zum Mittagessen vertrödelte ich damit, mir amerikanische Soap-Operas auf RTL anzuschauen. Eine hirnlose Beschäftigung, ich weiß. Aber was blieb mir sonst anderes übrig? Ich hatte nichts Vernünftiges zu lesen, mein Computer war weit weg, und ein halbwegs intelligenter Gesprächspartner war ebenfalls nicht in Sicht. Das Mittagessen um ein Uhr war auch kein Trost. Gegen diesen Fraß war jeder Büchseneintopf ein Fünfsternemenü! Und ich war, durch meine kläglichen Kochkünste bedingt, nun wirklich nicht besonders verwöhnt.

»Blattspinat und Seelachsfilet«, fragte ich den Pfleger zweifelnd, »sind Sie sicher, daß das mit rechten Dingen zugeht?«

Er schien sich sicher zu sein, rauschte aber sofort wieder aus dem Zimmer. Seltsam. Es war ja möglich, daß das gesamte Personal unter enormem Zeitdruck stand. Trotzdem ließ mich das Gefühl nicht los, daß hier alle panikartig das Weite suchten, sobald ich nur den Mund aufmachte.

Normalerweise mag ich Spinat sehr gern, zumindest den Rahmspinat aus der Tiefkühltruhe. Sie wissen schon – den mit dem »Blubb« frischer Sahne! Aber der hier schmeckte wie frisch gepflückter Seetang. Na, und der Fisch erst! Der war zwar großartig als Filet angepriesen, enthielt aber trotzdem etliche Gräten. Stellen Sie sich doch nur vor, wie peinlich das als Überschrift in der Zeitung gewirkt hätte: »Schriftstellerin überlebte Schrotkugelfeuer bei Banküberfall – und erstickte im Krankenhaus an einer Fischgräte!«

Eine halbe Stunde später räumte der Pfleger das Tablett ab. Ich wollte gerade zu einer längeren Beschwerde ansetzen, als sich die Tür öffnete und meine Schwester, schwer bepackt mit zwei großen Tragetaschen, eintrat.

»Jutta«, rief ich angenehm überrascht, »du kommst jetzt schon? Wer paßt denn auf die Kinder auf?«

105

Sie setzte keuchend die beiden Taschen ab und antwortete:

»Rolf hat sich für heute frei genommen. Schließlich brauchst du deine Sachen – folglich ist es ein Notfall!«

»Rolf ist bei den Kindern«, fragte ich skeptisch, »glaubst du, das geht in Ordnung? Gerade bei Johanna? Weiß er wenigstens, daß die Windel an den Popo gehört und nicht woandershin?«

Jutta war erstaunlicherweise nicht beleidigt, sie lachte sogar.

»Mona, du bist so lustig, obwohl du bestimmt große Schmerzen hast! Ich wette, du würdest noch auf deinem Sterbebett solche Sprüche ablassen!«

»Keine Ahnung«, sagte ich nachdenklich, »auf so vielen Sterbebetten habe ich noch nicht gelegen – aber ich kann es geduldig abwarten!«

»Ich auch«, versicherte sie, »aber jetzt habe ich erst mal eine große Überraschung für dich!«

Sie riß die Zimmertür auf und – nun, es war wirklich überraschend, wer da alles hereinstürzte.

»Überraschung«, schrien Mami, Papi und Lotta im Chor.

»Freust du dich?« rief Lotta strahlend.

»Ja«, versicherte ich, »ich kann mich kaum beherrschen. Wenn ich nicht die kaputte Schulter hätte, würde ich glatt einen Handstand machen!«

Mami eilte mit ausgebreiteten Armen auf mich zu.

»Mona! Mein armes Kind!«

»Keine Sorge«, tröstete ich, »euer kleiner Schandfleck bleibt euch noch eine Weile erhalten.«

Mami ließ jäh die Arme sinken. Sie rang sich ein gezwungenes Lächeln ab.

»Wie geht es dir, Schatz? Was macht deine Schulter?«

»Tut saumäßig weh«, informierte ich sie.

Eine verlegene Stille trat ein. Ich fand, daß nun eigentlich der richtige Zeitpunkt für eine Entschuldigung gekommen war. Aber nein. In dieser Richtung tat sich nichts.

Lotta brach schließlich das peinliche Schweigen und rief betont munter:

»Sieh mal, Mona! Wir haben dir die Zeitung mitgebracht!«

»Gib her«, sagte ich und riß ihr das Ding aus der Hand. Da stand in fetten Großbuchstaben: BANKRÄUBER BETEUERTE: »ICH WOLLTE NICHT SCHIESSEN!«
Na, das war ihm wohl nicht so ganz gelungen! Siehe meine Schulter. Im Artikel selbst stand:
»Gegen drei Uhr nachmittags ereignete sich gestern in der Städtischen Bezirksbank ein Überfall. Täter ist der 43jährige Norbert W., ein hochverschuldeter Landwirt. Er bedrohte sowohl den Kassierer als auch die Kunden mit einer Schrotflinte. Der Kassierer Wilfried R. berichtete später: ›Ich wußte nicht, was ich tun sollte. Ich durfte einerseits die Kunden und Kollegen nicht in Gefahr bringen, andererseits wollte ich dem Bankräuber auch nicht das schwerverdiente Geld unserer Kunden, die uns schließlich vertrauen, herausgeben. Ich befand mich in einer Zwangslage. Auf solch einen Fall wurde ich während meiner dreijährigen Lehrzeit überhaupt nicht vorbereitet!‹
Die ganze Sache nahm eine überraschende Wende. Eine Kundin blieb völlig unbeeindruckt von der Waffengewalt des Täters und machte sich daran, die Bank einfach zu verlassen. Der Täter geriet in Panik und feuerte einen Schuß ab, wobei die Kundin, zum Glück nur an der Schulter, verletzt wurde. Der Kassierer nutzte diesen Moment, um den Alarmknopf zu betätigen. Die Polizei erschien fast augenblicklich und konnte einen völlig verwirrten Täter festnehmen, der unentwegt stammelte: ›Ich wollte doch nicht wirklich schießen ... Wieso rennt das blöde Weib auch einfach weg?‹ Ob die Kundin nun tollkühn oder wahnsinnig war, steht nicht fest, jedenfalls hat sie durch ihr Handeln das Geld und vielleicht das Leben der übrigen Kunden gerettet.«
»Was meinen die mit ›tollkühn oder wahnsinnig‹«, regte ich mich auf. »Wieso werde ich ständig nur ›die Kundin‹ genannt? Ich bin die Heldin des Tages! Warum steht da nicht: ›Die bildhübsche, begabte und erfolgreiche Schriftstellerin Mona Manntey setzte todesmutig ihr Leben aufs Spiel, denn sie ist nicht nur genial, sondern auch edel, hilfreich und gut!‹? Wer hat denn bloß diesen Schrott verfaßt?«

»Aber Mona«, meldete sich Mami besorgt zu Wort, »sei doch froh, daß du alles verhältnismäßig gut überstanden hast! Es hätte ja auch ganz anders ausgehen können! Nicht auszudenken, wenn du …«

Sie brach erregt ab, schluchzte theatralisch und quetschte eine Träne aus dem linken Auge.

Papi legte beruhigend seinen Arm um ihre Schulter.

»O Mami«, wehrte ich großspurig ab, »was redest du denn da! Ich habe genau gewußt, was ich tat, ich hatte doch alles völlig unter Kontrolle, ich …«

Ich beendete mein Eigenlob, als ich bemerkte, wie Jutta mich mit gerunzelter Stirn und vielsagendem Kopfschütteln kritisch beäugte. Offenbar hatte sie niemandem etwas von meinem vermeintlichen »Tatort«-Auftritt erzählt. Manchmal war sie direkt zu etwas zu gebrauchen. Ich schrieb ihr in Gedanken einen Pluspunkt gut.

Na ja, meine Familie blieb noch eine ganze Weile, lobte mich und war ausgesprochen nett zu mir. Vielleicht war das Lob etwas unverdient, was die reinen Tatsachen betraf, aber dafür war es um so verdienter, wenn man bedachte, wie scheußlich alle zu mir gewesen waren. Deshalb hatte ich auch kein schlechtes Gewissen, obwohl Jutta mich hinter Mamis Rücken immer wieder amüsiert angrinste.

Endlich hatten alle genug von Krankenhausatmosphäre und Wiedergutmachung. Sie küßten mich mit überströmender Liebe und hauten wieder ab.

Nun begann der vergnügliche Teil des Tages. Ich packte meine Sachen aus, was mit der durchsiebten Schulter nicht ganz leicht war, und stellte fest, daß Jutta an alles gedacht hatte. Ich wusch und desodorierte mich, zog einen frischen Pyjama an, warf das olle Krankenhausnachthemd verächtlich in eine Ecke, streifte Socken, Schuhe und Jacke über – und war bereit, auf die Rolle zu gehen. Natürlich ist im Krankenhaus und drumherum nicht allzuviel los, aber immerhin entdeckte ich etwa dreihundert Meter vom Eingang entfernt einen Kiosk. Na, bitte! Ich kaufte mir Zigaretten und mehrere Pikkolos – Sekt regt den Kreislauf an – und gelangte anschließend unbemerkt wieder in mein Zimmer. Eine kleine Flasche trank ich sofort, die restlichen verstaute ich im Schrank. Dann vertauschte ich die Jacke mit meinem eleganten Morgenrock, zog meine bestickten Pantoffeln über die Füße und band mein Zigeunertuch wie einen Turban um meinen Kopf – ha! Lord Byron in albanischer Tracht hatte gewiß nicht besser ausgesehen! Ich schnappte mir die Zigaretten und begab mich ins Raucherzimmer. Dort erzählte ich den anwesenden Patienten so ausgiebig von meiner Heldentat in der Bank und zeigte so demonstrativ den Zeitungsartikel herum, bis ich den ganzen Raum für mich allein hatte. Nachdem mein Nikotinsoll erfüllt war, begab ich mich, ganz die folgsame Patientin, wieder auf mein Zimmer zurück. Dort erlebte ich eine weniger angenehme Überraschung: Die reizende Schwester, die mich am Morgen so liebevoll aus dem Bett geworfen hatte, stand da und machte mir schwere Vorwürfe, weil ich so lange mein Bett verlassen und die Gegend unsicher gemacht hatte. Angriff ist die beste Verteidigung, dachte ich und erwiderte kampfeslustig:

»Was wollen Sie denn? Meine Schulter ist zwar verletzt, aber meine Beine sind völlig in Ordnung. Es ist gar nicht gut, wenn man zu lange liegt, weil sich sonst die Gefahr einer Lungenentzündung erhöht – das sollten Sie als Krankenschwester eigentlich wissen!«

Sie antwortete nicht, sondern maß meine Temperatur.

»Achtunddreißig«, stellte sie fest.

»Kann ja gar nicht sein«, behauptete ich. »Wann darf ich endlich hier raus?«

Sie schnaubte verächtlich.

»Das wird der Arzt entscheiden. Wenn Sie so weitermachen, bestimmt noch eine ganze Weile nicht.«

»Das werden wir ja sehen«, erwiderte ich.

Sie ging auch auf diese Bemerkung nicht ein, sie sagte nur:

»Da steht Ihr Kaffee. Er ist inzwischen kalt – Sie waren ja nirgends aufzutreiben.«

Zu dem Kaffee gab es eine Zimtschnecke, das erste vernünftige Essen an diesem Tag.

Das Tablett wurde abgeholt, und mein Verband wurde auch noch einmal erneuert.

»Es wird wohl etwas weh tun«, warnte die Schwester.

»Ein Indianer kennt keinen Schmerz«, teilte ich ihr unmißverständlich mit. »Aaaah«, brüllte ich kurz darauf, »können Sie nicht ein bißchen vorsichtiger sein?«

»Ich dachte, ein Indianer kennt keinen Schmerz?« meinte sie anzüglich.

»Na und«, schrie ich, »sehe ich vielleicht wie ein Indianer aus?«

»Ich werde Ihnen ein Antibiotikum injizieren. Ihre Schulter ist entzündet.«

Ansonsten war nicht mehr allzuviel los. Ich machte mich über die Bücher her, die Jutta mitgebracht hatte, verspeiste das läppische Abendessen, genehmigte mir heimlich noch ein Pikkolöchen und sah die halbe Nacht fern. Die Nachtschwester ließ mich gewähren – ich schätze, sie war froh, daß ich sie in Ruhe ließ.

Um drei Uhr morgens schaltete ich den Fernseher aus. Ich hatte Schmerzen, war todmüde – und genervt. Ein stinklangweiliger Tag war vergangen. Lange würde ich es hier nicht mehr aushalten, soviel stand fest.

Kapitel 12

Die nächsten Tage muß ich Ihnen nicht ganz so minutiös schildern – deren Verlauf war ungefähr dasselbe in Grün. Mit einigen Varianten: Die liebe Familie besuchte mich erst am späten Nachmittag, wenn Rolf Feierabend hatte. Schließlich konnte er sich nicht ständig wegen seiner Schwägerin frei nehmen, er war ja als kleiner Sachbearbeiter ein großes Tier! Meine Eltern waren auch nicht mehr vollständig, Papi war abgereist, nachdem er sich versichert hatte, daß seine Tochter überleben würde. Ich nahm es ihm nicht übel, bestimmt war er froh, die Wohnung mal ein paar Tage lang ohne Mami genießen zu können. Mami, vermutlich doch von Schuldgefühlen gepeinigt, nistete sich bei Jutta und Rolf im Kinderzimmer ein – die beiden konnten einem nur leid tun.

Was mich anbetraf, ich wollte nach Hause. Unbedingt. Dieses Krankenhaus erschien mir wie der Sportunterricht in der Schule: Alle versicherten mir, wie gut mir die ganze Sache tat, während ich mich von Tag zu Tag elender fühlte. Was war zu tun? Nun, ich war eifrig damit beschäftigt, ununterbrochen zu demonstrieren, wie gesund und fit ich war. Wenn der Arzt oder die Krankenschwester mein Zimmer betraten, war ich meistens nicht da. Ich rannte entweder ziellos durch das ganze Haus, oder ich saß im Raucherzimmer herum. Jedenfalls ging ich dem gesamten Personal gehörig auf die Nerven. Irgendwann hatten alle die Schnauze gestrichen voll von mir. Am vierten Abend meines Aufenthaltes – Jutta, Mami und Lotta waren gerade zugegen – kam Dr. Wilmer herein, untersuchte meine Wunde, stellte fest, wie gut der Heilungsprozeß vonstatten ging und wie toll das Antibiotikum gewirkt hatte, und meinte anschließend: »Nun, Frau Manntey, ich denke, daß wir hier nicht mehr allzuviel für Sie tun können. Ich bin der Meinung, daß wir Sie morgen nach der Visite entlassen können.«

Ich frohlockte innerlich. Toll! Phantastisch! Die wollten mich loswerden! Die schmissen mich einfach hinaus! Ich hatte ganze Arbeit geleistet! Ich war die Größte!

»Natürlich«, fuhr er fort, »müssen Sie sich täglich bei Ihrem Hausarzt melden. Ich werde Ihnen einen Brief für ihn mitgeben.«

Ich nickte eifrig. Alles, alles – wenn ich nur hier raus durfte!

»Außerdem«, war er immer noch nicht fertig, »brauchen Sie jemanden, der sich um Sie kümmert. Sie sind durch Ihre Verletzung noch sehr eingeschränkt.«

»Das ist wirklich nicht nötig«, wehrte ich panisch ab.

»Aber natürlich ist es nötig«, meldete sich Mami dienstbeflissen zu Wort, »ich werde selbstverständlich so lange bei meiner Tochter bleiben, bis sie völlig wieder hergestellt ist.«

»Gut«, meinte Dr. Wilmer zufrieden, »dann steht Ihrer Entlassung ja nichts mehr im Wege.«

111

Er verließ das Zimmer, erfüllt von dem positiven Gedanken, in Kürze eine äußerst unbequeme Patientin loszuwerden. Diese Patientin bemerkte gerade, wie tief sie sich ins eigene Fleisch geschnitten hatte!

»Mami, du brauchst das nicht zu machen. Ich habe noch genug Vorräte im Haus, ich muß nicht einmal einkaufen gehen. Meine Schulter verheilt doch rasend schnell, in ein paar Tagen ist die ganze Angelegenheit gegessen! Außerdem kannst du Papi nicht so lange allein lassen. Er braucht dich, er ist doch völlig aufgeschmissen ohne dich!«

»Dann wird er sich eben für eine Weile ohne mich behelfen müssen«, entgegnete meine Mutter fest, »die Sorge um meine Tochter geht in diesem Fall vor! Ich werde dich doch jetzt nicht im Stich lassen, wo du meine Hilfe so dringend benötigst!«

Jutta und Lotta unternahmen nicht den geringsten Versuch, mir in dieser Situation beizustehen, und ich kannte Mami gut genug, um zu erkennen, daß jeder Widerstand zwecklos war.

Wenn sie gewillt war, die aufopferungsvolle Mutter zu spielen, dann würde sie nicht einmal ein Sherman-Panzer davon abhalten können.

Großartig. Ich war der Krankenhaushölle entronnen und landete statt dessen behaglich und weich in den Adlerklauen meiner Mutter. Am liebsten wäre ich kopfüber aus dem Fenster gesprungen.

»Warum wollen Sie mich denn heute schon entlassen«, jammerte ich Dr. Wilmer am nächsten Morgen bei der Visite vor, »gerade jetzt, wo ich mich hier so gut eingelebt habe!«

Er warf mir einen strengen Blick zu, der eindeutig besagte, ich solle den Bogen besser nicht überspannen und meine Klappe halten. Zugegeben, er hatte ja recht.

Eine Viertelstunde später rauschte eine übereifrige und zu allem entschlossene Mami herein.

»Mona-Kind, bist du soweit?«

»Ja«, hauchte ich mit Grabesstimme. Ich war verloren! Die Frau war nicht mehr zu bremsen!

Kaum hatten wir meine Wohnung betreten, ging es schon los.

»Na, sieh sich einer diese Fenster an! Welch ein Glück, daß ich da bin. Die könntest du mit deiner Verletzung doch gar nicht richtig putzen!«

Wenigstens in diesem Punkt konnte ich sie beruhigen.

»Mach dir darüber keine Gedanken, Mami. Die Fenster werden bei mir sowieso nur zweimal pro Jahr geputzt.«

Ihrem Kichern entnahm ich, daß sie diese Bemerkung für einen Scherz hielt. Sie raste in die Küche und inspizierte meine Vorräte.

»Mona, du hast ja nur Tiefkühlgemüse im Haus! Ißt du denn nie etwas Frisches?«

»Der Vitamingehalt ist bei Tiefkühlgemüse kaum geringer als bei Frischgemüse«, informierte ich sie, »und wenn das Zeug erst einmal gekocht ist, kannst du dich nur noch auf Vitaminpillen verlassen.«

Wie üblich glaubte sie mir nicht.

»Ich werde nachher einkaufen gehen. Kein Wunder, daß du immer so bleich bist – bei deiner unvernünftigen Ernährung!«

»Mami, ich war schon als Kind so. Trotz deiner Frischgemüseküche!«

»Deine Schwester sah aber immer rosig und gesund aus. An mir kann es also nicht gelegen haben!«

Ich gab die Diskussion auf und verzog mich in Richtung Toilette. Mami kam schnurstracks hinterher.

»Mami, ich muß mal. Willst du mir etwa dabei zusehen?«

»O Gott«, flüsterte sie, »wie sieht nur dieses Badezimmer aus?«

Ich war ehrlich schockiert. Wenn ich auch keine besonders gute Hausfrau war – mein Badezimmer hielt ich immer in Ordnung. Sie untersuchte meine Reinigungsmittel und verkündete, daß sie beim Einkaufen auch unbedingt »etwas Anständiges zum Saubermachen« mitbringen müsse.

Ganz allmählich platzte mir der Kragen.

»Hör zu, Mami. Wenn du diesen ganzen Mist unbedingt kaufen mußt, dann bezahlst du ihn von deinem Geld. Ich werde dafür keinen Pfennig ausgeben!«

Mami murmelte etwas von »grenzenloser Undankbarkeit« und »Da rackert man sich ab für nichts und wieder nichts«, gab dann aber ihre Klagen auf und ging zum Einkaufen. Kaum hatte sie die Wohnung verlassen, stürzte ich zum Telefon und wählte Juttas Nummer.

»Jutta! Wenn du jemals auch nur einen Funken Geschwisterliebe für mich empfunden hast, dann schaff mir bitte, bitte diese Frau vom Hals!«

»Mona! Wovon sprichst du denn?«

»Ich rede von unserer Mutter!!!«

»Ach so ... Mami. Ist es so schlimm?«

»Es ist noch viel schlimmer! Sie treibt mich ins Irrenhaus! Im Ernst! Jutta, hilf mir doch!«

»Ach, Mona, du kennst sie doch. Was kann ich denn tun? Soll ich sie knebeln und fesseln und postwendend nach Hause schikken?«

»Wenn es nicht anders geht – ja!«

Sie vertröstete mich auf die übliche Weise: Ich solle das nicht so eng sehen, es wäre ja nur für ein paar Tage, und außerdem übertrieb ich mal wieder maßlos.

Frustriert legte ich den Hörer auf. Von dieser Seite war keine Hilfe zu erwarten.

Mami kam zurück und erwischte mich prompt dabei, wie ich eine Zigarette rauchte.

»Mona! Du bist krank! Wie kannst du jetzt auch noch rauchen? Wann hast du eigentlich zum letzten Mal deine Vorhänge gewaschen? Die stinken ja bestialisch. Das Rauchen tut dir sowieso nicht gut. Du machst sofort diese entsetzliche Zigarette aus und legst dich hin.«

Ich ging den Weg des geringsten Widerstandes: Ich gehorchte. Mami hingegen war sehr beschäftigt: Sie kochte einen Gemüseauflauf, der für eine Familie mit vier Kindern gereicht hätte, und regte sich furchtbar auf, weil ich nur einen Bruchteil davon essen konnte. Dann wusch sie sämtliche Vorhänge und brachte mein Badezimmer auf Hochglanz. Natürlich mußte ich mir das sensationelle Ergebnis anschauen und gebührend bewundern.

»Sieh mal, Kind: Man kann sich jetzt sogar in den Kacheln spiegeln!«

»Wer will das denn schon«, brummte ich, »wenn ich mich in den Kacheln spiegeln wollte, hätte ich mir keinen Badezimmerspiegel gekauft!«

Diese Feststellung berührte meine Mutter nicht einen Augenblick lang, nein, die Gute putzte, schrubbte und polierte, bis es Zeit zum Abendessen war. Nach einem unerhört aufwendigen Essen – wie kam die Frau bloß mit ihrem Haushaltsgeld aus – beschlossen wir, noch ein bißchen fernzusehen. Ich wollte die Situation mit einem kleinen Scherz auflockern und warnte:

»Mami, sei vorsichtig, wenn du dich auf den Polstersessel setzt. Nicht, daß du dich einfach draufplumpsen läßt und dabei den ganzen Staub aufwirbelst!«

Ich hatte mal wieder vergessen, daß mit meiner Mutter einfach nicht zu spaßen war. Sie warf mir einen zutiefst mißbilligenden Blick zu und meinte: »Morgen muß ich mir unbedingt sämtliche Polstermöbel vornehmen!«

Sie verbrachte den Abend auf einem Küchenstuhl – natürlich erst, nachdem sie ihn sorgfältig abgewaschen hatte.

Um zehn Uhr abends mußte ich eine heiße Honigmilch trinken, damit ich besser einschlafen konnte. Als ich um elf Uhr immer noch nicht müde war, sondern mich an meinen Computer setzen wollte, tobte sie:

»Ich weiß nicht, was ich mit dir machen soll! Du bist doch einfach nicht normal!«

Und das mir – wo ich niemals den Anspruch auf Normalität erhoben hatte.

Das ging etwa eine Woche so weiter. Am achten Tag – Mami war mal wieder mit Einkaufen beschäftigt – rief ich, am Ende meiner Kräfte, meinen Vater an. Ich heulte Rotz und Wasser in den Telefonhörer.

»Papi, ruf sie an und sage ihr, daß sie nach Hause kommen muß. Sage ihr, daß du sie dringend brauchst, daß du sie vermißt, daß du ohne sie nicht leben kannst ... Sage ihr, was du willst, aber befreie mich von ihr, bitte!«

»Wieso sollte ich?« blieb er ungerührt. »Ich komme ohne deine Mutter wunderbar zurecht. Ich weiß nicht, wann ich mich das letzte Mal so wohl gefühlt habe. Weshalb sollte ich sie zurückholen? Wüßte nicht, warum.«

Jetzt hatte ich genug, jetzt wurde ich rigoros!

»Weil, zum Teufel noch mal, ich nichts dafür kann, daß sie meine Mutter ist. Aber für die Tatsache, daß sie deine Frau ist, dafür bist du ganz alleine verantwortlich!«

Das hatte gesessen. Papi schluckte ein paarmal, dann flüsterte er:

»Ich werde sie heute abend noch anrufen.«

Und mein Papi hielt Wort. Meine Mutter zog am Telefon natürlich die übliche Show ab.

»Ach, Rudi, ich weiß nicht, das Kind braucht mich doch. – Wirklich? Ich fehle dir so sehr? – Ja, du hast recht, natürlich weiß sie meine Hilfe nicht zu würdigen. – Morgen schon? Ist das nicht etwas plötzlich? – Ja, wenn du meinst . . . Gut, Rudi, vielleicht weißt wenigstens du, was du an mir hast. So ist das mit den Kindern, man tut alles für sie, und das ist dann der Dank. – Genau, Mona ist einunddreißig Jahre alt, wieso fühle ich mich ständig verpflichtet. Glaubst du, sie hätte auch nur ein einziges Mal danke gesagt, seit ich hier bin? – Ja, Rudi, ich packe noch heute meine Sachen und fahre morgen zu dir nach Hause. Hast du auch die Blumen gegossen, während ich weg war? Was hast du eigentlich die ganze Zeit gegessen? Als erstes muß ich wohl die Wohnung auf Vordermann bringen, um die hast du dich bestimmt nicht gekümmert. Egal, ich bin froh, wenn ich gebraucht werde. Ich lege jetzt auf, Rudi, auf Wiedersehen, auf Wiedersehen bis morgen!«

Sie wandte sich an mich.

»Tut mir leid, Mona, ab morgen mußt du sehen, wie du allein fertig wirst. Dein Vater braucht mich schließlich auch, und ich kann mich ja nicht verteilen!«

»Ja, Mami«, antwortete ich, »das sehe ich ein. Schade, daß du schon gehst. Du warst mir eine große Hilfe, und ich bin dir sehr dankbar. Ehrlich! Aber mir geht es wieder viel besser, und Papi ist sicher schon ganz krank vor Sehnsucht.«

Meine Mutter lächelte zufrieden: Das hatte sie hören wollen.

Mit leichtem Herzen verabschiedete ich mich am nächsten Morgen von ihr. Es war überstanden, Gott sei Dank! Beinahe jedenfalls. Von nun an würde Mami immer, wenn die Familie zusammenkam, folgenden Monolog abspulen:

»Wißt ihr noch, damals, als Mona fast erschossen worden wäre? Ich weiß nicht, was sie ohne mich angefangen hätte. Ich habe sie gefüttert, ich habe ihre Wohnung geputzt. Ohne mich wäre sie glatt im Dreck erstickt! Die ganzen Bakterien und Bazillen, die sich überall breitmachten, die konnte man ja förmlich sehen! Ihr wißt doch, wie gefährlich das ist! Natürlich habe ich nie ein großartiges Dankeschön erwartet. Als Mutter tut man das ja alles gerne. Wer weiß, wie lange ich bei Mona geblieben wäre – vielleicht sogar für immer! Ich sah doch, wie hilflos sie ohne mich war! Aber ich mußte nach Hause zurück. Rudi brauchte mich schließlich auch!«

Papi und Jutta – sogar meine Putzteufelschwester Jutta! – würden sich jedesmal heimliche und verständnisinnige Blicke zuwerfen, wenn es wieder soweit war.

Ach, sollte sie doch reden. Mami tat mir leid. Ständig jagte sie dem Wahn hinterher, daß sie unentbehrlich auf dieser Welt war. Natürlich war das Quatsch. Jeder Mensch konnte ersetzt werden, wirklich jeder. Aber das begriff sie nicht. Sie, Jutta und die allermeisten Frauen mit ihnen mußten ständig das Gefühl haben, daß man sie brauchte, andernfalls drehten sie durch.

Was mich betraf: Ich hatte schon vor Jahren eingesehen, daß mich niemand brauchte. Diese Erkenntnis hatte nichts mit Sarkasmus zu tun. Es war schlicht und einfach die Wahrheit. Und meine Erfahrung hatte mich immer wieder gelehrt, daß ich damit richtig lag.

Diese Tatsache machte mich zwar nicht besonders glücklich. Aber ich konnte damit leben. Und das war immerhin etwas, das ich vielen, vielen Frauen auf dieser Welt voraus hatte.

Kapitel 13

Nur wenige Tage nach Mamis Abreise klingelte abends um elf Uhr das Telefon. Ich wußte sofort, wer es war. Wer außer Uwe hätte den Nerv, mich um diese Zeit anzurufen?

Nur gut, daß Mami schon weg war. Dieser Anruf hätte lediglich eine sinnlose und völlig irrelevante Diskussion ausgelöst, die mit der Frage geendet hätte: »Wie konntest du wegen diesem Kerl deine Hochzeit platzen lassen?« Aber das blieb mir nun zum Glück erspart.

»Hallo, Mona, hier ist Uwe«, erklang es fröhlich.

»Uwe?« fragte ich kalt. »Ich kenne keinen Uwe. Ach, ist das der Kerl, der mich nicht ein einziges Mal im Krankenhaus besucht hat?«

Natürlich war er sofort wieder auf hundertachtzig.

»Das hat ja wieder kommen müssen! Mußt du immer so ein Theater machen? Ich hatte einfach keine Zeit.«

Und kein Interesse, fügte ich in Gedanken hinzu. Laut fragte ich:

»Was gibt's? Hast du etwas Bestimmtes auf dem Herzen?«

»Ja, ich wollte dich fragen, ob du einen Brief für mich entwerfen kannst. Ich wollte an eine Künstleragentur schreiben, aber ich kann das nicht alleine.«

Innerlich kochte ich vor Zorn, erwiderte aber mit sanfter Stimme:

»Uwe, du weißt doch, daß ich solche Sachen immer gerne für dich erledige. Erinnerst du dich an den Kundenbrief, den ich für dich geschrieben habe? Nein, es waren sogar zwei. Oder an das Preisausschreiben, das du unbedingt von mir haben wolltest und das du dann niemals herausgebracht hast? Oder an die Postkarten mit Text, über die du nur gemeckert hast, obwohl dir selber rein gar nichts zu dem Thema einfiel? Weißt du das alles noch?«

»Sicher«, meinte er.

»Na, siehst du«, sagte ich freundlich und brüllte ihn kurz darauf unvermittelt an:

»Ich hab's satt! Mach deinen Scheißkram gefälligst alleine!«
Ich klatschte den Hörer auf die Gabel, und es tat mir kein bißchen leid. Ich setzte mich ins Wohnzimmer, trank eine Weißweinschorle, rauchte eine Zigarette und dachte über »die große Liebe meines Lebens« nach. Mann, war das ein Reinfall gewesen!

Uwe, ach ja. Was war das eigentlich für ein Mensch? Ich kann es Ihnen sagen: Er war total schizophren. Einerseits wollte er eine Frau, die Tag und Nacht zur Verfügung stand; die sofort angehoppelt kam, wenn er pfiff; die ihre gesamte Freizeit opferte, um seine Karriere voranzutreiben; die all seine menschlichen und sexuellen Bedürfnisse befriedigte und die für alles Verständnis hatte und sogar seine geheimsten Wünsche erraten konnte. Selbst wenn es diese Frau gegeben hätte, was ich persönlich bezweifle, hätte ihn paradoxerweise gerade dieser von Hingabe geprägte Frauentyp nicht im mindesten gereizt. Nein, was ihn reizte, war eine Frau wie Lisa, die mehr Tritte als Liebkosungen für ihn übrig hatte. Kein Wunder also, daß er die Dreiecksverhältnisse für sein Liebesleben abonniert hatte. Was er sich erhoffte, waren gebratene Schneebälle.

Waren die Männer alle so kaputt im Hirn? Oder lag es bei ihm nur daran, daß seine Mutter eine Hure gewesen war und ihn ins Heim abgeschoben hatte? (Diese Frage wäre für C.-G.-Jung-Anhänger bestimmt interessant gewesen!) Oder lag es an bestimmten Genen?

Oder andersherum gefragt: Hatte ich eine Schwäche für solche Problemfälle?

Egal. Eigentlich war die Frage nicht mehr wichtig. Ich hatte es kapiert und zog daraus meine Konsequenzen. Ich hatte genug. Wenn ich schon so verrückt war, mir solche Männer auszusuchen, die mich doch nur frustrierten, dann ließ ich es eben bleiben. Kein Problem. Das Alleinsein war auszuhalten – diese Sorte von Männern und der daraus resultierende Frust waren es nicht. Diese Vorstellung war nicht einmal besonders beängstigend. Wozu die männliche Bevölkerung dieser Erde eigentlich gut sein sollte – nun, das war mir sowieso nie besonders klar gewesen.

Kapitel 14

»Mona? Weißt du ein anderes Wort für ›Haschischkonsument‹?«

Ich schwieg. Es war ja wohl die Höhe! Da rief mich meine Schwester Jutta an, bat mich so schnell wie möglich vorbeizukommen, weil sie etwas furchtbar Dringendes auf dem Herzen hatte, ich hetzte mich ab, und nun saß diese Frau da und füllte ein Kreuzworträtsel aus, bloß weil sie einen Videorecorder gewinnen wollte!

»Mona! Hörst du nicht! Was ist ein Haschischkonsument?«

»Uwe Rieder«, antwortete ich mürrisch. Kaum hatte ich diesen Namen ausgesprochen, schon wäre ich mir am liebsten selbst an die Gurgel gesprungen. Ich hatte mir geschworen, den Namen dieses nichtswürdigen Subjekts niemals wieder zu erwähnen, ja, nicht einmal mehr an ihn zu denken. Aber gegen gewisse Reflexe war auch ich nicht gefeit.

»Nun sei aber nicht albern, Mona«, meckerte Jutta, »die Leute, die dieses Rätsel entworfen haben, kennen den Mann doch überhaupt nicht, also ist es völliger Quatsch …«

In dieser Sekunde ging ihr ein Licht auf.

»Dieser Fotograf raucht Hasch? Du meinst, er … kifft?«

»Kiffer«, riet ich, »versuche es mal damit!«

»Ja, das paßt«, war Jutta ganz begeistert, »vielleicht gewinne ich den Videorecorder!«

Können Sie das begreifen? Vor wenigen Sekunden war meine Schwester noch felsenfest entschlossen gewesen, mir einen moralischen Vortrag hinsichtlich meines schlechten Umgangs zu halten, und nun war sie so scharf auf den blöden Videorecorder, daß es ihr scheißegal war. Habsucht konnte auch den besten Menschen verderben, das hatte ich immer geahnt – und dabei zählte ich Jutta noch nicht einmal zu den besten.

»Juttaaaa! Bist du bald fertig?«

»Ja, gleich, ich muß nur noch das Lösungswort … warte noch einen Moment!«

Ich war ja nicht so, also wartete ich.

»Sommernachtstraum«, schrie sie plötzlich, »das ist es!«

»Shakespeare«, stellte ich fest.

»Shakespeare? Von dem ist das?«

Ich war zum Glück daran gewöhnt, daß meine Schwester ein bißchen doof war, und ging über diese alberne Frage elegant hinweg.

»Der Sommernachtstraum! Ich liebe dieses Stück! Am meisten
mag ich die Stelle, wo Puck und Oberon ...«

»Mona«, unterbrach mich meine Schwester, »ich wollte mit dir etwas besprechen.«

Typisch! Die ganze Zeit über füllte sie ein dummes Rätsel aus,
aber sobald ihr klar wurde, daß ich von Literatur mehr verstand als
sie, wechselte sie das Thema.

»Mona, ich mache mir entsetzliche Sorgen um Rolf!«

Rolf. Mußte das sein? Ich hielt diesen Mann für die größte Zeitverschwendung überhaupt. Außer Uwe Rieder natürlich. Mist!
Jetzt hatte ich schon wieder an ihn gedacht! Um mich möglichst
rasch abzulenken, fragte ich mitfühlend:

»Was ist denn mit dem guten Rolfi?«

»Er hilft neuerdings im Haushalt mit!«

Das war allerdings ein echtes Ereignis. Trotzdem war ich noch
nicht völlig überzeugt.

»Was verstehst du unter ›mithelfen‹, Jutta? Hält er dir die Tür auf,
wenn du ein schweres Tablett vor dir her trägst? Oder stopft er
sich die Ohren zu, wenn du staubsaugst, um dir keine Gewissensbisse einzuimpfen, weil du ihn mit dem lauten Geräusch beim
Zeitunglesen störst? Oder was macht er?«

»Ganz anders! Wirklich, Mona! Früher hat er sich bitter darüber
beklagt, wenn ich staubgesaugt habe, weil ihn das immer so nervös gemacht hat.«

Mir fiel der alte Ehemann-Witz ein: Ich kann es nicht sehen, wenn
sich meine Frau abschuftet. Deshalb mache ich immer die Kü-
chentür zu.

»Ich verstehe, nun beklagt er sich nicht mehr. Wie rücksichtsvoll
von ihm.«

»Mona, du verstehst rein gar nichts. Er nimmt mir den Staubsauger sogar aus der Hand! Er saugt die Wohnung durch! Er reißt sich förmlich darum, Johanna zu baden und ihre Windeln zu wechseln. Das hat er bei Martin nie getan.«

Die Sache war bedenklicher, als ich zuerst angenommen hatte. Entweder waren ihm endlich seine Ehemann- und Vaterpflichten klargeworden oder aber ...

»Jutta, ich will dich ja nicht beunruhigen, aber glaubst du ... Ich meine, denkst du, daß er vielleicht ein schlechtes Gewissen hat?«

Jutta blieb erstaunlicherweise völlig cool.

»Du meinst, er hält sich wieder eine Geliebte? Nein, das glaube ich auf keinen Fall. Damals, als er diese Sekretärin hatte, war er ständig unterwegs und hatte überhaupt keine Zeit für Martin und mich. Und von einem schlechten Gewissen war auch nichts zu spüren. Nein, es muß etwas anderes dahinterstecken.«

Ich war genauso ratlos wie sie. Außerdem – was wußte ich schon von Männern, speziell von Ehemännern? Die Männer, die ich kannte, waren allesamt Schweine. (Und ehrlich gesagt, war ich fest davon überzeugt, daß die Männer, die ich nicht kannte, ebenfalls Schweine waren. Doch das brauchte ich Jutta ja nicht unbedingt auf die Nase zu binden.)

Jutta seufzte und wechselte das Thema.

»Hast du mal wieder was von Helmut gehört?«

Ich schüttelte unwillig den Kopf.

»Wieso nicht?« bohrte sie weiter. »Er arbeitet am Theater und du auch! Ihr müßt euch doch mal begegnet sein!«

»Jutta, du nervst! Helmut hat nur ein Teilengagement, und ich wirke auch nur bei zwei Stücken mit, die kaum noch gespielt werden, weil man sie demnächst absetzt. Ich habe während meiner Zwangspause im Krankenhaus und danach nicht eine einzige Vorstellung versäumt. Aber weil wir gerade von Helmut sprechen: Ist er denn ein guter Patenonkel für Johanna?«

Jutta biß sich auf die Lippen und verkündete schnell, daß sie Klein-Johanna jetzt unbedingt stillen müßte.

Ich erhob mich hastig. Bei aller familiären Vertrautheit, dies ging mir entschieden zu weit.

»Mona, du brauchst nicht wegzulaufen«, beruhigte Jutta lächelnd, »es ist mir durchaus nicht peinlich, wenn du Zeugin eines wundervollen und intimen Augenblicks in einer Mutter-Kind-Beziehung wirst!«

»Aber mir ist es peinlich«, murmelte ich und ging nach Hause. Irgend jemand, ich weiß nicht mehr, wer es war, hatte einmal zu mir gesagt, ich sei eine ziemlich untypische Frau, ja, ich hätte beinahe etwas Androgynes an mir. Vielleicht hatte derjenige gar nicht mal so danebengelegen.

Zum ersten Mal nach etlichen Wochen hatte ich wieder einen Job im Theater. Ich war bereits eine Stunde vor Vorstellungsbeginn in der Kantine, weil ich mir naiverweise einbildete, auf diese Art meinen Kollegen von der Oper aus dem Weg gehen zu können. Wie immer hatte ich Pech: Obwohl ich mich bei deren Eintreten demonstrativ hinter einer Zeitung verschanzte, setzten sie sich ungebeten an meinen Tisch. Und selbstverständlich war mein alter Herr Fischer auch dabei.

»Wie geht's, Mona?« fragten sie, obwohl es sie sowieso nicht interessierte.

»Fein«, erwiderte ich, »meine Schulter ist beinahe wieder in Ordnung.«

Nun mußten sie mich natürlich anstandshalber fragen:

»Was war denn mit deiner Schulter?«

Ich zog den Zeitungsartikel über den Banküberfall, den ich seit meiner Krankenhausentlassung permanent bei mir trug, heraus und sagte ganz nebenbei:

»Diese besonders mutige Wahnsinnige – das war ich!«

Wenn ich geglaubt hatte, meine Kollegen würden nun vor Ehrfurcht vor mir auf die Knie sinken, so hatte ich mich ganz erbärmlich getäuscht. Sie brachen lediglich in ein schallendes Gelächter aus und stellten mal wieder fest, daß an mir eine echte Komikerin verlorengegangen war. Dummerweise hatte ich Herrn Fischer außerdem zu seinem Stichwort verholfen: Er konnte nun ohne große Überleitung von seinen weltbewegenden »Tatort«-Dreharbeiten reden.

Die anderen hörten wie gebannt zu, und ich explodierte fast vor Wut. Hier saß ich, eine todesmutige Frau, eine regelrechte Heldin! Ich hatte den Banküberfall samt Schrotkugelhagel überlebt, ich hatte das Krankenhaus, ja selbst die Pflege meiner nervigen Mutter überstanden! Und was war das Resultat? Ein kleiner, schmächtiger, völlig unbedeutender Hauptschullehrer saß da, spielte sich auf wie Yul Brynner in »The King and I« und stahl mir die Show!

»Hey, hört doch mal«, rief ich dazwischen, »das vorhin war kein Witz. Ich war tatsächlich bei diesem Banküberfall und habe einen Schuß abbekommen. Ehrlich, es stimmt!«

»Laß gut sein, Mona«, tröstete Herr Fischer, »natürlich bist du neidisch, weil du bei den Dreharbeiten nicht dabei warst. Ich habe es dir schon so oft gesagt, deine ganze Ausstrahlung steht dir im Wege. Wenn du in Zukunft ein bißchen positiver wirkst, gibt man dir vielleicht auch mal eine Chance!«

»Klar«, erwiderte ich, »und wenn sich herausstellt, daß du in irgendeiner Aufnahme auch nur für den Bruchteil einer Sekunde zu erkennen bist, werden sicher sämtliche Kameraleute wegen Geschmacksverirrung entlassen!« Ich verließ die Kantine und blieb bis zum Ende der Vorstellung hinter der Bühne.

Das also war mein Leben. Außer den Pflichtübungen meiner Familie war keinerlei Anteilnahme zu erwarten. Niemand sorgte sich um mich, keiner vermißte mich. Ich stellte das ganz sachlich fest, nicht, daß es mich geschmerzt hätte. Selbst Uwe, den ich vom Krankenhaus angerufen hatte, war nicht im mindesten beeindruckt gewesen. Na und? Was war von diesem verdorbenen Haschbruder denn auch anderes zu erwarten gewesen? Es machte mir überhaupt nichts aus. Helmut, fiel mir plötzlich ein. Ob er eigentlich benachrichtigt worden war? Die Frage ließ mir plötzlich keine Ruhe mehr. Der Schlußapplaus war noch nicht verklungen, als ich zum nächsten Telefon stürzte und meine Schwester Jutta anrief.

»Jutta? Es tut mir leid, es ist schon ziemlich spät, aber ich hätte eine Frage an dich. Hast du Helmut damals ebenfalls informiert – du weißt schon, als ich im Krankenhaus war?«

Jutta schwieg.

»Ach, Schätzchen«, rief ich munter, »du kannst mir ruhig die Wahrheit sagen. Ich frage nur interessehalber.«

»Ja«, antwortete Jutta langsam, »ich habe ihn angerufen.«

»Und? Was hat er gesagt?«

»Mona, versprich mir, daß du dich nicht aufregen wirst!«

»Ach, woher denn! Das ist doch alles Schnee von gestern!«

»Gut. Er meinte, ich solle ihn mit diesem Unsinn in Frieden lassen, und er käme auf keinen Fall zu dir zurück, egal, welche Tricks wir auch anwenden würden.«

»Danke, Jutta. Arme Johanna. Einen noch untauglicheren Patenonkel könnte sie gar nicht finden, nicht einmal durch eine Annonce. Schönen Abend noch, Jutta.«

Ich legte auf. Es war mir ja ziemlich gleichgültig, daß ich keine Freunde hatte, daß keiner ernsthaft um mein Wohlergehen besorgt war. Es gab so viele andere schöne Dinge in meinem Leben. Ich brauchte keine Menschen, keine Liebe, keine Freundschaft und keine Zuneigung. Ich war sowieso die geborene Einzelgängerin, und das war gut so. Jawohl, es war alles in bester Ordnung! Ich hatte meine Arbeit, ich war eine Künstlerin, was brauchte ich sonst zu meinem Glück? Nichts, absolut nichts. Menschen bedeuteten mir nichts. Mich mußte niemand gern haben, ich vermißte keineswegs den sentimentalen Käse, den die anderen als »menschliche Wärme« bezeichneten. Nur ... ach, verdammt, mich fuchste einfach die Vorstellung, daß keiner mich dafür schätzte, was ich war: die tapfere Veteranin eines Banküberfalls, die Heldin, die dieses einschneidende Erlebnis so mühelos überstanden hatte, die begabte Schriftstellerin, die einsam und unbeirrt ihren Weg ging – einfach Mona Manntey in ihrer gesamten Genialität!

Ich hatte keine Lust, schon nach Hause zu gehen, und suchte deshalb das Theatercasino auf. Dieses war, im Gegensatz zur Theaterkantine, ein öffentliches Lokal, ich hatte also gute Chancen, auf eine gewisse Anonymität zu stoßen und meine Ruhe zu haben. Außerdem brauchte ich dringend etwas zu trinken. Und ein paar

Leute, denen anzusehen war, daß sie, im Gegensatz zu mir, komplette Idioten waren. Von der Sorte liefen im Casino immer genügend Exemplare herum.

Das Casino war so gut wie leer. Die wenigen menschlichen Wesen, die sich dort aufhielten, spielten praktisch keine Rolle: einige Bühnenarbeiter und ein Beleuchter, mit dem ich dauerhaft auf Kriegsfuß lebte.

»Na, Mona«, brüllte er, »gibt es dich auch noch?«

»Ja, ja, ja«, wehrte ich ab, setzte mich an die Theke und bestellte eine große Weinschorle.

»Die geht auf meine Rechnung«, sagte Peter, der Kneipenwirt, und tätschelte liebevoll meine Wange. »Schön, daß du mal wieder da bist, Mona.«

Ich lächelte ihm zu und bedankte mich. Eigentlich mag ich es nicht, wenn Leute (außer der Familie, die ja sowieso Narrenfreiheit hat), mit denen ich nicht gerade in einer intimen Beziehung stehe, mich unaufgefordert anfassen, aber in diesem Fall nahm ich die mir erwiesene Sympathie dankbar entgegen.

Ich trank meine Weinschorle und bestellte eine zweite. Gerade, als auch diese geleert war und ich mir eine dritte ordern wollte, erklang neben mir eine männliche Stimme mit leichtem Kölner Akzent: »Entschuldigung! Ist der Platz neben Ihnen noch frei?«

Ich hob nicht einmal meinen Kopf, sondern fragte nur genervt: »Sehen Sie jemanden darauf sitzen?«

»Nein«, antwortete die Stimme.

»Ja, dann ist er wohl frei«, schnauzte ich und beschloß nun doch einmal nachzusehen, wer mich da einfach so anquatschte und aus meiner schwer erkämpften Ruhe riß.

Der Mann, der neben meinem Barhocker stand, war mindestens ein Meter neunzig groß und zwei Zentner schwer. Er hatte das netteste, gutmütigste Gesicht und das gewinnendste Lächeln, das man sich überhaupt vorstellen konnte. Insgesamt wirkte er wie ein lieber großer Bernhardiner, der sich wundert, warum er von einem Pinscher so fürchterlich angekläfft wird.

Ich schämte mich ein bißchen. Der arme Kerl konnte ja nun wirklich nichts dafür, daß ich so mies drauf war.

»Ach bitte, setzen Sie sich doch«, murmelte ich verlegen und bestellte nun doch die dritte Schorle. Er bestellte sich ein Bier. Als
Peter uns die Getränke hinstellte, prostete mir der Fremde freundlich zu. Er schien nicht nachtragend zu sein.

Ich betrachtete ihn etwas eingehender: Er sah wirklich äußerst
sympathisch aus. Offenbar hatte er sich zufällig hierher verirrt, er
entsprach nämlich ganz und gar nicht dem arroganten Typus, der
die meisten Leute vom Theater auszeichnete. Ich schätzte, daß er
ein Klempner war, bestenfalls ein Sanitäreinrichtungsfachmann
oder so was Ähnliches. Die Statur, die man benötigte, um Waschbecken oder Toilettenschüsseln durch die Gegend zu schleifen,
besaß er jedenfalls. Er hatte ein tiefes Grübchen im Kinn und
wenn er lächelte, zwei weitere Grübchen in den Wangen. Seine
braunen Augen blickten so sanft wie die eines Cockerspaniels.

Energisch kämpfte ich meine aufkeimende Sympathie nieder. Er
war ein Mann, folglich war er ein Schuft! Uwe hatte auf den ersten
Blick genauso nett und einfühlsam gewirkt, und als was hatte er
sich entpuppt? Als ein mieses, egoistisches Schwein, das lauthals
aufschrie, wenn man es nur antippte, und in der nächsten Sekunde
mit einem Vorschlaghammer auf die Leute einhieb, die es am
allermeisten liebten. Rein metaphorisch gesehen.

Ich beschloß kurzerhand, daß ich diese fremde Person schon auf-
grund ihres Geschlechts nicht leiden konnte. Außerdem war es
eine gute Gelegenheit, dem mutmaßlichen Klempner meine geistige Überlegenheit zu demonstrieren. Ich kippte hastig die dritte
Weinschorle hinunter und deklamierte:

»John Adams aus Southwell liegt hier unterm Grunde,
Ein Fuhrmann, der oft mit dem Glas fuhr zum Munde;
Er fuhr hier so oft und so schnell ein und aus,
Daß er selber zuletzt ward gefahren hinaus.
Des Bieres und des Branntweins zuviel immer lud der,
Drum blieb er auch stecken und ist jetzt ein Luder.«

Ich warf meinem »Klempner« einen siegessicheren Blick zu. Der
jedoch lächelte nur dieses sanfte, freundliche Lächeln und
sagte:

»Grabschrift für John Adams aus Southwell, einen Fuhrmann, der an Trunksucht starb.«

Ich blinzelte irritiert, er aber fuhr fort:

»Sie lieben Lord Byron, nehme ich an.«

Ich fiel fast von meinem Barhocker. Ein Klempner, der Byron kannte! War das alles noch Realität, oder war ich schon zu betrunken?

»Ich mag ihn auch«, sagte er, »besonders seine satirischen Texte. Zugegeben, der ganze Weltschmerz und die Melancholie seiner Epoche sind mir etwas fremd. Aber die Sprache ist wunderschön.«

Er strahlte mich an wie die liebe Sonne. Die widersprüchlichsten Gefühle loderten in mir hoch. Ein Mann, der Byron kannte und mochte! Jemand, der freundlich, obwohl männlich war! Halt, beschwor ich mich. Der Kerl hatte zu Hause eine Frau und suchte hier ein kurzes Abenteuer. Natürlich war er verlogen und unehrlich, genau wie Uwe. Der hatte auch erst eine Weile gebraucht, bevor er mich auf Lisas Existenz hingewiesen hatte. Außerdem waren diesem Mann Gefühle wie Weltschmerz und Lebensüberdruß fremd. Bestimmt war er ein so ekelhaft positiv denkender Mensch wie Burkhard Fischer, der für die Leiden anderer Menschen keinen Sinn hatte und nur seinen eigenen Schmerz hingebungsvoll pflegte und hätschelte. Andererseits – sein Lachen, seine Freude wirkten durchaus echt. Er hatte nicht dieses dogmatisch fröhliche und verblödete Grinsen wie Herr Fischer.

Ich war ernsthaft verwirrt. Um dieser peinlichen und unangenehmen Situation ein schnelles Ende zu bereiten, wandte ich mich brüsk von ihm ab und um so herzlicher meinen Bekannten vom Theater zu. Die konnten mir nichts anhaben, das waren sowieso alles nur Volltrottel.

»Na, Jungs? Gibt es irgend etwas Neues?«

»Weißt du schon, daß Annemarie geheiratet hat?«

Annemarie war eine Kollegin, fast zwanzig Jahre älter als ich. Ich mochte sie, allerdings mit gewissen Einschränkungen. Wir hatten mal zu zweit die Requisite für ein Stück übernommen. Dabei hatte sich herausgestellt, daß wir partout nicht zusammenarbeiten konnten. Annemarie hatte alles, aber auch alles besser gewußt als ich. Rein nervlich gesehen war es die pure Zerreißprobe gewesen.

»Tatsächlich? Wen hat sie denn geheiratet? Kenne ich ihn?«

»Olaf«, bekam ich zur Antwort.

»Olaf«, japste ich, »meint ihr den Olaf? Diesen Werkstättenleiter?«

»Genau den!«

Ich bestellte die vierte Weinschorle. Ich konnte nicht glauben, was ich da gehört hatte. Ich kannte diesen Kerl ziemlich gut. Er war eine Zeitlang hinter mir her gewesen. Ein unsympathischer Bursche, der krampfhaft eine Frau fürs Bett gesucht hatte. Eines Abends hatte er mich bis zu meinem Auto verfolgt. Ich machte ihm damals klar, daß er für mich total uninteressant und unerotisch war und daß er sich gefälligst zum Teufel scheren sollte. Als Antwort hatte ich nur bekommen: »Wenn du es noch nicht mit mir versucht hast, kannst du das alles gar nicht beurteilen.« Und diesen Blödmann hatte die arme Annemarie jetzt geheiratet! Noch dazu, wo in Berlin seine Lebensgefährtin und der gemeinsame Sohn jedes Wochenende darauf gewartet hatten, daß er nach Hause kam! Es war unglaublich. Gut, Annemarie war niemals verheiratet gewesen, vielleicht hatte sie eine Art Torschlußpanik überkommen. Aber trotzdem – ich wäre lieber einsam und verlassen in meiner Wohnung verschimmelt, bevor ich so einen hirnlosen, geilen Kotzbrocken geheiratet hätte!

»Die Ärmste«, jammerte ich, »wie konnte sie bloß? So einsam kann sich doch kein Mensch fühlen! Was sagt ihr denn dazu? Ihr konntet Olaf doch auch nie besonders leiden!«

»Stimmt«, gab mir mein »Lieblingsbeleuchter« recht, »der Olaf ist schon eine unangenehme Type. Aber du mußt bedenken, die Annemarie ist nicht mehr die Jüngste. Und bei ihrem wilden Vorleben muß sie dankbar sein, daß sie überhaupt noch einen abgekriegt hat. Die hat es doch früher hier im Theater mit fast jedem getrieben.«

Ich nahm einen tiefen Schluck, um diesen roten Nebel der Wut wegzuspülen. Aber es nützte nichts. Lautstark schimpfte ich in die Runde:

»Wie könnt ihr nur so reden? Ihr seid die erbärmlichsten Heuchler, die man sich überhaupt vorstellen kann! Frauen wie ich, die nicht auf jedem Schoß herumrutschen, die bezeichnet ihr als frigide Kühe und süße Tanten! Solange die Mädels noch jung und knackig sind, können sie sich so flittchenhaft aufführen, wie sie wollen. Das ist in Ordnung, dafür laßt ihr sie noch kräftig hochleben! Aber wenn sie mal ein bißchen älter sind, ein paar Falten kriegen und einige Pfunde zulegen, dann verwandeln sie sich plötzlich in unmoralische Frauen mit flatterhaftem Vorleben. Und wenn es die gute Annemarie mit fast jedem vom Theater getrieben hat – na, wer von euch steht denn auf dieser Liste?«

»Das ist bei uns Männern etwas völlig anderes«, sagte einer der Bühnenarbeiter, »ich jedenfalls würde keine Frau heiraten, die schon durch sämtliche Betten gerutscht ist.«

»Ach so«, murmelte ich, »bei euch Männern liegt die Sache anders. Was seid ihr doch für dumme Schweine.«

Meine Augen tränten vor lauter Zorn. Es war hoffnungslos. Mit Männern war einfach nicht vernünftig zu reden. Mir war vollkommen klar, daß Annemarie niemals und unter keinen Umständen derart heftig meine Partei ergriffen hätte. Ganz im Gegenteil. Sie hätte sicher die Gelegenheit benutzt, um sich bei diesen Individuen gründlich einzuschleimen. Aber das war mir gleichgültig. Ich hatte meine Prinzipien, und die setzte ich auch durch. Ich gehöre zu den wenigen Frauen, die noch Wert auf weibliche Solidarität legen.

Ich zündete mir eine Zigarette an und starrte niedergeschlagen vor mich hin. Plötzlich merkte ich, daß mich jemand von der Seite beobachtete. Ich drehte mich zu dem Fremden um und fuhr ihn erbost an:

»Sie sind wohl absolut nicht einer Meinung mit mir, wie? Geben Sie es ruhig zu!«

»Doch«, antwortete er so laut, daß die anderen Männer es unweigerlich hören mußten, »Sie haben vollkommen recht. Und es spricht für Sie, daß Sie so entschieden für Ihre Bekannte eintreten. So etwas findet man ziemlich selten.«

Ich spürte, wie ein erstauntes Lächeln über meine Lippen zitterte.

Nein, dachte ich eine Sekunde später, der Mann will sich bei dir beliebt machen, weil er dich gern abschleppen möchte. Aber da lag er bei mir kilometerweit daneben!

Ich versenkte meine Nase in mein Glas und beschloß, daß ich für nichts und niemanden mehr zu sprechen war.

»Schade, daß ›Der Raub der Sabinerinnen‹ abgespielt ist«, meinte unser Beleuchter, »das war wenigstens mal eine richtige Komödie. So was wollen die Leute schließlich sehen.«

Ich vergaß meinen löblichen Vorsatz und verbesserte automatisch:

»Schwank. ›Der Raub der Sabinerinnen‹ ist ein Schwank. ›Minna von Barnhelm oder Das Soldatenglück‹ ist eine Komödie, beziehungsweise ein Lustspiel in fünf Aufzügen.«

»Wieso? Wo liegt denn da der Unterschied? Die Sabinerinnen sind komisch, also ist es eine Komödie. Die Minna habe ich nie besonders komisch gefunden.«

»Trotzdem gilt sie als die deutsche Komödie schlechthin – ob es dir paßt oder nicht!«

»Versteh ich nicht!«

»Hans«, schimpfte ich, »du verstehst doch sowieso nie etwas.«

Hatte es überhaupt einen Sinn, diese Dummbeutel mit ein wenig Bildung einzudecken? Nun, ich war ein idealistischer Mensch, ich tat mein Bestes.

»Hört mal gut zu, ihr hohlköpfigen Ignoranten. Eine Komödie hat etwas mit Ironie des Schicksals zu tun, es ist nicht unbedingt nötig, daß sich der Zuschauer drei Stunden lang vor lauter Lachen auf die Schenkel haut. Es ist einfach Ironie des Schicksals, wenn Minna und Franziska auf der Suche nach Major von Tellheim in einem x-beliebigen Gasthof absteigen und sich dann herausstellt, daß Tellheim gerade in diesem Gasthof wohnt und nun wegen Zahlungsunfähigkeit sein Zimmer für ein Edelfräulein räumen muß, ohne daß er zunächst weiß, daß es sich dabei um seine Verlobte Minna handelt. Ist das einigermaßen einleuchtend?«

Anscheinend nicht. Eine Herde von Schafen hätte mich sicherlich mit mehr Intelligenz angeglotzt als diese Männer hier. Egal, ich fuhr mit glühendem Eifer fort:

»Natürlich ist es auch eine Frage der Inszenierung. Nehmen wir nur als Beispiel die Komödie ›Der Geizige‹ von Molière. Ich habe zwei verschiedene Inszenierungen gesehen. Die eine war tatsächlich auf saukomisch getrimmt. Die andere jedoch zeigte die eigentliche Tragik im Leben des Harpagon: eines von Geiz zerfressenen Mannes, der für zwischenmenschliche Beziehungen jeglichen Sinn verloren hat und der sich sogar gegen die Liebe seiner Kinder sperrt. Der, als alle am Ende glücklich und zufrieden sind, völlig vereinsamt mit seiner Geldkassette dasteht ... hört ihr mir eigentlich zu?«

Kein Mensch hörte mir zu. Die Männer waren längst wieder in ihre Biergläser und ihre Lästergespräche vertieft. Ich spürte eine behutsame Hand auf meiner Schulter.

»Lassen Sie's gut sein«, flüsterte der Fremde neben mir. »Die Leute hier kapieren ja doch nichts von dem, was Sie sagen wollen.«

»Kapieren Sie es denn?« fragte ich spöttisch.

Er lachte leise.

»O ja, ich denke schon.«

Ein Klempner von der eingebildeten Sorte, so, so. Ich trank mein Glas in einem Zug leer und verkündete: »Ich gehe nach Hause.«

»Was, schon«, rief er, und es klang ehrlich entsetzt. »Soll ich Sie nach Hause fahren? Mein Wagen steht draußen vor der Tür. Ich weiß ja noch gar nichts von Ihnen, außer ...«

»Außer, daß ich mordsmäßig gebildet bin und tierisch gut aussehe«, vollendete ich den Satz, »das wollten Sie doch sicher sagen? Nun, da wissen Sie genug. Zudem bin ich eine aufstrebende Schriftstellerin und ›kann ungeleitet nach Hause gehn‹. Schönen Abend noch!«

Ich entschwand, ohne mich noch einmal nach ihm umzudrehen. So mußte man die Männer behandeln, genau so!

Eigentlich schade. Er hatte einen netten Eindruck gemacht. Aber der erste Eindruck täuschte sowieso meistens. Ich würde ihn jedenfalls nie wiedersehen.

Und wenn ich ihn wiedersah? Dann würde er sich bestimmt nicht mehr an mich erinnern. Männer erinnerten sich nicht an intelligente Frauen. Sie erinnerten sich höchstens an doofe langbeinige Blondinen. (Ich habe nichts gegen langbeinige Blondinen. Ich mag bloß keine doofen langbeinigen Blondinen!)

Und wenn er sich an mich erinnerte? Dann könnte ich sagen: »Na, was macht die Kunst?«

Ha, ha, und das zu einem Klempner! Das wäre doch irrsinnig originell!

Kapitel 15

Mein Chef, also der Leiter der Statisterie, und ich hatten ein geradezu bombiges Verhältnis zueinander. Er schätzte mich als die zuverlässige, fleißige Mitarbeiterin, die ich war, und scheute nicht davor zurück, dieser wohlwollenden Meinung bei jeder nur möglichen Gelegenheit gebührend Ausdruck zu verleihen. Ein Beispiel seiner Hochachtung sah in etwa so aus: Ich befand mich mit mehreren Statistenkollegen im Chefbüro und trug mich in meine spezielle Karteikarte ein. Mein lieber Chef starrte mit gelangweilt verhangenem Blick auf seinen Computerbildschirm und ließ sich lang und breit über irgendeinen Regisseur aus, der gerade auf der Suche nach irgendwelchen Statisten für irgendeine neue Produktion Ausschau hielt. Früher oder später kam dann garantiert und unausweichlich die Rede auf mich.

»Ich habe dem Regisseur natürlich auch Ihre Karteikarte und Ihr Foto vorgelegt, Mona, aber wie üblich war es absolut zwecklos.«

Er wandte sich demonstrativ den übrigen Statisten zu und klagte überschwenglich:

»Ach, unsere Mona! Ständig preise ich sie den Regisseuren wie Sauerbier an, aber der Kommentar ist stets derselbe: ›So ein Dutzendgesicht kann ich einfach nicht gebrauchen!‹ Was kann ich mehr tun? Mir sind die Hände gebunden! Ich würde es Ihnen ja wirklich gönnen, Mona, daß Sie auch mal einen Bühnenauftritt hätten, aber meine Schuld ist es ganz gewiß nicht!«

Gewöhnlich reagierte ich darauf mit Aussprüchen wie:

»Wie seltsam! Gerade gestern hat mir ein Bekannter versichert, daß ich eine Gesichtsfarbe wie ein lebender Leichnam hätte! Und das gilt tatsächlich als dutzendmäßig?«

Mein genialer Chef war dabei natürlich das perfekte Unschuldslamm. Außerdem besaß er eine gewisse Narrenfreiheit. Wie er immer und immer wieder betonte, war er eigentlich ein ausgebildeter Schauspieler. Wen sein Talent über sich hinaustreibt und wer den Drang, auf der Bühne zu stehen, als verzehrendes Bedürfnis außerhalb der eigenen Kontrolle erlebt, der hat schließlich immer und in jedem Fall Narrenfreiheit. Dummerweise stand mein Chef nicht auf der Bühne, sondern hockte statt dessen nur in seinem Büro herum. Doch das sagte selbstredend nichts über sein einzigartiges Talent aus. Schauspieler gab es an diesem Theater wie Sand am Meer, er dagegen als Leiter der Statisterie, er war einmalig!

Na, und daß ich nicht dem gewünschten Typus der jeweiligen Regisseure entsprach, das konnte ich ihm am allerwenigsten vorwerfen. Den Regisseuren übrigens auch nicht, das waren grundsätzlich alles überaus reizende Menschen. Es war immerhin eine besondere Ehre, wenn man zu solch einer »Auswahl« eingeladen wurde, die von uns Statisten liebevoll als »Fleischbeschau« betitelt wurde! Diese Auswahl konnte folgendermaßen ablaufen:

Ich stand mit fast zwanzig anderen Kolleginnen auf einer Probebühne herum. Alle waren nervös, besonders, wenn der Regisseur verkündete, daß er nur acht Statistinnen für seine glorreiche Inszenierung benötigte! Für gewöhnlich führte er dann mindestens eine halbe Stunde lang aus, wie die Aufführung ablaufen sollte und welche ungeheuer wichtigen Aufgaben die glücklich Erwählten dann auszuführen die Ehre hatten. An dieser Stelle folgte garantiert ein »Eignungstest«: »Stellen Sie sich vor, Sie hätten einen zugefrorenen See vor sich, den Sie überqueren müssen, wobei Sie sich jedoch unsicher sind, ob die Fläche Sie auch wirklich trägt, Sie können genausogut auf eine dünne Stelle treten und einbrechen!« Also machten wir uns wie die Vollidioten daran, über eine imaginäre Eisfläche zu rudern. Sobald dieses Kunststück heil überstanden war, mußten wir uns in eine Reihe aufstellen und wurden von dem verehrten Regisseur ziemlich eindeutig gemustert. Unser Chef versäumte dabei nie, ihm entsprechende Ratschläge und Empfehlungen ins Ohr zu flüstern. War die Entscheidung endlich getroffen, wurde sie folgendermaßen bekanntgegeben: Der Regisseur zeigte mit dem Finger auf das entsprechende Mädchen und verkündete gebieterisch: »Sie ... Sie ... Sie ... Sie auch! Und Sie ... Sie ... natürlich auch Sie ...«

Es war immer wieder ein erhebendes Gefühl. Und immer wieder war ich nicht dabei. Und komischerweise waren es immer dieselben Gesichter, die ausgewählt wurden. Immer diejenigen, die entweder mit dem Chef per du oder bekannt für gewisse Sonderleistungen waren oder die sein Selbstwertgefühl ständig mit Komplimenten versorgten oder ihm irgendwelche anderen Freuden bescherten.

Aber der Chef war sehr nett. Wenn die Wahl mal wieder zu meinen Ungunsten ausgefallen war, pflegte er mir freundschaftlich den Rücken zu tätscheln und zu versichern:

»Ach, Mona, es tut mir ja sooo leid! Vielleicht beim nächsten Mal ...«

Dieses nächste Mal wollte und wollte bei mir einfach nicht eintreffen. Also erledigte ich meine Requisitenaufgaben, meine Umbauten und meine Beleuchtungsproben. Gott sei Dank hatte ich meine Schriftstellerei und sah das Theater als Nebenbeschäftigung und nicht als alleinige Spielwiese für meine Profilierungssucht an.

Außerdem lag die Schuld gänzlich auf meiner Seite. Wie viele Kolleginnen hatten mir schon mit ihren diversen Schönheitstips auf die Sprünge helfen wollen, und wie hatte ich es ihnen gedankt!

Ein Beispiel gefällig? Nun, man hatte mir oft genug geraten, mein feines, glattes und so jungenhaft wirkendes Haar mit einer Dauerwelle in Form zu bringen. Und was hatte ich geantwortet?

»Laßt mich bloß mit diesem Mist in Frieden. Ich hasse Dauerwellen. Meine Haare bekommen davon einen widerlichen gelblichen

Stich und sehen wie gekräuseltes Stroh aus. Mein schöner, rötlicher Ton geht vollkommen kaputt, und außerdem will ich nicht so verdammt weibisch aussehen wie ihr alle.«

Oder der Hinweis auf meine schon legendäre Blässe, der mit Sonnenschein und Solarium so leicht abzuhelfen gewesen wäre, wie hatte ich darauf reagiert?

»Denkt ihr, ich gebe Geld für Feuchtigkeitscremes aus, nur um mir durch euer blödes Solarium eine Menge Runzeln einzuhandeln? Außerdem bekomme ich schon eine Sonnenallergie, wenn ich im Sommer nur eine halbe Stunde in der Mittagshitze spazierengehe! Steckt euch euer braungesundes Äußeres sonstwohin, ich bleibe lieber glatthäutig und blaß. Früher galt Blässe als vornehm, nur die Feldarbeiter waren braun gebrannt. Ist es meine Schuld, wenn ihr euch durch irgendwelche bescheuerten Schönheitsideale beeindrucken laßt?«

Oder der gutgemeinte Rat, bei meiner nicht gerade imposanten Größe ausschließlich hohe Absätze zu tragen, wie war ich dem begegnet?

»Ich trage am liebsten Hosen, dazu sehen hochhackige Pumps völlig daneben aus. Und man gewöhnt sich einen total ungesunden Gang an! Man wackelt ständig auf den Zehenspitzen herum, und die Beine werden nicht richtig durchblutet. Wenn ich irgendwann Krampfadern kriegen sollte, dann will ich beileibe nicht schuld daran sein, nur weil ich immer Schuhe getragen habe, in denen ich nie richtig laufen konnte!«

Sie sehen es: Alle meinten es gut mit mir – aber ich wußte es ja ständig besser!

Nachdem Sie soweit informiert sind, werden Sie das folgende kleine Wunder erst richtig zu würdigen wissen. Ich hatte mal wieder eine Vorstellung im Theater, also trat ich den üblichen Kanossagang an: Ich begab mich mit dem gewohnten Übelkeitsgefühl ins Chefbüro, um mich in meine Karteikarte einzutragen. Wenn irgend möglich, wechselte ich dabei mit dem Chef genau zwei Worte: »hallo« beim Eintreten und »tschüs« beim Hinausgehen. Natürlich war dieses Verhalten absolut nicht geeignet, um meine

Beliebtheit bei ihm aufzupolieren. Doch das war mir egal. Ich hasse verbale Prostitution.

Ich hatte bereits mein »tschüs« gemurmelt und war schon beinahe wieder verschwunden, als er in einem Ton, den er wahrscheinlich in die Sparte »autoritär«, ich bestenfalls in die Sparte »in höchstem Maße lächerlich« einordnete, rief:

»Halt! Ich habe eine Frage an Sie!«

Ich drehte mich im Zeitlupentempo um und fixierte ihn: sein feistes Gesicht, das durch die straff zurückgezogenen Haare noch feister wirkte, seine Gestalt, die langsam ein Opfer altersbedingter Fettleibigkeit wurde, und seine lilafarbene Stola, die dazu da war, seine Pfunde zu verhüllen – mit äußerst fragwürdigem Erfolg.

»Was gibt es denn?« intonierte ich langsam und deutlich.

Er fiel ziemlich rasch mit der Tür ins Haus.

»Mona, woher kennen Sie Wolfgang Weinberg?«

»Wen???«

Ich hatte den Namen nie gehört. Obwohl es ein hübscher Name war. Weinberg – wirklich toll. Wobei mir einfiel, daß ich lieber in der Kantine eine Weinschorle getrunken hätte, anstatt mich mit dieser Witzfigur hier zu unterhalten.

»Mona, machen Sie mir doch nichts vor! Sie müssen ihn kennen!«

»Nein, eben nicht, verdammt noch mal. Wer soll dieser Kerl überhaupt sein?«

Der Chef wirkte wie vom Donner gerührt.

»Dann verstehe ich nicht ... dann begreife ich nicht ... dann kann es sich ja nur um eine blöde Verwechslung handeln!«

»Können Sie vielleicht mal Klartext reden?«

Der Mann ging mir gehörig auf den Senkel. Er glotzte mich wütend an.

»Wolfgang Weinberg ist Regisseur. Er will bei uns ein Musical aufführen. Er hat – nein, mit Einzelheiten will ich mich jetzt nicht aufhalten, das Ganze ist bestimmt ein Mißverständnis. Er stürmte jedenfalls in mein Büro, durchforstete sämtliche Fotos der Statisterie und dann ...«

Der Chef ächzte einigermaßen herzinfarktverdächtig, bevor er seine Rede beenden konnte:

»Als er Ihr Foto sah, stieß er einen Schrei aus und verkündete, er wolle Sie kennenlernen! Es kann sich nur um einen Irrtum handeln!«

»Nicht unbedingt«, erwiderte ich süßlich, »vielleicht sammelt er Dutzendgesichter, und ich bin die einzige in der Statisterie, die ein solches vorzuweisen hat!«

Er lachte sein widerliches und dreckiges Lachen.

»Ja, vielleicht haben Sie sogar recht!«

Gott, war das ein Ekelpaket. Hätte mich die Sache nicht interessiert, ich hätte ihn einfach stehengelassen.

»Na und«, fragte ich kalt, »wie geht's jetzt weiter?«

»Ach, Herr Weinberg wollte sogar Ihre Telefonnummer haben. Ich habe sie ihm natürlich nicht gegeben, das fällt selbstverständlich unter Datenschutz!«

»Selbstverständlich!«

»Kann ich ihm ausrichten, daß er Sie morgen abend im Casino treffen kann?«

»Von mir aus«, sagte ich achselzuckend. »War's das?«

»Das war's!«

»Na, prima!«

Ich verzichtete auf ein zweites »tschüs«, machte eine Kehrtwendung und verließ das Büro. Fünf Minuten länger diese Visage vor meinen Augen, und ich hätte mich übergeben müssen. Mein Chef war ein Vollidiot. Dieser engstirnige Dummbeutel konnte sich in seiner grenzenlosen Hohlköpfigkeit nicht vorstellen, daß ein Regisseur an mir Interesse zeigte! Natürlich war das eine immense und durch nichts wiedergutzumachende Beleidigung und Unverschämtheit. Obwohl ich eigentlich auch keine Ahnung hatte, was dieser Herr Weinberg von mir wollte. An meinem Karteifoto konnte es nicht liegen. Das war nur ein mittelmäßiges Paßfoto, lange vor Uwes Zeit entstanden. (Ich wollte Uwe beileibe nie wiedersehen, aber der hatte wesentlich bessere Fotos gemacht!) Wie gesagt, ein Paßfoto – der Regisseur konnte also kaum von meiner Oberweite beeindruckt gewesen sein.

Woran also lag es? Ich wußte es nicht. Aber letztendlich war das auch gar nicht so wichtig. Die Spannung, die Neugierde, die ich bis zum nächsten Abend verspürte, die war die eigentliche Hauptsache. Rein gefühlsmäßig befand ich mich zur Zeit in einer Art Sackgasse. Alles war nur noch langweilig, ermüdend, schon mal dagewesen. Meine selbstzerstörerische Liebe zu Uwe hatte sich aufgelöst in eine langsam verblassende, nebulöse Erinnerung an einen Menschen, für den ich mir in einer anderen Phase mit Freuden das Herz aus dem Leibe gerissen hätte. Damals hatte ich vor lauter Angst, ihn zu verlieren, nicht mehr schlafen können. Nun war er endgültig verloren für mich, und ich lebte immer noch – und hatte zudem meine wohlverdiente Nachtruhe wiedergefunden. Soviel zum Thema Liebe.

Meine andere Liebe, das Theater, hing mir nur noch zum Halse heraus. Ich bemühte mich schon gar nicht mehr um neue Jobs. Nein, ich gehörte nicht zu denen, die beim Chef anriefen und mit süßlich-klebriger Stimme ins Telefon säuselten:

»Hallo, Herr Diekoff! Ich wollte nur mal wissen, wie es Ihnen so geht! – Ach, tatsächlich? – Ach, ja? – Ach, wirklich? – Übrigens, haben Sie mal wieder was für mich?«

Widerlich. So was hatte ich nicht nötig. Ich war selbst Künstlerin. Ich mußte mir in diesem Laden weder meinen Lebensinhalt noch mein Selbstwertgefühl besorgen. Klar, ab und zu wurden mir diverse Jobs, die kein anderer machen wollte, förmlich aufgedrängt. Aber das war etwas anderes, da ging es nur noch um eins: CASH! Geld stinkt bekanntlich nicht.

Alles in allem: Der Gedanke an ein »Blind Date« mit einem Regisseur gab mir einen unerwarteten, aber durchaus willkommenen »Kick« und half mir, mein abgeflachtes Gefühlsleben über Wasser zu halten. Zumindest für die nächsten vierundzwanzig Stunden.

Am nächsten Nachmittag stand ich vor einem erheblichen Problem und rief ratsuchend meine Schwester Jutta an.

»Jutta, ich bin's! Wann ist ›heute abend‹?«

»Hä?«

Offenbar verstand sie mal wieder nur Bahnhof.

»Na, Herr Diekoff, mein Statisteriechef, richtet einem gewissen Herrn Weinberg aus, daß ich heute abend im Casino sein werde. Aber um wieviel Uhr soll das sein?«

»Hä?«

»Ja, stell dir vor: Ein Regisseur will mich kennenlernen! Bedeutet heute abend, daß es schon dunkel ist? Oder bedeutet es: acht Uhr und später? Oder früher? Sag doch mal!«

»Welcher Regisseur?«

»Weißt du, ich möchte nicht vor ihm da sein. Das sieht so aufdringlich aus. Und schließlich weiß er, wie ich aussehe, aber ich weiß nicht, wie er aussieht.«

»Wieso weißt du nicht, wie dein Statisteriechef aussieht?«

»Der Regisseur, Jutta! Ich will auch nicht zu spät kommen, sonst ist er vielleicht schon weg.«

»Welcher Regisseur, verdammt noch mal?«

»Fluch nicht, Jutta, schon gar nicht, wenn deine Kinder in der Nähe sind.«

»Sag mir doch endlich, was du von mir willst!«

»Ich denke, ich bin etwa um sieben Uhr im Casino. Danke, Jutta, du hast mir sehr geholfen.«

Ich legte auf.

Die Kleiderfrage stellte das kleinste Problem dar. In dieser Beziehung war ich ganz untypisch weiblich. Ich tat vielmehr das, was jeder vernünftige Mann an meiner Stelle getan hätte: Ich wählte einen Hosenanzug mit weißem Hemd und dezenter Krawatte und trug flache, aber blankpolierte Schnürschuhe. In diesem Aufzug betrat ich fünf nach sieben das Casino.

Außer Peter, dem Wirt, war keine Menschenseele zu sehen. Anscheinend hielt sich das Bedürfnis des Regisseurs, mich kennenzulernen, in gewissen Grenzen. Doch halt! Ich erblickte den breiten Rücken eines Mannes, der am Tresen saß und ein Bier trank. Ich erkannte ihn sofort, sogar von hinten. Das war mein Klempner! Prima! Vielleicht erinnerte er sich an mich, und wir könnten ein bißchen miteinander plaudern, zumindest, bis der »große Herr Regisseur« auftauchte – falls er überhaupt käme.

Ich rutschte neben ihn auf einen Barhocker und sagte hallo. Er wandte sich mir zu, und sein nettes Gesicht wurde augenblicklich von einem strahlenden Lächeln erhellt.

»Hallo«, rief er begeistert.

Sehr schön, er kannte mich noch. Ab und zu hinterließ ich doch so etwas wie einen bleibenden Eindruck.

»Ich bin schon seit einer halben Stunde hier«, berichtete er.

Ich lächelte ebenfalls – aber wieso erzählte er mir das?

»Ich habe Sie auf dem Foto sofort wiedererkannt«, sagte er, »obwohl es ein schlechtes Foto ist. In Wirklichkeit sind Sie viel hübscher!«

Ich nickte.

»Ja, mit Fotos ist das so eine Sache. Mal so, mal so. Es gibt eben gute und schlechte Fotografen, und dieser …«

In diesem Moment ging mir nicht nur ein Licht, sondern ein ganzes Elektrizitätswerk auf.

»O Gott«, schrie ich, »Sie sind Wolfgang Weinberg! Sie sind der Regisseur!«

»Sicher«, lächelte er ziemlich verunsichert, »was dachten Sie denn?«

Und ich hatte ihn für einen Klempner gehalten! Soviel mal wieder zu meiner Menschenkenntnis. Ich sollte mich auf diesem Gebiet wahrhaftig nicht mehr betätigen. Ich konnte ja nicht einmal einen Schauspieler von einem Bankräuber unterscheiden, wie sollte ich dann erst einen Regisseur und einen Klempner auseinanderhalten können! Ich klammerte mich hilfesuchend am Tresen fest. Herr Weinberg beugte sich zu Peter und bestellte »eine große Weißweinschorle für die Dame«, was sehr nett von ihm war und bewies, daß er über mehr Durchblick verfügte als ich.

Eigentlich war ich sauer. Es war wirklich nicht meine Schuld. Ich hatte hier am Haus schon eine Menge Regisseure gesehen. Die meisten davon waren hager, langhaarig und hatten einen düsteren oder zumindest verschlossenen Gesichtsausdruck. Sie hatten diese arrogante Einstellung, so nach dem Motto: »Mir doch egal, ob die Aufführung beim Publikum ankommt. Die Zuschauer sind sowieso alle Idioten!«

Also, bitte! Was konnte ich dafür? Der hier wirkte völlig nett und normal und hatte überhaupt nichts Abgedriftetes an sich. Er trug ein buntgemustertes Hemd, Blue jeans und eine Lederjacke – und er sah so aus, als ob er mit verstopften Abflußrohren umzugehen wüßte! Wie sollte ich dahinter wohl einen Regisseur vermuten, können Sie mir das verraten?

Trotzdem versuchte ich Haltung zu bewahren und schlug einen unverbindlichen Plauderton an. Ich mußte schließlich herausbekommen, was dieser Mensch von mir wollte.

»Herr Diekoff sagte, Sie wollten bei uns ein Musical inszenieren. Welches denn?«

»Zunächst schlage ich vor, daß wir uns duzen«, meinte Herr Weinberg gnädigerweise, »ich heiße Wolfgang.«

Als ob ich das nicht längst gewußt hätte! Egal, ich mußte höflich bleiben – vielleicht brachte er mich in seinem Musical unter!

»Ich bin Mona«, lächelte ich, trank mit ihm Brüderschaft und erlaubte ihm sogar einen Kuß auf die Wange. Denken Sie nicht, daß er mir unsympathisch gewesen wäre, ganz im Gegenteil! Aber seit Uwe hatte ich einfach die Schnauze voll von Männern. Außerdem befand ich mich, trotz besserer Einsicht, immer noch in der Trauerphase.

Dann kam er endlich zu Potte.

»Also, das Musical heißt ›Oliver!‹«, verkündete er, »ich denke nicht, daß Sie es kennen.«

Ich funkelte ihn empört an.

»Es ist von Lionel Bart und basiert auf dem Roman ›Oliver Twist‹ von Charles Dickens. Ich besitze drei verschiedene Aufnahmen davon. Eine mit Clive Revill, eine mit Stanley Holloway und eine mit Jonathan Pryce als Fagin. Holloway hat mich am wenigsten überzeugt. Er ist wundervoll als Alfred Doolittle in ›My fair lady‹, aber als Fagin fehlt ihm der nötige Biß.«

Ich genehmigte mir eine Zigarette und einen tiefen Schluck. Frechheit! Ich als Schriftstellerin und Theaterliebhaberin sollte das Musical »Oliver!« nicht kennen? Für was hielt mich dieser Großkotz eigentlich? Wieso dachten alle Regisseure, Statisten seien Vollidioten? Glaubten sie allen Ernstes, wir könnten nichts anderes, als dumm auf der Bühne herumzustehen? Dachten sie wirklich, wir hätten außerhalb des Theaters kein eigenes Leben, keine eigenen Berufe und keine eigenen Interessen? Hielten sie sich für Gott, bloß weil sie Bühnenregie studiert hatten?

»Ich wollte dich nicht verärgern«, meinte er entschuldigend, »das Musical ist meines Erachtens in Deutschland nicht allzu populär.«

»Schon gut«, murmelte ich, »erzähl weiter.«

Ja, das tat er dann auch. Also, er hatte die Aufführungsrechte für »Oliver!« erworben. Die Lieder würden auf englisch gesungen, die Texte aber auf deutsch gesprochen werden. (An dieser Stelle nickte ich anerkennend, ich hätte es genauso gemacht.) Die Hauptdarsteller wären größtenteils Gäste, keine Leute vom Haus, sondern Schauspieler, die er noch von früher her kannte. (Hier nickte ich ebenfalls anerkennend, die Leute vom Haus kannte ich zur Genüge und hielt sie alle für unpassend.)

»Die kleinen Sprechrollen übernehmen hiesige Schauspieler«, berichtete er. »Außerdem gastiert hier zur Zeit ein alter Kumpel von mir, er wird die Rolle des Bill Sikes übernehmen.«

»Wer ist das?« fragte ich. »Vielleicht kenne ich ihn.«

»Helmut Barker«, antwortete Wolfgang.

Ich schnappte nach Luft und bestellte keine weitere Schorle, sondern gleich eine ganze Karaffe Weißwein. Erst als ich die zur Hälfte ausgetrunken hatte, war ich physisch und psychisch in der Lage zu krächzen:

»Helmut Barker? Glaubst du, ein Österreicher mit Akzent kann den Brutalo-Gangster Bill Sikes darstellen?«

»Kennst du Helmut?« fragte Wolfgang erfreut.

»Klar«, erwiderte ich cool, »ich war mal mit ihm verlobt!«

Wolfgang lachte herzlich, er hielt das für einen köstlichen Witz. Ich bin bis heute nicht dahintergekommen, warum die Leute nie merken, wann ich etwas ernst meine und wann nicht!

Ich ging nicht näher auf Helmut ein, ich hatte andere Interessen.

»Du brauchst bestimmt einen ganzen Haufen Statisten, wie?«

»Nein«, sagte er, »überhaupt nicht, die Fagin-Gang übernimmt der Kinderchor, für alles andere habe ich den Erwachsenen- sowie den Bewegungschor. Statisten brauche ich nicht.«

Am liebsten hätte ich mich von meinem Barhocker erhoben und besagte Sitzgelegenheit auf seinem Schädel zertrümmert.

»Und was willst du dann von mir?« fauchte ich.

Er lächelte scheu. »Na ja, ich mußte immer an dich denken, seit ich dich neulich hier getroffen habe. Aber du bist so schnell verschwunden, und ich wußte nicht einmal deinen Namen. Ich dachte: Sie scheint hierherzugehören, aber Schauspielerin kann sie nicht sein, sie sagte mir ja, daß sie Schriftstellerin ist. Und so kam ich auf die Idee mit der Statistenkartei! Gut, was?«

»Brillant«, murmelte ich verbittert.

Meine Enttäuschung kannte keine Grenzen. Einmal, nur einmal im Leben hatte ich mir eingebildet, ein Regisseur hätte intuitiv mein Talent erkannt oder wäre wenigstens von meinem Typus angetan gewesen! Aber nein, hier saß lediglich mal wieder ein Kerl, der scharf auf mich war! Das, was ich am wenigsten gebrauchen konnte!

»Was hält deine Frau oder Freundin davon, daß du dich an wildfremde Frauen heranmachst? Blöde Frage – sicher hat sie keine Ahnung! Natürlich nicht!«

Ich dachte an Uwe, und meine Stimme vibrierte vor Zorn.

»Mona«, Wolfgang mimte den Entsetzten, »es gibt keine Frau oder Freundin! Meine letzte Freundin hat mich vor Monaten verlassen. Da ist niemand, wofür hältst du mich denn?«

»Was bildet ihr euch eigentlich ein«, schrie ich, »wofür haltet ihr mich? Ihr schwärmt mir von eurem exzessiven Sex mit eurer Lisa vor und gebt mir einen Tritt! Aber das lasse ich mir nicht noch einmal bieten, damit ihr's nur wißt!«

»Wovon redest du denn?« fragte Wolfgang bestürzt. »Und wen meinst du mit ›ihr‹? Und wer ist diese Lisa?«

Ich kippte den restlichen Wein hinunter und versuchte mich zu beruhigen. Oh, ich hasse Gefühlsausbrüche. Am allermeisten bei mir selbst. Irgendwann hatte ich mich wieder ausreichend in der Gewalt, um seelenruhig aufzustehen und mit einem arroganten Lächeln auf Wolfgangs Schulter zu klopfen.

»Entschuldige, Herzchen, ich glaube, wir haben ein kleines Kommunikationsproblem. Ich gehöre nicht zu den Frauen, die vor Ehrfurcht in Ohnmacht fallen, wenn sie von einem Regisseur angemacht werden. Ich gehöre ebenfalls nicht zu den Frauen, die einen Mann nötig haben, um sich ihrer Attraktivität bewußt zu werden. Außerdem: Ich habe durchaus schon gelesen, daß Sex viel gesünder sein soll als Alkohol – und zudem viel billiger. Unglücklicherweise ist mir Alkohol viel lieber. In diesem Sinne: Nichts für ungut und gute Nacht!«

Es war einer meiner allerbesten Abgänge. Und ich bin prädestiniert für tolle Abgänge! Fragen Sie meine Schwester Jutta!

Als Fazit blieb: eine neue Männerbekanntschaft, eine neue Frustration. Aber eine, die sich in Grenzen hielt. Immerhin: Ich brauchte mir nur vorzustellen, wie die meisten meiner Statistenkolleginnen an meiner Stelle gehandelt hätten! Ha, die hätten das Bumsen mit einem Regisseur doch als die Erfüllung ihres armseligen, kleinen Lebens betrachtet!

Ich war zufrieden mit mir. Gut, seit der Sache mit Uwe hatte ich ein gebrochenes Herz. Aber dafür würde ich nie wieder so schnell auf jemanden hereinfallen. Endlich hatte ich den absoluten Super-Hyper-Mega-Durchblick, was Männer anging! Ich fand mich richtig gut.

Kapitel 16

Die allermeiste Zeit über frage ich mich ganz ernsthaft, wieso ich mir überhaupt den unerhörten Luxus eines Telefons leiste. Mich ruft doch sowieso nie jemand an!

Der Tag nach meinem verunglückten Rendezvous mit Meister Weinberg gehörte wirklich zu den äußerst seltenen Ausnahmefällen. Ich erhielt drei Anrufe, was hinsichtlich der monatlich zu zahlenden Telefongebühren ein wildes Glücksgefühl in mir auslöste und außerdem für jemanden wie mich einen echten Rekord bedeutete.

Der erste Anrufer war meine Schwester Jutta.

»Hallo, Mona! Du, ich wollte mal fragen, wie es gestern war. Ich habe zwar nicht kapiert, was du von mir wolltest, aber du hast dich doch mit irgend jemandem getroffen, nicht? Also, mit wem denn? Mit einem Mann, oder? War das jetzt dein Chef oder ein Regieheini, oder was war denn?«

Das war meine Jutta! Keine Ahnung, um was es ging, aber neugierig. Vor allem, wenn sie hinter der ganzen Sache eventuell eine aufkeimende Love-Story witterte! Und das tat sie grundsätzlich. Bloß, weil sie den erstbesten Staubfänger geheiratet hatte, bildete sie sich ein, daß jede andere Frau genauso anspruchslos war. Selbst die geplatzte Trauung mit Helmut hatte sie nicht von dieser Vorstellung kurieren können.

Ich enttäuschte sie ungern, aber ich erzählte ihr trotzdem die Wahrheit.

»Es war ein Regisseur, Jutta. Er hat mich neulich im Casino gesehen und sich daraufhin bei meinem Chef nach mir erkundigt.«

»Er hat sich nach dir erkundigt? Wieso das denn?«

Sie war heute mal wieder besonders nett zu mir!

»Er wollte mich kennenlernen, verdammt noch mal! Ist das so abwegig?«

Sie verzichtete auf eine nähere Erörterung dieser Frage.

»Ja und, wie war's?«

»Katastrophal«, gab ich zu.

»Das wundert mich gar nicht«, blieb Jutta unbeeindruckt, »alles, was mit Männern zusammenhängt, endet bei dir in einer Katastrophe!«

Na ja, möglicherweise hatte sie gar nicht so unrecht, trotzdem fühlte ich mich verpflichtet, mich zu verteidigen.

»Jutta, ich dachte, er wollte mich bei seiner Produktion einsetzen, statt dessen wollte er bloß mich!«

Jutta gab ein Geräusch von sich, das an die Agonie eines Sterbenden erinnerte.

»Mona, wenn ich das höre! Er wollte bloß dich! O Himmel! Ich habe keine Ahnung, wie du das fertigbringst: Die tollsten Männer interessieren sich für dich. Erst ein Schauspieler, jetzt sogar ein Regisseur. Aber was machst du? Du gibst ihnen einen Tritt! Bist du eigentlich noch zu retten? Wegen eines kleinen, unbedeutenden Fotografen läßt du die besten Männer sausen! Das ist doch krankhaft!«

Ich hätte ihr sagen können, daß sie absolut keine Ahnung davon hatte, was es hieß, einen Tritt zu bekommen. Daß die Männer, die sie als toll bezeichnete, um keinen Deut besser waren als der ganze erbärmliche Rest. Daß sie keinen blassen Schimmer von Liebe hatte. Daß ich diesen »kleinen, unbedeutenden Fotografen« womöglich nie wiedersehen würde, was einerseits gut war und andererseits – egal, Schwamm drüber. Daß sie eine dämliche Kuh war.

Aber ich war zu müde, um ihr all das zu sagen. Zu müde und viel zu enttäuscht und zu desillusioniert. Ich sagte nur:

»Stimmt. Du hast es erfaßt.«

Nun folgte ein langer Vortrag über meine kaputte Lebenseinstellung und meine verkorksten Ansichten. Ich wußte, das konnte eine Weile dauern. Also legte ich den Telefonhörer beiseite, rauchte eine Zigarette – und wartete. Als ich die Zigarette ausgedrückt hatte, hielt ich probeweise den Hörer ans Ohr und vernahm gerade rechtzeitig Juttas Worte:

»Hast du mir auch gut zugehört?«

»Klar habe ich dir zugehört, Jutta!«

»Und wirst du dir meine Ratschläge auch zu Herzen nehmen?«

»Natürlich, Jutta, todsicher!«

Ich konnte ihr zufriedenes Lächeln deutlich vor mir sehen! Nun, da sie sich so ausgiebig mit meinen lächerlichen Problemen befaßt hatte, mußte ich mir selbstredend auch ihre weltbewegenden Sorgen anhören.

»Mona, ich muß dir von Rolfi erzählen!«

Ja, genau das hatte ich befürchtet.

»Rolf hat sich so verändert! Er kümmert sich plötzlich so um die Kinder! Und nicht nur das! Er hat gestern abend sogar den Küchenfußboden aufgewischt!«

Sie sagte das in einem Ton, als hätte er das Haus in die Luft gesprengt.

»Äh, ich verstehe nicht ganz, Jutta.«

»Was gibt es denn da zu verstehen? Das ist nicht mehr mein Rolf! So benimmt sich doch kein Mann! Schon gar nicht er! Er muß diese Dinge nicht tun! Das ist meine Aufgabe!«

Ha! Das war es! Es waren Frauen wie Jutta, die unser gesamtes Emanzipationsstreben zunichte machten! Durch ihr Verhalten bestärkten sie die Männer in dem Glauben, daß ein Paschaleben ihrer natürlichen und gottgegebenen Daseinsform entsprechen müßte!

»Mona, glaubst du, Rolf ist vielleicht krank?«

»Wer weiß? Wie willst du das feststellen? Einen besonders gesunden Eindruck im geistigen Sinne hat er auf mich noch nie gemacht!«

Natürlich war sie gleich wieder eingeschnappt und legte kommentarlos auf – was ich nur aufrichtig begrüßen konnte.

Der zweite Anruf kam von meiner schwägerlich angeheirateten Freundin: von Lotta!

»Monaleinchen«, kicherte sie ins Telefon, »ich habe gerade eine urkomische Talk-Show im Fernsehen angeschaut. Das Thema hieß: Auf die Zentimeter kommt es an! Göttlich, sage ich dir, einfach göttlich!«

»Zentimeter«, fragte ich verwirrt, »was denn für Zentimeter?«

»Ach, Kind, bist du manchmal naiv! Na, eben diese Zentimeter! Sag mal, kannst du dir das vorstellen: dreiundzwanzig Zentimeter? Ist das die Möglichkeit?«

Offenbar hatte jede Frau außer mir ein Lineal auf ihrem Nachttisch!

»Das ist nett, Lotta, daß du mich extra deswegen anrufst!«

»Quatsch mit Soße, deswegen rufe ich bestimmt nicht an. Hast du morgen nachmittag schon etwas vor? Wenn nicht, dann komm doch zum Kaffee zu mir. Du hast dich schon so lange nicht mehr bei mir blicken lassen!«

»Ja, das mache ich sehr gern, aber … Sag mal, du wirkst so aufgedreht. Ist irgend etwas?«

»Ach wo, mir geht's prima. Nur mein Rücken bereitet mir Malheur. Wahrscheinlich das Alter.«

»Lotta, du bist doch nicht alt!«

»Natürlich nicht! Außerdem gehe ich zweimal die Woche zur Krankengymnastik bei einem ganz himmlischen jungen Mann!«

Aha, daher wehte der Wind! Ich hatte nie gewußt, daß Lotta auf junge Männer stand. Blieb nur zu hoffen, daß sie sich Jutta und Rolf gegenüber ein bißchen weniger vertrauensvoll verhielt – die beiden würden sie glatt für unmündig erklären lassen.

»Ein junger Mann, so, so. Wie jung denn ungefähr?«

»Och, ich weiß nicht, etwa in deinem Alter. Erzähle ich dir alles morgen. Kommst du etwa gegen sechzehn Uhr?«

»Okay, Lotta. Bis morgen!«

Nach zwei Anrufen glaubte ich nun endlich meine Ruhe zu haben. Irrtum.

Als gegen zehn Uhr abends das Telefon schon wieder klingelte, setzte für eine Sekunde mein Herzschlag aus. Uwe, schoß es mir durch den Kopf. Natürlich konnte er es nicht sein.

Dem war ja sowieso egal, was aus mir wurde. Außerdem war er ein Miststück, und ich würde nie wieder auch nur ein Wort mit ihm wechseln. Trotzdem stürzte ich zum Telefon, riß den Hörer herunter und keuchte atemlos:

»Ja, hallo?«

»Hallo«, ertönte eine quietschfidele Stimme, »hier ist Wolfgang Weinberg. Es macht dir doch hoffentlich nichts aus, daß ich so spät noch anrufe!«

»Nein«, murmelte ich mürrisch und tief enttäuscht. »Was gibt's denn? Woher hast du meine Telefonnummer?«

»Ach, das war leicht«, verkündete er fröhlich, »ich habe eine Weile deinen Chef belabert – der hat allerdings auf stur geschaltet, und dann kam ich auf die Idee, mal ins Telefonbuch zu schauen. Gut, was?«

»Genial«, bestätigte ich sarkastisch. »Die Idee solltest du dir patentieren lassen!«

Er lachte nervös.

»Weißt du, das war jetzt schon das zweite Mal: Wir treffen uns im Casino, und plötzlich stehst du einfach auf und machst dich davon. Hat das irgendwie mit mir zu tun, oder ist das nur deine ganz spezielle Masche?«

»Sag mal, was willst du eigentlich von mir?« erkundigte ich mich nur ein ganz kleines bißchen feindselig.

»Ich will dich kennenlernen. Du interessierst mich.«

Seine Offenheit hatte beinahe schon wieder etwas Entwaffnendes.

»Kennenlernen«, höhnte ich, »ja, das kann ich mir gut vorstellen! Paß auf: Ich bin weder ein geheimnisvolles sexuelles Neuland, das es zu erforschen gilt, noch bin ich ein buntes Wundertier. Also vergiß es, und konzentriere dich lieber auf deinen ›Oliver!‹.«

»Das will ich doch«, erwiderte er harmlos. »Ich habe, wie du weißt, die Aufführungsrechte für ›Oliver!‹ erworben. Aber ich habe an der deutschen Übersetzung ein wenig herumgebastelt. Na ja, es würde mich interessieren, was du von dem Ganzen hältst.«

Ach so. Sein Interesse galt also nur der Schriftstellerin in mir. Wunderbar, meine Meinung war gefragt, ich wurde gebraucht!

Halt, beschwor ich mich. Uwe hatte auch immer gesagt, er brauche mich. Für ihn hatte ich auch diverse Texte verfaßt – mit dem sensationellen Ergebnis, daß er mich doch bloß fürs Bett haben wollte, während seine ach-so-unsterbliche Liebe nur dieser Lisa gegolten hatte … dieser elende Scheißkerl … und überhaupt diese ganzen Männer! Hielten die mich alle für doof? Dachten sie, ich wäre nicht lernfähig, sondern würde für alle Zeiten auf sie hereinfallen?

»Das ist typisch für euch Männer«, tobte ich, »denkt ihr, ich wäre doof? Glaubt ihr tatsächlich, ich würde auf so einen Schmus hereinfallen? Ihr tut so, als brauchtet ihr mich, als interessiere euch meine Meinung, dabei wollt ihr bloß mit mir ins Bett gehen! Aber nicht mit mir! Ich bin nämlich lernfähig!«

So, dem hatte ich es aber gegeben!

Am anderen Ende der Leitung blieb es still.

»Was ist«, rief ich, »hat es dir die Sprache verschlagen?«

»Ehrlich gesagt, ja«, murmelte Wolfgang. »Es tut mir leid, wenn ich dich verärgert habe. Wahrscheinlich bin ich mal wieder mit der Tür ins Haus gefallen. Deine Meinung hätte mich wirklich interessiert, aber wenn du nicht willst ...«

Ich war ernsthaft gewillt, ihn nicht zu mögen, trotzdem hatte er es geschafft: Ich hatte ein total schlechtes Gewissen, nur weil ich etwas heftig gewesen war!

»Es geht nicht darum, ob ich will oder nicht«, sagte ich leise.

»Weißt du was«, antwortete er mit stark aufgesetzter Heiterkeit, »ich gebe dir meine Telefonnummer, und falls du es dir anders überlegst, rufst du mich an! Einverstanden?«

»Einverstanden«, murmelte ich.

Ich notierte mir zwar seine Nummer, und wir verabschiedeten uns auch recht freundlich, aber anrufen würde ich ihn ganz sicher nicht. Wie kam ich denn dazu!!!

Lotta war so reizend und aufmerksam zu mir, wie sie es immer war. Sie schenkte mir Kaffee ein, sie schenkte mir einen Sherry ein, sie bot mir ihre wunderbaren, nicht selbstgebackenen Kekse an, sie erkundigte sich nach meinem Befinden, nach meinem Liebesleben – ha, ha – und nach meiner Arbeit. Irritierend war bloß, daß sie alle zwei Minuten nach der Uhr schielte.

»Lotta, bist du in Eile?«

Ertappt zuckte sie zusammen.

»In Eile? Wieso?«

»Weil du dauernd auf die Uhr schaust! Mußt du noch weg?«

»Ich? Nein, natürlich nicht. Es ist nur so ... na ja, ich erwarte noch jemanden.«

Ich hatte einen entsetzlichen Verdacht, aber ... nein, das würde Lotta doch niemals fertigbringen! Trotzdem erkundigte ich mich:

»Wen denn? Männlich oder weiblich?«

»Männlich«, murmelte sie und wurde doch tatsächlich ein wenig rot.

Der Verdacht bestand nach wie vor, aber ich weigerte mich, daran zu glauben.

»Ein Freund von dir, ja? Soll ich besser gehen? Es macht mir nichts aus, ich will euch ganz bestimmt nicht stören!«

»Nein«, rief sie hastig, »du störst doch nicht! Ich habe ihn ja hauptsächlich wegen dir eingeladen! Es ist dieser nette junge Mann, zu dem ich immer gehe – wegen der Krankengymnastik! Bleib nur hübsch sitzen, er kommt sicher gleich!«

Verdammter Mist, ich hatte recht gehabt! Kein Wunder, ich hatte ja immer recht! Das konnte einfach nicht wahr sein!

»Lotta! Du als Kupplerin! Das ist Juttas Rolle, nicht deine! Wieso könnt ihr mich denn nicht alle in Ruhe lassen! Das hätte ich dir nie zugetraut, ich dachte, wir wären Freunde!«

»Das sind wir ja auch«, stammelte Lotta verlegen, »und was heißt hier Kupplerin! Ich kuppele doch überhaupt nicht! Das ist ein wirklich reizender Mann. Du solltest mehr nette Menschen um dich haben. Du bist viel zu oft allein. Ihr werdet euch sicher gut unterhalten. Ich habe ihm viel von dir erzählt. Nun sei nicht gleich wieder eingeschnappt. Ich meine es ja nur gut!«

»Klar«, schrie ich erbost, »die Welt ist voll von Leuten, die es gut mit mir meinen! Aber darauf pfeife ich!«

Lotta blickte reichlich betreten drein.

»Apropos«, fuhr ich fort, »wann wollte dein junger Mann eigentlich antreten?«

»Um vier«, flüsterte Lotta eingeschüchtert, »keine Ahnung, wieso er noch nicht hier ist!«

»Aha«, stellte ich nicht ohne Genugtuung fest, »der gute Mensch ist unpünktlich! Es ist bereits halb fünf! Vielleicht kommt er gar nicht mehr! Na, hoffentlich! Ich lege nicht den geringsten Wert auf seine Bekanntschaft!«

Lotta wußte nichts mehr zu erwidern. Sie wirkte außerordentlich beschämt.

Die Zeit verrann. Wir tranken noch mehr Kaffee, noch mehr Sherry, wir aßen noch mehr Kekse. Eigentlich war es empörend. Wie konnte jemand, der so viel von mir gehört hatte, freiwillig auf eine Begegnung mit mir verzichten!

Um dreiviertel sechs klingelte es an Lottas Wohnungstür.

»Das ist er«, rief sie enthusiastisch und stürzte davon.

Kurz darauf erschien sie mit einem großen, schlanken, gutaussehenden Mann.

»Mona«, strahlte sie, »das ist Robert Schmechler! Herr Schmechler, das ist Mona Manntey, die Schwester meiner Schwiegertochter – und meine Freundin!«

Ich schüttelte seine Hand und bemerkte:

»Sie sind genau eine und eine dreiviertel Stunde zu spät! Finden Sie das in Ordnung?«

»Ich habe eben noch so lange vor dem Spiegel gestanden«, grinste er.

»Vor dem Spiegel, so, so. Ich dachte, nur die Weiber wären so verdammt eitel!«

»Nein, nein«, grinste er immer noch.

Ich begutachtete seine Aufmachung: Jeans und T-Shirt. Dafür hatte er so lange gebraucht?!

»Es hat sich nicht gelohnt«, stellte ich fest.

Lotta sah mich böse an, was ich tunlichst ignorierte.

Wir setzten uns und spielten »gemütlicher Kaffeeklatsch unter gemütlichen Menschen«.

»Das ist ein ganz toller Kaffee«, lobte Herr Schmechler.

»Ja«, sagte ich.

»Ein ganz besonders toller Kaffee«, bekräftigte er seine Aussage.

Lotta lächelte, ich nickte.

»Ach, ja«, meinte Herr Schmechler.

Lotta und ich lächelten hilflos.

»Ja, ja«, sinnierte Herr Schmechler.

»Tja«, sagte Lotta äußerst vielsagend.

»Ach, ja. Ja, ja«, ergänzte Herr Schmechler. Er nahm einen großen Schluck, lehnte sich bequem zurück und griente fröhlich in die Runde: »Ja, ja, ja. Ach, ja. Ja.«

Du lieber Himmel, wie lange sollte das denn noch so weitergehen? Ich spielte ernsthaft mit dem Gedanken, ihn den Geiern zum Fraß vorzuwerfen!

Ich beschloß, der Sache ein Ende zu machen, und fragte:

»Wie alt bist du eigentlich?«

(Ich hatte mich kurzfristig entschieden, ihn zu duzen – ich würde doch diesen notorischen Ja-ja-ach-ja-Sager nicht mit Sie ansprechen!)

Er lächelte irritiert und meinte:

»Wie alt? Nun, das sage ich nicht ... Wir Männer sind eitel!«

»Ich hasse Männer«, unterrichtete ich ihn freundlich.

»So, so«, stellte er fest, »du haßt Männer! Ja, ja!«

Ich bin normalerweise ein geduldiger Mensch, aber das war sogar mir zuviel.

»Also, was ist jetzt?« fragte ich in barschem Tonfall. »Verrätst du mir nun dein Alter, oder muß ich raten?«

»Rate«, forderte er mich auf.

»Neununddreißig«, schätzte ich. Er sah nicht wie neununddreißig aus. Ich wollte ihn nur ein bißchen provozieren.

»Zweiunddreißig«, gab er zu.

»Na, bitte«, spottete ich, »das hat doch gar nicht weh getan!«

Lotta funkelte mich vorwurfsvoll an. Sollte sie doch.

»Ich habe einen sehr guten Rotwein da«, rief sie plötzlich, »den könnte ich aufmachen!«

Herr Schmechler und ich nickten zustimmend – das erste und letzte Mal, daß wir einer Meinung waren. Wir füllten unsere Gläser, und was soll ich Ihnen sagen? Der gute Robert schien sich zusehends zu entspannen.

»Hat jemand was dagegen, wenn ich rauche?« erkundigte ich mich.

Nicht, daß es mich interessiert hätte – ich wollte mir nur nicht nachsagen lassen, ich wäre unhöflich.

»Ja, ich habe etwas dagegen«, meldete sich Robert, »ich bin nun mal ein Vernunftskrüppel!«

»Pech gehabt!« Ich zündete mir eine Zigarette an. »Du gehörst wohl zu den ganz militanten Gesundheitsfanatikern, wie? Du weißt zwar, daß du irgendwann sowieso sterben mußt, aber du willst wenigstens gesund sterben!«

Das hätte ich mir besser verkneifen sollen! Augenblicklich legte er los:

»Das gibt mir aber schwer zu denken, daß du so leichtfertig über den Tod redest! Ich hatte solche Gedanken früher auch schon, aber dann fielen mir die Werke verschiedener Philosophen in die Hände. Dadurch habe ich mein inneres Gleichgewicht wiedergefunden! Du solltest diese Bücher auch mal lesen, und wenn du dich dann gefangen hast, mußt du nie wieder über den Tod nachdenken!«

Ich war einigermaßen perplex.

»Nun halt aber mal die Luft an! Ich denke nicht ständig über den Tod nach! Meine Aussage war eher flapsig gemeint!«

»Ja, trotzdem«, beharrte er auf seinem Standpunkt, »das sagst du jetzt so daher. Aber wenn du wirklich glücklich bist, liegen dir solche Gedanken total fern!«

»Verdammt«, ärgerte ich mich, »ich bin ein ironischer Mensch, und wenn du jedes Wort von mir auf die Goldwaage legen willst, dann ist das dein Problem!«

»Ironisch, ja, das war ich früher auch. Aber das ist schlecht. Damit erschwerst du dir nur das Leben und blockst den Zugang zu deinen Mitmenschen ab.«

»Peter Ustinov war mit seiner Ironie allerdings immer recht erfolgreich«, sagte ich, was ein grober Fehler von mir war, denn dadurch blockte ich den Zugang zu meinem Mitmenschen Robert Schmechler ab – was mich allerdings nicht besonders bekümmerte. Prompt bekam ich zu hören:

»Du solltest keine so hochtrabenden Vergleiche anstellen. Nimm einen wohlgemeinten Rat von mir an: Drück dich verständlich und klar aus, dann wird dich jeder verstehen können, und du wirst es viel leichter im Leben haben!«

Am liebsten hätte ich mich glasklar ausgedrückt und den Kerl unmißverständlich hinausgeworfen, aber man wirft niemanden aus einer Wohnung, die einem nicht gehört. Folglich beschränkte ich mich darauf, mit müder Stimme zu murmeln:

»Ach, ich pfeif drauf.«

»Was denn, du pfeifst auf die Menschen? Also, ich nicht. Ich möchte ein weiser alter Mann werden, zu dem die Leute kommen und sich Rat erbitten. Außerdem werde ich mal eine überaus glückliche Ehe führen.«

»Ja«, rief ich höhnisch, »bist du dir da so sicher?«

Offenbar war er sich sehr sicher. Ich sah Lotta an, sie sah mich an. Ich glaube, spätestens jetzt dämmerte ihr, daß diese Einladung der pure Schwachsinn gewesen war.

Mir war klar, daß ich diesen Menschen nicht leiden konnte, da ich aber dagegen bin, Leute allzuschnell zu verurteilen, gab ich ihm eine letzte Chance. Ich stellte ihm meine persönliche Gretchenfrage – die allerdings mit Religion nicht das geringste zu tun hatte!

»Sag mal, Robert, magst du Hunde?«

»Jein«, antwortete er.

»Was soll das heißen?« rief ich kriegerisch. »Jein ist doch keine Antwort! Wieso kannst du nicht einfach ja sagen?«

»Nun, dann sage ich doch lieber nein«, entgegnete er.

»Pfui Teufel«, flüsterte ich voller Verachtung.

Ich hatte ja gleich gewußt, daß ich diesen Kerl nicht mochte! Ich hätte besser auf mich hören sollen! Natürlich hatte der liebe Schmechler eine entsprechende Erklärung auf Lager:

»Ein Hund ist doch bloß eine hirnlose Töle, die überall das Bein hebt.«

»So ein Quatsch«, rief ich und dachte an Zerberus, »ein Hund ist ein Freund!«

»Aber nur, weil er vom Menschen abhängig ist«, erklärte Robert. »Und der Mensch benutzt den Hund nur, um seine Neurosen auf ihn zu übertragen. Wenn du in einer wirklich harmonischen Beziehung lebst, brauchst du keinen Hund!«

»Ich kenne eine Frau«, warf ich ein, »die glücklich verheiratet ist, vier Kinder hat, außerdem zwei Katzen und einen Hund – und die einen recht zufriedenen Eindruck macht!«

»Nein«, meinte Robert, »so toll kann das alles gar nicht sein. Dieser Frau fehlt etwas, sonst brauchte sie die vielen Tiere nicht. Tiere sind nur ein Ersatz.«

»Eine Bereicherung«, sagte ich ernst.

»Nein, ein Ersatz!« Schmechler blieb dabei.

»Aber du lebst wohl in einer perfekten Beziehung«, höhnte ich.

»Nein, noch nicht. Aber das werde ich eines Tages. Dafür habe ich

Superfreunde. Besonders eine Frau, die ich sehr liebe. Ihren Mann liebe ich inzwischen auch.«

»Ach so, du bist bisexuell«, stellte ich trocken fest.

»Nein«, wehrte er entgeistert ab, »ich bin ganz normal!«

»Fragt sich nur, was heutzutage normal ist«, knurrte ich. »Egal: Was sagt denn der Mann dazu, daß du mit seiner Frau in die Kiste steigst?«

»Das tue ich ja nicht«, behauptete Robert, »die Sache ist rein platonisch.«

Platonisch, so, so. Gut, wenn er das sagte ... Aus purem Protest zündete ich mir noch eine Zigarette an.

»Um auf die harmonische Beziehung zurückzukommen ...« – Konnte der Kerl nicht endlich Ruhe geben? – »In einer echten, harmonischen Beziehung braucht man eigentlich keine Worte mehr. Man kann die Gedanken des anderen erraten. Es gibt keinen Streit und keine Mißverständnisse.«

»Was hast du gegen einen netten kleinen Streit?« fragte ich. »Das kann doch ganz wohltuend sein.«

»Nein«, protestierte er, »was heißt wohltuend? Wenn deine Beziehung harmonisch ist, dann brauchst du das nicht. Schade, daß du das noch nicht erkannt hast.«

»Nix da mit schade«, gähnte ich, »ich stelle es mir sterbenslangweilig vor.«

»Nein«, strahlte er, »das ist das Spannendste überhaupt. Man hat dann so seine Momente, zum Beispiel wenn man zusammen in völligem Einklang den Abwasch macht und sich dabei vollkommen nahe ist und kein Wort reden muß. Etwas Tolleres gibt es nicht. Das ist echte Harmonie. So stelle ich mir meine Ehe vor.«

Schön, sollte er weiterträumen.

»Eines wundert mich«, bemerkte ich, »nämlich, daß du so entsetzt darauf reagierst, wenn jemand über den Tod nachdenkt. Deine Harmoniebeschreibung klingt mir ziemlich nach Gruftie-Elysium.«

Nun mußte ich einen längeren Vortrag über mich ergehen lassen.

»Du bist einfach noch nicht soweit, sonst würdest du nicht so reden. Weißt du, ich kenne aus der Praxis ein ganz bezauberndes Mädchen, mit der ich mir vorstellen könnte, etwas anzufangen. Sie ist erst zweiundzwanzig, ich könnte sie also noch relativ leicht formen. Aber dann denke ich, eine etwas ältere und reifere Partnerin, der ich nicht soviel beibringen muß, wäre vielleicht doch idealer. Immerhin, du bist intelligent und lernfähig. Bei der Frau, von der ich vorhin erzählte, hat es auch ein ganzes Jahr gedauert, bis sie soweit war wie jetzt. Und nun verstehen wir uns einwandfrei! Hol dir mal was zu schreiben, ich nenne dir die Bücher, die du lesen mußt. Dann wirst du viel klarer sehen.«

Ich weigerte mich nicht nur vehement, ich verkündete ihm außerdem, daß ich seine selbstherrliche Einstellung zum Kotzen fand.

»Verdammt noch mal, Robert, entweder du liebst einen Menschen, wie er ist, oder du läßt es bleiben. Jemanden zu formen – igitt! Allein bei dieser Vorstellung hebt sich mein Magen!«

»Will jemand noch ein Glas Wein?« lachte Lotta nervös.

Ja, Herr Schmechler nahm sehr gern noch ein Glas Wein.

Ich hingegen war fest entschlossen, das Thema zu wechseln, und wandte mich ostentativ an Lotta – und zwar ausschließlich an sie!

»Sag mal, Lotta, was hörst du denn so von deiner Lieblingsschwiegertochter, beziehungsweise meiner allerliebsten Lieblingsschwester?«

»Jutta? Die rief mich vor ein paar Tagen an und erzählte mir, daß Rolf sich seit einiger Zeit so merkwürdig benimmt – daß er plötzlich im Haushalt mithilft und sich wie verrückt um die Kinder kümmert. Ich habe eigentlich gar nicht verstanden, was sie von mir wollte.«

»Komisch! Mir hat sie dasselbe in Grün erzählt! Aber besonders erfreut klang sie darüber absolut nicht.«

»Es ist schon sonderbar«, seufzte Lotta, »ich habe meinen Sohn so emanzipiert und liberal erzogen. Und was ist jetzt? Meine Schwiegertochter beklagt sich geradezu darüber, daß er mit dreißig Jahren endlich seine Pascha-Allüren ein wenig drosselt! Ich weiß nicht, was ich verkehrt gemacht habe!«

»Dürfte ich etwas dazu sagen?« meldete sich Robert Schmechler zu Wort.

»Nein«, schnauzte ich ihn an. Offensichtlich war es ein Ding der Unmöglichkeit, irgend etwas von sich zu geben, das unverfänglich genug war, um diesen Menschen daran zu hindern, seinen ach-so-wertvollen Kommentar dazu abzugeben!

»Ich spüre eine gewisse familiäre Feindseligkeit«, mißachtete Robert mein Veto, »Mona scheint gewisse Konflikte mit ihrer Schwester auszutragen, und Sie, Frau Genshofer, scheinen mit Ihrem Sohn auch nicht völlig einverstanden zu sein. Es ist folgendermaßen: Ein Kind ist bereits mit sechs Jahren geprägt für den Rest seines Lebens. Je nachdem, wie das Verhältnis zu den engsten Bezugspersonen aussieht, entwickelt es entweder ein Skript oder ein Gegenskript. Ihr Sohn hat wohl ein Gegenskript entwickelt, er ist ganz anders als Sie – wahrscheinlich, weil Ihre Erziehung für ihn nicht gerade optimal war. Und Mona – du und deine Schwester seid wahrscheinlich auch völlig verschieden. Eine von euch muß ein Skript, die andere das Gegenskript aufgebaut haben! Die Grundlage dafür wurde, wie gesagt, in den ersten sechs Lebensjahren gelegt. In dieser Zeit entwickelt man die gesamte Persönlichkeit, und eine wesentliche Veränderung findet nicht mehr statt. Das habe ich in einem Buch gelesen, es stammt von ...«

(An dieser Stelle nannte er den Verfasser, aber ich fand diese Theorie so abstrus, daß ich mir den Namen nicht gemerkt habe. Ich weiß nur noch, daß der Vorname Anthony war.)

»Das ist der größte Unsinn, den ich je gehört habe«, stellte ich fest. »Meine ersten sechs Lebensjahre waren total easy – der Ärger ging erst los, als ich in die Schule und später aufs Gymnasium kam. Diese Zeit hat mich geprägt! Und von wegen Skript und Gegenskript: Denkst du nicht, man sollte jedem Menschen seine individuelle Entwicklung zugestehen, statt ihn in ein allgemeingültiges Schema zu pressen? Wir reden schließlich von Menschen und nicht von mathematischen Formeln.«

Sogar Lotta war jetzt leicht erzürnt:

»Was soll das heißen: Meine Erziehung war für meinen Sohn nicht optimal?«

Robert lehnte sich voller Behaglichkeit zurück und verkündete fröhlich lächelnd:

»Kein Grund zur Aufregung! Es ist so, wie ich es gesagt habe!«

Ich kochte innerlich, Lotta wurde beinahe grün im Gesicht. Wir hätten uns inzwischen beide liebend gern diesen Besuch vom Hals geschafft, doch ich hatte nicht das Recht, Lotta nicht das Herz, ihn vor die Tür zu setzen.

»Wie kommst du mit deinem neuen Buch voran?« fragte sie mich mit einem Anflug von Verzweiflung – und hatte mit dieser unschuldigen Frage, ohne es zu wollen, bereits ein neues Feuerchen für Herrn Schmechler geschürt.

»Ach ja, Frau Genshofer hat mir erzählt, daß du Bücher schreibst. Wie arbeitest du: Schreibmaschine, Computer, handschriftlich?«

»PC«, antwortete ich arglos, denn dieses Thema erschien mir nun wirklich recht ungefährlich.

»So, so. Du beherrschst sicherlich das Zehnfingersystem?«

»Nein«, gab ich zu, denn ich bin ja ein ehrlicher Mensch.

»Wie bitte? Eine Schriftstellerin, die nicht mal das Zehnfingersystem draufhat?«

»Das ist nicht unbedingt nötig. Ich komme auch ohne ganz flott voran. Außerdem bin ich keine Sekretärin, die fertige Briefe abtippt. Ich muß mir jeden einzelnen Satz ausdenken, und das braucht sowieso seine Zeit. Das ginge mit irgendeinem System auch nicht unbedingt schneller! Ich formuliere, während ich schreibe!«

Wieso hatte ich nicht einfach lügen können? Warum war ich bloß so verdammt wahrheitsliebend? Hätte ich nicht einfach behaupten können, ja, natürlich beherrsche ich das Zehnfingersystem, und selbstverständlich schaffe ich zweihundertachtzig Anschläge pro Minute? Egal. Jetzt war es sowieso zu spät.

Herr Schmechler hatte erneut Gelegenheit, sich zu produzieren: Was ich für eine engstirnige Einstellung hätte. Selbstverständlich müßte ich dieses System schnellstmöglich erlernen. Das hätte mir eigentlich längst klarwerden müssen. Auf diese Weise könnte ich meine Energien ausschließlich für den kreativen Teil nutzen und brauchte nicht buchstabensuchend meine Zeit zu vergeuden. Dieses Einsparen von Zeit und Energie würde meinen Büchern nur zugute kommen, bestimmt würde deren Qualität gewaltig gesteigert werden. (An dieser Stelle erkundigte ich mich, ob er denn jemals etwas von mir gelesen hätte, aber er schüttelte bloß den Kopf.) Er, Robert Schmechler, ja er beherrschte das System! Er hatte es nicht auf der Schule oder in einem Kursus erlernt, er hatte es sich selbst beigebracht! Er hatte ein Buch mit dem Titel: Maschineschreiben leicht gemacht! Das hatte er genau studiert und es dann anhand des Zehnfingersystems abgetippt, danach hatte er es zur Übung noch einmal in seinen Computer eingetippt. Ja, er war der geborene Autodidakt. Und jetzt brachte er sich noch das Schnellesen bei, denn es war ja Blödsinn, jedes einzelne Wort zu lesen, sicher gab es Leute, die zum Vergnügen lasen, aber das war ja auch wieder nur Zeitverschwendung, wo es doch genügte, mit Hilfe des systematischen Querlesens die effizienten Kernaussagen zu erfassen und ...

Ich schaltete auf Durchzug. Dieser Mann hätte jeden Diplompsychologen in die Irrenanstalt bringen können, von Normalsterblichen ganz zu schweigen.

»Um Himmels willen«, kreischte Lotta, plötzlich dem Wahnsinn nahe, »nun sag doch endlich, daß du dir das verfluchte System aneignen wirst – sonst hört er ja gar nicht mehr auf!«

Herr Schmechler lächelte hochbefriedigt und verkündete, er müsse mal für kleine Jungs.

»Lotta, ich gehe nach Hause«, raunte ich ihr zu, nachdem er den Raum verlassen hatte, »ich sterbe vor Hunger. Das hier ist anstrengender als Bäumefällen!«

»Bitte, bitte bleib hier«, flehte sie, »ich kann doch eine Kleinigkeit vorbereiten!«

»Bist du übergeschnappt? Diesen Verrückten darf man auf keinen Fall füttern, sonst geht er niemals nach Hause. Warte, bis er hungrig wird. Dann geht er von selbst.«

Robert Schmechler kam zurück und fragte freudestrahlend:

»Wo waren wir stehengeblieben?«

Vielleicht brauchte dieser Mensch gar nichts zu essen? Vielleicht genügte es ihm, seine Mitmenschen in den Selbstmord zu treiben? Während Lotta und ich steif vor Erschöpfung und mit laut knurrendem Magen auf ein Wunder hofften, geriet Robert immer mehr in Fahrt. Ich gab praktisch so gut wie überhaupt nichts mehr von mir, außer einigen Kommentaren wie:

»Wird dir nicht übel, wenn du solch eine Scheiße proklamierst?« oder

»Ist dein Akku bald leer, oder bist du ein Perpetuum mobile?« oder

»Mußt du die Welt ausgerechnet in diesen vier Wänden verbessern?«

Um elf Uhr abends gab er bekannt: »Ich habe Hunger!«

Lotta und ich fielen uns beinahe in die Arme vor Erleichterung: Er hatte Hunger, endlich würde er gehen!

»Darf ich Ihr Telefon benutzen, Frau Genshofer? Ich würde mir gerne eine Pizza bestellen!«

Er gab seine Bestellung auf, und wir brachen in Tränen aus. Zehn Minuten später hatten wir die Ehre, Robert Schmechler beim Pizzaessen zuzusehen. Als besagte Mafiatorte radikal verputzt war, fragte er: »Sie haben wohl keinen Hunger? Sonst hätte ich Ihnen auch eine Pizza spendiert. Aber Sie haben ja nichts gesagt.«

Er verabschiedete sich dann auch bald, es war erst halb eins. Er schüttelte Lotta überaus herzlich die Hand, umarmte mich noch weitaus herzlicher und meinte:

»Du bist eine tolle Frau, Mona. Gewiß, du mußt noch sehr viel lernen, aber du gehörst zu den Menschen, die an sich arbeiten können. Sei nicht traurig, wir sehen uns bestimmt wieder.«

»Ich bin ganz und gar nicht traurig«, ächzte ich.

Kaum hatte er die Wohnungstür von außen geschlossen, stürzten Lotta und ich in die Küche und kochten uns einen großen Pott Zwiebelsuppe aus der Tüte. Fragen Sie mich nicht – in dieser Nacht hatte ich die schlimmsten Blähungen meines Lebens.

Ich traf Robert Schmechler tatsächlich noch einmal wieder. Es war an einem sonnigen Tag, ich ging gerade ein bißchen spazieren, er war mit dem Fahrrad unterwegs.

»Hallo«, rief ich ihm zu.

»Hallo«, grinste er blöde und starrte mich an, als seien wir uns noch nie zuvor begegnet.

»Ich nutze das schöne Wetter aus«, sagte ich.

»Ja«, meinte er, »das ist gut. Ja, ja. Doch, das ist gut. Ach, ja.«

»Ja, nicht wahr«, sagte ich und ging meiner Wege.

Er erschien mir für seine Verhältnisse ziemlich schweigsam. Vielleicht war er gerade nicht alkoholisiert genug? Hatte es etwa nur an Lottas Rotwein gelegen? Egal. Ich habe diesen Menschen seitdem nicht wiedergesehen, und ich habe diesen Umstand nicht eine Sekunde lang bedauert.

Kapitel 17

Eine geschlagene Viertelstunde lang kurvte ich um dieses dämliche Restaurant herum, bis ich schließlich resigniert aufgab und mein Auto im Parkverbot abstellte. Zum Glück war dies um acht Uhr abends ein relativ ungefährliches Unterfangen. Sogar die armen frustrierten Politessen, die den Höhepunkt ihres Tages offenbar dadurch erlebten, daß sie eine Menge gesalzener Strafzettel verteilten, hatten irgendwann mal Feierabend.

Natürlich hätte ich mich auch von zu Hause abholen lassen können. Doch genau das wollte ich auf keinen Fall. Schließlich kommt früher oder später dieser Moment, wenn man aufgegessen und den gesamten Wein ausgetrunken hat, wenn der Kellner bereits kassiert hat – na, und dann muß man unter Umständen dem männlichen Begleiter mit vielen schönen Worten klarmachen, daß er einen nun gefälligst direkt nach Hause zu fahren hat und daß man nicht gewillt ist, den Nachtisch in seiner Wohnung einzunehmen, nur, weil er zufällig die Rechnung beglichen hat.

Er war bereits da, als ich das Restaurant betrat. Mit einem erfreuten Lächeln erhob er sich. »Ich war so froh, als du mich anriefst. Ich hatte, ehrlich gesagt, nicht mehr damit gerechnet.«

»Hallo, Wolfgang«, begrüßte ich ihn.

Ja, ich gebe es zu: Ich hatte mich bei ihm gemeldet. Obwohl ich es beileibe nicht vorgehabt hatte. Nicht, daß ich an einem weiteren männlich-weiblichen Drama interessiert gewesen wäre. Nein, danach stand mir nun wirklich nicht der Sinn. Ich hatte einfach mal wieder Sehnsucht nach einer netten und intelligenten Unterhaltung. (Und nicht nach einer ausgeklügelten Weltverbesserungs-Grundsatz-Diskussion à la Robert Schmechler!) Keine neue Beziehung, o nein. Ich ging davon aus, daß Wolfgang Weinberg die gleichen Interessen verfolgte. Und wenn nicht ... nun, dann hatte er eben Pech gehabt.

Oder hatte ich mich eventuell geirrt? Was Männer anging, irrte ich mich ja ständig. Bedeutete dieser enthusiastische Gesichtsausdruck etwa, daß Wolfgang hinter dieser Verabredung eine romantische Begegnung witterte? Nun, ich mußte ihn schnellstens vom Gegenteil überzeugen. Und zwar möglichst diplomatisch, ohne ihn zu verletzen. Ehrlich, aber diskret, offen, aber zartfühlend. Kein Problem für eine redegewandte Frau wie mich.

»Damit du mich richtig verstehst, Wolfgang: Dies hier ist kein romantisches Treffen!«

Na, wie hatte ich das gemacht? Das war doch unmißverständlich gewesen! Wolfgang hatte mich auch offensichtlich sehr gut verstanden, denn sein Gesicht verdüsterte sich augenblicklich. Männer sind immer so hypersensibel – wenn es um ihre eigenen Belange geht.

»Schon klar«, lächelte er etwas gezwungen.

Es war Zeit, das Thema zu wechseln.

»Wie laufen die Oliver-Proben? Ihr probt doch schon, oder?«

»Ja«, nickte er, »in vier Wochen ist die Premiere.«

»Ich wäre so gerne bei den Proben dabei«, seufzte ich.

»Hör mal«, schlug Wolfgang vor, »wenn es dich so sehr interessiert, dann komm einfach und sieh es dir an. Das stört doch keinen.«

Das hätte ich ja wahnsinnig gerne getan, aber … Betont cool erkundigte ich mich:

»Helmut Barker – spielt er wirklich den Bill Sikes? Oder hast du in letzter Minute umbesetzt?«

»Wo denkst du hin«, wehrte Wolfgang ab, »er ist spitzenmäßig in dieser Rolle! Außerdem ist er ein alter Freund von mir. Wieso sollte ich umbesetzen? Helmut hat eine wundervolle Stimme und spricht sehr gut Englisch.«

»Kann sein«, lächelte ich unbestimmt.

Vielleicht war jetzt der richtige Zeitpunkt gekommen, um ihm zu sagen, daß meine damalige Bemerkung, ich sei mit Helmut verlobt gewesen, durchaus kein Scherz war.

»Zudem«, Wolfgang beugte sich vertraulich zu mir, »lenkt ihn die Arbeit ab. Er hat es nicht gerade leicht gehabt in letzter Zeit.«

»Warum das denn?« wurde ich hellhörig.

»Du, das muß aber wirklich unter uns bleiben. Ich war ehrlich schockiert, als ich Helmut wiedergetroffen habe. Er war so furchtbar deprimiert! Er wollte heiraten, doch dieses dämliche Weib hat ihn einfach auflaufen lassen. Sie waren schon im Standesamt, aber diese Frau hat allen Ernstes nein gesagt! Ist das nicht entsetzlich?«

Bei Licht betrachtet, mußte Wolfgang ja nicht unbedingt alles wissen.

»Hat er dir etwas über diese Frau erzählt?« krächzte ich.

»Nein, natürlich nicht! Wozu auch! Ich kenne sie ja sowieso nicht! Und selbst wenn … Helmut ist ein Gentleman, er redet nicht schlecht über Frauen.«

Ha, das wußte ich aber besser! Wie war das denn mit der herzlosen Schlampe???

»Vielleicht wollte sie einfach nicht heiraten. Es gibt Frauen, die etwas gegen die Ehe haben. Warum auch nicht … die meisten Männer haben etwas gegen die Ehe, und daran stört sich kein Mensch. Wer sagt denn, daß sie ihn verlassen wollte? Was, wenn er alles nur in den falschen Hals bekommen hat?«

Wolfgang starrte mich mißtrauisch an.

»Wieso regst du dich denn so auf?«

»Ach, ist doch wahr«, murmelte ich. Es entstand eine kurze Pause. Ich zwang mich zu einem unbefangenen Ton.

»Helmut Barker, ach ja. Er hat dir wohl ganz schön die Ohren vollgejammert, wie?«

»Nein, hat er nicht. Er hat mir nur ganz kurz von der geplatzten Hochzeit erzählt. Und er hat mir gestanden, wie unglücklich er ist.«

Ich spürte einen Kloß im Hals, erwiderte aber munter:

»Der soll das nicht so eng sehen. Wer weiß, was ihm erspart geblieben ist!«

»Mag schon sein, aber ... Ich glaube, daß er diese Frau wahnsinnig geliebt hat.«

»Haben die Herrschaften schon gewählt?« fragte ein diensteifriger Kellner.

Ich grinste ihn hilflos an. Mir war jeglicher Appetit vergangen.

Ich war erleichtert, als dieser Abend endlich vorüber war und ich mich mit einem unbestimmten »Man sieht sich« von Wolfgang verabschieden konnte. Wahrscheinlich hatte er sich von der ganzen Sache mehr erhofft, aber das war jetzt nicht mein Problem. Ich hatte ganz andere Sorgen. Ich fühlte mich verarscht, jawohl!

Helmut, dieser Heuchler! Machte auf deprimiert! Tat, als hätte ich ihm das Herz gebrochen! So ein Blödsinn. Ich konnte niemandem das Herz brechen, weder absichtlich noch unbeabsichtigt. So waren die Männer: falsch und verlogen. »Helmut ist ein Gentleman, er redet nicht schlecht über Frauen.« Ha! Der ahnungslose Wolfgang! Helmut war nur beleidigt, weil eine Frau es gewagt hatte, ihm einen Korb zu geben. »Helmut muß diese Frau wahnsinnig geliebt haben.« Quatsch! Wenn er mich so sehr geliebt hatte, warum wollte er sich dann nicht einmal meine Erklärung anhören? Wieso hatte er mich dann vor der versammelten Familienmannschaft als herzlose Schlampe tituliert? Weshalb hatte er mich nicht im Krankenhaus besucht? Der und mich lieben, so eine gequirlte Mäusekacke. Ja, ich wollte ihn doch gar nicht verlassen, verdammt noch mal. Gut, ich hatte für ihn nicht das empfunden, was ich für Sie-wissen-schon-wen-ich-meine empfunden hatte – aber ich hatte ihn aufrichtig gern gehabt, und das ist die Wahrheit.

Ich genehmigte mir einen Likör. Wieder einmal, wie schon so oft, war die Welt furchtbar grausam zu mir.

Der nächste Tag war ein Sonntag und fing für mich schon total beschissen an: Ich erwachte mit einer akuten Depression. Mit Depressionen ist es so ähnlich wie mit Neurodermitis. Man bekommt beides in gewissen Schüben. Eine Weile hat man seine Ruhe, dann aber erwischt es einen knüppeldick.

Am späten Nachmittag fiel mir endgültig die Decke auf den Kopf. Ich mußte irgendeine Menschenseele sehen, egal wen. Es spielte schon gar keine Rolle mehr, wer dieser Mensch war, wie er zu mir stand, wie intelligent er war oder was er von mir hielt.

Ich besuchte meine Schwester Jutta.

Sie war aufrichtig erfreut, mich zu sehen.

»Mona, wie schön, daß du mal wieder kommst. Nur leider ist es im Augenblick wirklich ausgesprochen ungünstig ...«

»Laßt euch nicht stören«, sagte ich und drängelte mich an ihr vorbei. »Ich bleibe auch nicht lange.«

Mit einem Seufzen, das völlig unangebracht und außerordentlich unhöflich war, schloß Jutta die Wohnungstür hinter mir.

»Weshalb ist es denn so ungünstig?« fragte ich, denn ich bin ja gut erzogen. »Falls ihr gerade einen Ansturm auf euer Schlafzimmer geplant hattet, dann macht ruhig weiter, ich passe solange auf, daß euch die Kinder nicht stören.«

Sie merken schon, daß es mir tatsächlich nicht besonders gutging – so selbstlos bin ich nämlich nicht immer.

»Mona!!!« Meine kleine Schwester wies mich scharf zurecht. »Du kannst manchmal erschreckend geschmacklos sein. Wir hatten nicht vor, unser Schlafzimmer zu stürmen.«

»Ach, nein? Hätte doch sein können. Es ist Sonntag nachmittag, das Wetter ist miserabel, im Fernsehen läuft ebenfalls nichts ...«

Jutta taxierte mich mit ihrem eisigsten Blick, bevor sie mich über die neueste Genshofer-Tragödie informierte: »Rolf ist krank!«

»Rolf ist krank? Puh, ich dachte ja schon, es dreht sich um etwas Schlimmes. Gib ihm ein Aspirin und steck ihn ins Bett.«

»Du weißt doch noch gar nicht, was er hat!«

»Egal, Aspirin und Bettruhe sind nie verkehrt. Du weißt doch, wie die Männer immer übertreiben müssen. Aber meinetwegen, was fehlt ihm denn?«

»Er hat furchtbare Zahnschmerzen!«

Ich unterdrückte eine höhnische Bemerkung. Das war typisch für diesen Kerl: Ausgerechnet heute, wenn ich dringend den seelisch-moralischen Beistand meiner einzigen Schwester benötigte, mußte dieser Mensch Zahnschmerzen haben! Die Bosheit meines Schwagers war wirklich kaum zu überbieten!

»Och, wie schrecklich«, heuchelte ich, »der arme Rolf hat Zahnschmerzen! Wie gemein, wie grausam, wie entsetzlich! Gib ihm ein Aspirin und steck ihn ins Bett! Ich muß unbedingt mit dir reden.«

»Und ich«, erwiderte Jutta mit stolzer Ehefrauenwürde, »muß mich unbedingt um meinen Mann kümmern.«

Da sehen Sie es! Die liebe Familie, der Ort der Geborgenheit – nie ist der verdammte Pöbel da, wenn man ihn braucht!

Trotzdem schlug ich einen versöhnlichen und, wie ich meine, äußerst diplomatischen Ton an:

»Du hast recht, Jutta. Kümmern wir uns um den armen, schmerzgeplagten Rolf!«

Der arme, schmerzgeplagte Rolf kauerte wie das personifizierte Elend auf der Wohnzimmercouch. So mitfühlend wie möglich setzte ich mich neben ihn.

»Na, Rolfilein? Was machst du denn für Sachen?«

»Ich habe Zahnschmerzen«, wimmerte er.

Erzähl mir etwas, das ich noch nicht weiß, dachte ich. Laut sagte ich:

»Zahnschmerzen? Du armes Lämmchen, du!«

Möglicherweise hatte ich etwas übertrieben: Jutta sah leicht verärgert drein.

»Vielleicht ist es rein psychosomatisch«, vermutete Rolf hoffnungsvoll.

Psychosomatisch? Wo in aller Welt hatte dieser ungebildete Mann nur dieses Wort aufgegabelt? Und wer hatte ihn bloß auf den Gedanken gebracht, er hätte eine Psyche?

»Rolf«, ich versuchte so etwas wie Teilnahme in meine Stimme zu legen, »Magenschmerzen, Kopfschmerzen, Hautausschläge, Schlafstörungen ... solche Sachen können psychosomatisch bedingt sein. Mach dir mal keine Sorgen wegen deiner Psyche. Du brauchst garantiert bloß einen Zahnarzt. Nimm ein Aspirin, leg dich ins Bett, und morgen gehst du zum Arzt.«

»Es tut weh«, jammerte er.

Bei aller Mühe waren hier keine echten Fortschritte zu erkennen. Noch immer saß der Ehemann meiner Schwester hier herum und störte ganz gewaltig.

»Mund auf«, kommandierte ich. »Wo genau tut es denn weh?«

»Da unten links, ganz hinten«, heulte Rolf wehleidig. Männer sind ja solche Memmen.

»Ah, ja«, stellte ich fest, »da stößt ganz offensichtlich ein Weisheitszahn durch und hat nicht genügend Platz. Igitt, das blutet ja sogar! Bäh, pfui Teufel, mach sofort den Mund wieder zu, das sieht ja widerlich aus!«

Rolf brach beinahe in Tränen aus, Jutta drückte mitleidig seine Hand und rief:

»Wieso Weisheitszahn? Wieso kommt der jetzt erst raus? Ist das nicht ein bißchen spät?«

»Besser spät als nie«, meinte ich lakonisch.

»Ich wußte immer, daß mein Kiefer für Weisheitszähne zu schmal ist«, klagte Rolf, »ich habe gehofft, die Dinger bleiben da, wo sie sind! O Gott, was passiert denn nun mit mir?«

Er stellte sich an, als ob man ihn gerade auf einer Streckbank festgeschnallt hätte.

»Keine Sorge, Rolf, alles halb so wild! Du bekommst eine Spritze, der Zahn wird gezogen, und danach sieht die Welt ganz anders aus!«

»Ehrlich? Und das tut nicht weh?«

»I wo! Die Spritze betäubt doch alles!«

Rolf schöpfte neue Hoffnung.

»Allerdings«, gab ich zu bedenken, »gibt es Leute, bei denen die Spritze einfach nicht wirkt. Ich kannte mal ein Mädchen, bei der es so war. Hui, die hat vielleicht geschrien, als der Zahn gezogen wurde! Und das Mistvieh saß auch noch besonders fest! Der Zahnarzt mußte ihr regelrecht auf den Schoß steigen, um den Zahn aus dem Kiefer zu brechen! Ich war ja nicht dabei, aber so hat sie es mir erzählt.«

Rolf wurde totenblaß.

»Das kommt praktisch so gut wie nie vor«, beeilte ich mich, ihn zu beruhigen. »Vielleicht hat das Mädchen auch etwas übertrieben. Sie gehört zu der Sorte, die sich gerne wichtig macht. Sieh mich an! Mir wurden alle vier Weisheitszähne entfernt, als ich neunzehn war. Und ich habe dabei nicht das mindeste gespürt.«

»Wie tröstlich«, flüsterte Rolf.

»Na, siehst du«, meinte ich aufmunternd, »ist doch alles halb so wild. Bei mir lag der Fall sogar noch etwas komplizierter. Meine Weisheitszähne hatten nicht einmal die leiseste Chance durchzustoßen und mußten operativ vom Kieferchirurgen entfernt werden.«

»Wie grauenvoll«, entsetzte sich Rolf. »Richtig herausoperiert ... Und das hat nicht weh getan?«

»Ah bah! Überhaupt nicht!«

»Gott sei Dank«, seufzte Rolf erleichtert.

»Zugegeben«, fuhr ich fort, »als ich auf dem Zahnarztstuhl saß, habe ich gezittert wie Espenlaub. Aber die Arzthelferin war sehr nett und hat mir ein Kreislaufmittel verabreicht. Du brauchst dich also nicht zu schämen, wenn dir sämtliche Glieder schlottern: Dieses Zeug für den Kreislauf gibt es obligatorisch und gratis dazu.«

»Fein«, sagte Rolf nicht sehr überzeugt.

»Was dann total witzig ist, ist die Tatsache, daß die Mundhöhle praktisch als Resonanzkörper fungiert. Das muß dich nicht weiter irritieren. Das Geräusch, das du hörst, wenn der Zahn aus dem Kiefer gebrochen wird, ist wahnsinnig laut – wie ein Bagger, der durch eine Kiesgrube fährt! Wirklich unwahrscheinlich komisch!«

»Zum Totlachen«, hauchte Rolf.

»Na ja, es ist alles vollkommen harmlos. Ich betone noch einmal: Der eigentliche Vorgang tut nicht weh. Gut, dieses taube Gefühl ist ekelhaft. Es ist auch etwas unangenehm, wenn du die Praxis verläßt, den Mund mit Tamponade ausgestopft hast und plötzlich merkst, daß dir trotzdem jede Menge Blut aus dem Mundwinkel herausläuft. Aber was soll's? Man weiß ja, woher es kommt!«

»Ja«, murmelte Rolf mit ersterbender Stimme.

»Denk daran«, fuhr ich in meiner so lebensechten Ausführung fort, »wenn du wieder zu Hause bist, solltest du deine Backe gut kühlen.«

»Wieso das denn?« rief Rolf.

»Na, wegen der Schwellung! Meine Backe war damals so dick wie ein Hühnerei – trotz Eisbeutel. Das war ein dummes Gefühl. Wenn ich den Kopf nach vorn beugte, konnte ich richtig merken, wie es schwupp machte – und die Backe nach vorn fiel. Das ist jedoch individuell verschieden. Bei dir muß es nicht so sein.«

Rolf brach beinahe in Tränen aus.

»Jetzt bleib mal ganz cool, Rolfi! Der Zahnarzt gibt dir ein Rezept für ein starkes Schmerzmittel mit. Das wirst du auch brauchen. Wenn die Betäubung erst einmal nachläßt, tut es tierisch weh. Aber wie schon erwähnt: Man weiß ja, woher es kommt. Mit dem Schmerzmittel mußt du allerdings vorsichtig sein. Ich hatte damals so heftige Schmerzen, daß ich es ein bißchen übertrieben habe mit dem Zeug – und es war rezeptpflichtig und sehr stark. Ich kann dir sagen, das waren die schlimmsten Magenkrämpfe, die ich jemals hatte!«

Rolf glich inzwischen einem Marsmännchen – sein Gesicht war grün.

»Ich glaube, ich lege mich ins Bett«, ächzte er. »Jutta, wo sind die Aspirintabletten?«

»Ich hole sie dir, Liebster«, versprach seine besorgte Frau.

Ich schnappte hörbar nach Luft. Das war ja wohl die Höhe! Dreimal hatte ich vorgeschlagen, daß Rolf ein Aspirin nehmen und ins Bett gehen sollte – und mein Rat war einfach ignoriert worden.

Trotzdem unterdrückte ich angesichts der angespannten Situation eine sarkastische Bemerkung. Ich wollte schließlich niemanden aufregen.

»Schlaf gut«, rief ich meinem Schwager nach, »du wirst sehen: Wenn du morgen beim Zahnarzt gewesen bist, fühlst du dich wie neu geboren!«

»Zahnarzt«, brüllte Rolf, »ihr glaubt doch nicht allen Ernstes, daß ich da hingehe!«

Ich schüttelte ratlos meinen Kopf.

»Verstehst du das«, zischte ich meiner Schwester zu, »wo ich mir solche Mühe gegeben habe, ihm Mut zuzusprechen?«

Jutta warf mir einen mißbilligenden Blick zu und eilte ihrem Mann nach, um ihn zuzudecken und ihm sein Aspirin zu verabreichen.

Ich lehnte mich entspannt zurück und lächelte vergnügt vor mich hin. Endlich waren wir diesen Jammerlappen los und konnten uns auf die wichtigen Dinge konzentrieren.

Nach einer Weile kehrte Jutta zurück, ließ sich in einen Sessel plumpsen und fragte mit einem enervierten Seufzen:

»Nun, Mona, weshalb wolltest du mich so dringend sprechen?«

Ich übersah ihre genervte Stimmung mit meiner mir eigenen Großzügigkeit. Wenn man mit Rolf Genshofer verheiratet ist, darf man schon mal schlecht draufsein. Trotzdem ließ mich dieses unselige Thema nicht sofort los.

»Weißt du, Jutta, es ist doch sehr merkwürdig. Schau dir die Männer in den Wildwestfilmen an: Sogar mit einer Kugel im Bauch reiten die noch kilometerweit durch die Wüste, ohne auch nur einen einzigen Mucks von sich zu geben. Das ist der glatte Beschiß! In Wirklichkeit sind Männer die größten Weicheier, die man sich vorstellen kann. Ob das am Y-Chromosom liegt, was meinst du?«

»Bitte, komm endlich zur Sache«, verlangte Jutta, »falls es sich um eine deiner unsäglichen Männergeschichten handelt, möchte ich, daß wir damit fertig sind, bevor Martin vom Spielen nach Hause kommt.«

Ach ja, jetzt fiel es mir auch auf, daß Martin gar nicht da war. Ich hatte ihn überhaupt nicht vermißt. Und was Juttas letzte Bemerkung anbetraf – die empfand ich schlicht und einfach als Kränkung! Aber ich versuchte immerhin, so würdevoll wie nur möglich gekränkt zu sein.

»Jutta! Du bist meine einzige Schwester, und ich habe mir naiverweise eingebildet, daß du dich für meine Belange interessierst. Offensichtlich habe ich mich geirrt. Diese Tatsache ist um so schmerzvoller, als ich mich gerade lang und breit mit den Zahnschmerzen deines Mannes befaßt habe. Gut, ich werde gehen und dich nicht länger mit ›meinen unsäglichen Männergeschichten‹ traktieren. Leb wohl!«

»Ach, Mona, jetzt bleib doch! Es tut mir leid, ich bin heute etwas genervt.«

Immerhin, sie hatte sich entschuldigt. Ich genoß diese Situation.

»Eben! Ich möchte dich auf keinen Fall noch mehr nerven! Leb wohl!«

»Mona, bleib sitzen. Erzähl mir, was dich bedrückt. Hey, ich bin deine Schwester, natürlich interessieren mich deine Probleme!«

Schön, ich blieb sitzen. Wenn sie sooo viel Wert darauf legte …

»Stell dir vor, Jutta: Dieser Gastregisseur am Theater …«

»Der, mit dem du dich neulich getroffen hast? Der, der an dir interessiert ist? Läuft da jetzt doch etwas? Hast du es dir nun …«

»Ja, ja«, fiel ich ihr ins Wort, »laß mich doch mal ausreden, und halte dich nicht mit Nebensächlichkeiten auf! Dieser Regisseur ist ein alter Freund von Helmut. Er weiß nichts von Helmut und mir. Also: Der liebe Helmut – so erzählte mir Wolfgang, so heißt der Regisseur nämlich – ist angeblich depressiv, weil er sich von einer Frau, die er ach-so-wahnsinnig geliebt hat, vor dem Standesbeamten einen Korb geholt hat!«

»Na und?« Jutta hatte wie üblich null Durchblick. »Das wissen wir doch schon längst!«

»Jutta«, rief ich ungeduldig, »kapierst du denn nicht! Helmut ist ein Heuchler! Von wegen depressiv und hat mich so wahnsinnig geliebt!«

»Aber das hat er doch auch«, versetzte Jutta mit kuhäugigem Blick.

Ich geriet in Harnisch.

»Bullshit! Der ist bestimmt nicht depressiv! Verflixt, der Kerl ist Schauspieler und hat eine Riesenschwäche für dramatische Szenen!«

»Genau wie du«, bemerkte Jutta trocken. »Ihr hättet so wundervoll zusammengepaßt, Helmut und du. Ich denke ja immer noch: Helmut Barker wäre der ideale Mann für dich gewesen.«

Ich war erschüttert.

»Was redest du denn da bloß? Wenn Helmut mich so sehr geliebt hat, warum redet er dann nicht mehr mit mir? Wieso hat er nach dieser Szene beim Standesamt nichts mehr von mir wissen wollen?«

»Dreimal darfst du raten«, meinte Jutta schnippisch.

»Ha«, brüllte ich wütend, »du spielst auf Uwe an, nicht wahr? Ja, wer hat Helmut denn überhaupt von der Sache erzählt? Wer hat sich denn mal wieder ungefragt einmischen müssen?«

»Oooooh«, schrie Jutta empört, »nun bin ich wohl an allem schuld, wie? Was anderes: Wer hat dich denn verteidigt, als Helmut dich bei Johannas Taufe total betrunken als eine herzlose Schlampe bezeichnet hat, hä?«

»Und da behauptest du, er hätte mich geliebt!«

»Das hat er! Das hat er wirklich! Er war nur so furchtbar verletzt!«

»Außerdem hast du mich nicht zu Johannas Taufe eingeladen! Das war unverzeihlich! Aber ich durfte ja nicht dabeisein, nur damit ihr alle ungestraft über mich herziehen konntet!«

»So war es überhaupt nicht! Und du weißt das auch! Wir waren alle fürchterlich durcheinander! Und schrecklich besorgt um dich! Und wir konnten es nicht verstehen! Helmut am allerwenigsten! Er war geradezu am Boden zerstört und fühlte sich total verarscht! Außerdem habe ich dir von Anfang an gesagt, daß dieser Fotograf nichts taugt!«

»Ach, ja? Du verstehst doch überhaupt nichts von Liebe! Für dich gibt es nur schwarz oder weiß, sonst nichts! Wer hat sich denn dein Gejammer angehört, als Rolf letztes Jahr zu seiner Tussi gezogen war? Wer hat dir denn gesagt, daß er wieder zurückkommen wird? Und wer hatte recht damit?«

»Wer hat dich denn im Krankenhaus besucht und dir haufenweise den unnötigen Kram angeschleppt, den du unbedingt haben wolltest?«

»Wer bezeichnet mich denn ständig als Schlampe? Dabei war ich es, die dir während unserer gesamten Schulzeit bei deinen Aufsätzen geholfen hat!«

»Und ich habe dir immer die Biologieaufgaben erklärt!«

»Ich habe dir deinen ganzen Abiturstoff abgehört!«

»Ja, und du hast mich die ganze Zeit über mit Horrorgeschichten aus deiner eigenen Abiturzeit eingedeckt – bloß um mich nervös zu machen!«

»Das ist doch gar nicht wahr!«

»Ist es doch!«

»Nein!«

»Doch!«

Wir holten beide tief Luft – das ganze Gespräch war ein wenig eskaliert.

»Kann es sein«, fragte ich unsicher, »daß wir ein bißchen vom Thema abgeschweift sind?«

»Sieht so aus«, bestätigte Jutta verwirrt.

»Diese Streiterei führt zu nichts«, stellte ich fest.

»Ganz meine Meinung«, war Jutta erleichtert.

»Sag mal, Jutta, worüber sprachen wir denn eigentlich?«

»Ich glaube, es ging um Helmut.«

»Helmut, ach ja, richtig.« Ich seufzte leise. »Sag mal, Jutta ... glaubst du – ich meine, glaubst du wirklich, daß Helmut mich geliebt hat? So richtig, ehrlich?«

Ich wollte eine positive Antwort, ich wollte einfach hören, daß es in meinem Leben jemanden gegeben hatte, der sich etwas aus mir gemacht hatte – wenn Uwe es schon nicht getan hatte.

Zu meiner Erleichterung nickte Jutta heftig mit dem Kopf.

»Das hat er, ganz bestimmt! Ich könnte mir sogar vorstellen ...« Sie brach unvermittelt ab.

»Ja, was«, fragte ich aufgeregt, »was könntest du dir vorstellen?«

»Ich könnte mir vorstellen, daß er dich nach wie vor liebt. Sicher, er ist vielleicht wütend auf dich, er gibt es vielleicht auch nicht zu. Aber es wäre doch möglich.«

Ich war hoch zufrieden. Mit einem Mal fühlte ich mich sehr aufgeräumt und spürte eine unerwartet große Zuneigung zu meiner Schwester in mir aufwallen. Ich mußte irgend etwas Nettes zu ihr sagen.

»Weißt du, Jutta: Wir sind bestimmt nicht immer einer Meinung, und möglicherweise streiten wir uns auch ziemlich viel. Aber es gibt keinen Menschen, mit dem ich mich lieber streite als mit dir, das kannst du mir glauben!«

»Ach, Mona!« Jutta war tatsächlich gerührt.

»Helmut sieht eigentlich richtig gut aus, nicht«, bemerkte ich, denn insgeheim war ich sehr stolz auf die Tatsache, daß sich ein so toller Mann und noch dazu bekannter Schauspieler ausgerechnet in mich verliebt hatte.

»O ja«, bestätigte Jutta, »aber ich denke, daß er noch weit mehr Qualitäten besitzt.«

»Klar«, gab ich zu, »er ist ein guter Liebhaber, falls du das meinst.«

»Daran habe ich nun wirklich nicht gedacht«, murmelte Jutta dermaßen verlegen, daß klar zu ersehen war, daß sie eben doch genau daran gedacht hatte.

»Ist aber wahr«, verkündete ich ernsthaft, »obwohl man immer sagt, daß die Männer, die so sehr danach aussehen, im Bett überhaupt nichts taugen. Bei Uwe war das der Fall. Der hatte dieses überaus romantische, melancholische Aussehen – aber im Bett war er die pure Mogelpackung. Na, wenn ich dir's sage. Keine Zärtlichkeit, kein Einfühlungsvermögen. Na ja, bei seiner Lisa hat er sich eventuell mehr angestrengt. Liiisaaa. Liiiiiiisaaaaaa. Ich kann seitdem diesen Namen nicht mehr hören ... Bitte, Jutta, hast du ein Glas Wein? Oder einen Likör? Oder einen Schnaps?«

»Eierlikör«, antwortete Jutta.

»Besser als nichts«, seufzte ich.

Jutta war heute ein echter Schatz. Sie brachte mir den Likör und beschränkte sich darauf, die Stirn zu runzeln, verzichtete aber auf die obligatorischen Vorwürfe.

Statt dessen legte sie den Arm um meine Schulter und meinte herzlich:

»Wo wir schon beim Alkohol sind, Mona: In der Kühltruhe liegt noch eine Familienpackung mit Rumtopf-Eiscreme. Die könnten wir vertilgen, magst du?«

»Au ja«, schrie ich begeistert.

»Ich hole sie«, rief Jutta und erhob sich. In diesem Moment ertönte eine klägliche Stimme aus dem Schlafzimmer:

»Jutta! Ich habe solche Zahnschmerzen, und du kümmerst dich überhaupt nicht um mich!«

Jutta verharrte in ihrer Bewegung und blickte mich kläglich an. Ich gab mir einen Ruck.

»Schon gut, Jutta. Verschieben wir es auf ein anderes Mal.«

Ich küßte sie zum Abschied auf die Wange und machte mich nachdenklich und ein wenig traurig auf den Heimweg.

Männer. Die ganze Zeit hatten wir uns nur mit Männern befaßt. Zuerst hatten wir uns um Rolfs Zahnschmerzen gekümmert. Dann hatten wir uns wegen diverser Männergeschichten gestritten. Dann hatten wir uns versöhnt und das Thema immer noch beibehalten. Und jetzt, als es gerade anfing gemütlich zu werden, waren wir erneut von einem Mann gestört worden.

Ich glaube, Frauen könnten ganz gut miteinander klarkommen, wenn es nur diese verflixten Mannsbilder nicht gäbe! Irgendwie vergeuden wir viel zuviel Zeit mit diesen Idioten.

Kapitel 18

Noch reichlich verschlafen, aber guter Dinge stürmte ich am nächsten Morgen gegen zehn Uhr in die Theaterkantine. Wieso auch nicht? Ich war wirklich an den »Oliver«-Proben interessiert, und Wolfgang hatte mich eingeladen dabeizusein. Die einzige Sache, die mich zunächst davor zurückschrecken ließ, war die unausweichliche Begegnung mit Helmut. Doch auch dieses Hindernis hatte sich für mich in Wohlgefallen aufgelöst. Wenn ich normalerweise auch nicht allzuviel auf das Urteilsvermögen meiner Schwester gebe, so hatte sie in diesem Punkt sicherlich recht: Helmut hatte mich geliebt, liebte mich vielleicht immer noch, zumindest auf seine Weise. Gut, er hatte mich nie richtig verstanden und in mir wahrscheinlich etwas gesehen, was gar nicht vorhanden war. Aber das war nicht so wichtig. Jetzt nicht mehr. Jedenfalls war ich fest entschlossen, ihm zu verzeihen. Schließlich war er bloß ein Mann und konnte nicht aus seiner Haut heraus. Und vielleicht konnten wir, nachdem unsere Beziehung ein für allemal gescheitert war und ich seine ignorante und spießige Verständnislosigkeit akzeptiert hatte, doch noch so etwas wie gute Freunde werden.

»Da ist ja Mona!«

Wolfgang, der mit einigen anderen Leuten am Tisch saß, erhob sich und begrüßte mich mit einer herzlichen Umarmung. Dabei reichte ich ihm gerade bis zu den Rippen. Er stellte mich mit den Worten »Das ist die Schriftstellerin Mona Manntey, eine Freundin von mir« vor. Ich grinste verlegen in die Runde und hoffte, daß mich keiner der Anwesenden von einer früheren Beleuchtungsprobe her kannte, denn dann wäre unweigerlich die Frage aufgetaucht, wieso ich mich als Schriftstellerin für so einen Mist hergab. Wolfgang erläuterte mir die künstlerische Funktion jedes einzelnen, ich schüttelte jedem förmlich die Hand – und da passierte es: Die Hospitantin, ausgerechnet die Hospitantin, fragte:

»Sag mal, dich habe ich hier doch schon oft gesehen. Gehörst du nicht zur Statisterie?«

Ich nickte verlegen.

»Na, so was! Und du bist Schriftstellerin? Verkaufen sich deine Bücher so schlecht?«

Meine erste Regung war, dieses dumme kleine Stück in der Luft zu zerreißen – aber nur im allerersten Moment. Statt dessen antwortete ich gelassen:

»Du bist Hospitantin, nicht wahr? Deine Aufgabe ist es also, für ungefähr sechs Wochen das Mädchen für alles zu spielen und die ganze Belegschaft mit Kaffee zu bewirten. Und du bekommst dafür keinen Pfennig, habe ich recht?«

»Ich sammle Erfahrungen«, verteidigte sie sich, »ich will später auch am Theater arbeiten!«

»Siehst du«, erwiderte ich milde, »genauso geht es mir auch. Ich arbeite nicht des Geldes wegen hier, ich studiere Charaktere. Für meine Bücher. Man darf sich als Schriftstellerin nicht völlig von der Menschheit zurückziehen, sonst läuft man Gefahr, die Relation zur Realität zu verlieren!«

Ich fand, ich hatte das ganz wundervoll ausgedrückt. Hoffentlich kauften diese Leute mir das auch ab. Bei Wolfgang schien dies der Fall zu sein, er verkündete strahlend:

»Und darum wird Mona uns bei den Proben auch ein wenig Gesellschaft leisten. Ja, Kinder, wir könnten anfangen, die Schauspieler ziehen sich gerade um ... Nur Helmut ist noch nicht da.«

»Aber Helmut ist doch sonst immer pünktlich«, rief ich überrascht aus.

Auwei. Schon in dem Augenblick, als ich diese Bemerkung aussprach, wußte ich, daß ich einen Fehler machte. Wolfgang legte eine Hand auf meine Schulter und meinte arglos:

»Tja, du kennst ihn schon etwas länger, nicht wahr?«

War der Kerl so begriffsstutzig, oder tat er nur so?

Wir waren gerade im Begriff, zur Bühne zu gehen, als stürmisch die Kantinentür aufgerissen wurde und ein völlig atemloser Helmut hereinstürmte.

»Wolfgang«, begann er, »es tut mir leid, aber meine ...«

Dann erblickte er mich. Es war ein gräßlicher Moment – für uns beide, glaube ich. Unsere letzte Begegnung hatte immerhin auf dem Standesamt stattgefunden. So etwas hinterläßt gewisse Spuren. Ich war auf alles gefaßt – nur nicht auf das, was jetzt kam: Helmut deutete eine spöttische Verbeugung an und zitierte in einem qualvoll zynischen Tonfall:

»Schlimm treffen wir bei Mondlicht, du stolze Titania!«

Ich wußte, daß alle Augen auf mich gerichtet waren. Was blieb mir also übrig, als in entsprechendem Tonfall zu erwidern:

»Wie? Oberon ist hier, der Eifersücht'ge? Elfen, schlüpft von hinnen, denn ich verschwor sein Bett und sein Gespräch!«

Bei dem Wort »Bett« zuckte Helmut zusammen. Von mir aus – er hatte mit dem »Sommernachtstraum« begonnen, nicht ich! Aber als Filmschauspieler mußte er ja immer wieder beweisen, daß er sich auch mit Shakespeare auskannte!

Aus den Augenwinkeln heraus beobachtete ich ängstlich die anderen. Jetzt hatten sie es bemerkt, ganz bestimmt! Gleich würde Wolfgang aufspringen und rufen: »Sie ist also die alte Schlampe, die dir das angetan hat!« Eine so symbolträchtige Szene konnte unmöglich mißverstanden werden.

Wolfgang erhob sich. Er schaute zu mir, dann zu Helmut, dann wieder zu mir. Und schließlich klatschte er anerkennend in die Hände.

»Bravo, ihr beiden! Das war ja wie abgesprochen! Kaum zu glauben. Ihr zwei müßt einen künstlerischen Draht zueinander oder zumindest dieselbe Art von Humor besitzen!«

Der gute Wolfgang. Er war so nett. Und so ahnungslos. Und so unglaublich bescheuert.

»Was macht sie hier?« erkundigte sich Helmut, ohne mich aus den Augen zu lassen.

»Mona? Oh, sie möchte ein bißchen zuschauen. Sie interessiert sich für Musicals.«

»Ich weiß«, nickte Helmut automatisch, um gleich darauf hastig weiterzustammeln: »Ich weiß, ich bin zu spät, doch das hat einen Grund. Meine Pensionswirtin ist krank geworden und kann nicht wie sonst auf meinen Hund aufpassen. Aber da sie sowieso hier ist«, er deutete mit dem Kinn auf mich, »kann sie das ja übernehmen.«

Er ließ einen kurzen Pfiff ertönen, und eine Sekunde später raste mit fliegenden Ohren mein heißgeliebter Zerberus in die Kantine. Unsere Begrüßung war stürmisch. Zerberus sprang bellend und winselnd an mir hoch, ich packte ihn und drückte ihn überglücklich an mich.

»Ach, Helmut«, rief ich strahlend, »du glaubst nicht, wie sehr ich mich freue, daß du ihn mitgebracht hast!«

»Ja«, murmelte Helmut, »er freut sich ebenso, dich zu sehen.« Für den Bruchteil einer Sekunde glaubte ich, eine Träne in seinen Augen blitzen zu sehen. Aber wahrscheinlich hatte ich mich getäuscht. Postwendend schrie er nämlich Wolfgang an:

»Was ist denn nun mit der verdammten Probe? Fangt endlich an, ich bin in fünf Minuten umgezogen!«

Wütend rauschte er hinaus, und Wolfgang wandte sich mit freundlicher Stimme an mich:

»Helmuts Hund kennst du also auch schon? Na, das trifft sich ja wunderbar!«

Ich war fassungslos: Dieser Mensch war wirklich zu blöd! Tatsächlich sah es so aus, als wären Zerberus und ich die einzigen intelligenten Wesen in dieser Runde!

Als ich an diesem Abend im Bett lag, ließ ich völlig erschöpft noch einmal den vergangenen Tag Revue passieren. Die Aufführung schien ganz gut zu werden. Nicht gerade Broadway-Niveau, aber immerhin.

Der Junge, der den Oliver spielte und der mit hungrigen Augen in der Waisenhausszene um einen zweiten Teller Hafergrütze bettelte, hatte mittags in der Kantine ein riesiges Schnitzel mit einer doppelten Portion Spätzle verdrückt. Die arme gedemütigte Nancy, die schließlich von ihrem Liebhaber erschlagen wird, nur weil sie den kleinen Oliver zu seiner Familie zurückbringen will, entpuppte sich im wirklichen Leben als eine junge, bildschöne Sexbombe, die bei jeder Gelegenheit mit allen verfügbaren Männern flirtete. Fagin, der skrupellose Gangsterboß, der eine Horde von Jungen auf Beutefang schickt, war ein alternder Schauspieler, der in jeder Pause über seine Arthrose im Knie klagte. Dodger, der kleine rotzfreche Anführer der Fagin-Gang, stellte sich als hochbegabtes, aber ziemlich verschüchtertes kleines Kerlchen heraus. Und so weiter, und so weiter. Theater war eben doch mehr Schein als Sein. Und Helmut? Er war wundervoll in seiner Rolle. Mir war aufgefallen, daß sein Gesicht ein wenig schmaler geworden war, und er hatte sich einen Drei-Tage-Bart stehen lassen. Er sah groß-artig aus. Ich hatte ihn mir in dieser brutalen Rolle, die so gar nicht zu seinem liebenswürdigen Charakter paßte, nicht vorstellen können, aber er war sehr überzeugend. Helmut war ein echtes Talent, und ich war stolz auf ihn.

Nicht, daß ich an ihm noch interessiert gewesen wäre. Denken Sie bloß nicht, in mir wären irgendwelche alten Gefühle neu entfacht worden. Bilden Sie sich nur nicht ein, daß die dunkel glitzernden Augen in seinem unrasierten Gesicht längst vergessene Regungen wieder auflodern ließen. Und hüten Sie sich vor etwaigen Vermu-tungen, daß der Anblick seiner glatten Brust, die nur spärlich von seinem zerrissenen Hemd bedeckt wurde, und der zerschlissenen knappen Hose, die sich so eng an seine schmalen Hüften schmiegte, in mir auch nur die Andeutung einer Erregung auf-kommen ließ. Nein, das war endgültig vorbei. Ich war bereit, ihm zu verzeihen und seine schmähliche Mißachtung zu vergessen – wenngleich er sich an meiner Vergebung nicht allzu interessiert zeigte. Alles, was ich wollte, waren Friede und Freundschaft. Ehr-lich und wahrhaftig.

Und trotzdem ... Als ich an diesem Abend so allein in meinem Bett lag, stellte ich mir vor, daß Helmut bei mir war und daß wir bis zum Morgengrauen miteinander vögelten!

Kapitel 19

Es war Samstag vormittag, die Probe war beendet. Ich wäre gern aufgestanden, um mir die Beine zu vertreten, und noch viel lieber wäre ich zur Toilette gestürzt. Aber es ging nicht: Ich war begraben unter fünfundvierzig Kilogramm Hund! Ich saß auf einem Zuschauerplatz, eine Reihe hinter dem Regieteam, Zerberus lag zusammengerollt auf meinem Schoß, sein linkes Vorderbein drückte auf meine volle Blase. Obwohl er schon vor einiger Zeit zu einem großen, kräftigen Dobermannrüden herangewachsen war, hielt er sich irrtümlicherweise immer noch für den idealen Schoßhund. Völlig entspannt lag er da, raubte mir durch sein Gewicht fast den Atem und schnarchte so laut wie ein ganzes Altersheim. Aber ich konnte den lieben Kerl doch nicht einfach herunterjagen. Nein, zu so viel Grausamkeit war ich nicht fähig.

»So geht das nicht weiter«, beschloß Wolfgang. »Helmut, komm mal her.«

»Ja, was ist?«

Helmut betrachtete gerührt seinen Hund und schenkte sogar mir ein Lächeln.

»Ich kenne niemanden, der so toll mit Hunden umgehen kann wie du, Mona«, sagte er weich.

Mein Herz machte einen kleinen Freudensprung. Begann das Eis allmählich zu schmelzen?

»Na ja«, strahlte ich und versuchte diesen verfluchten Harndrang zu unterdrücken, »Zerberus ist ja auch ein besonders toller Hund.«

Für einen winzigen Moment lang war es wie früher. Wir streichelten den Hund, und wenn unsere Hände sich zufällig berührten, lächelten wir uns verlegen zu.

»Genau darüber wollte ich mit dir sprechen, Helmut«, ging Wolfgang energisch dazwischen und zerstörte auf brutale Weise den Zauber dieses Augenblicks. »Dein Hund schnarcht wie eine Kreissäge. Wir können unser eigenes Wort kaum verstehen.«

»Ich könnte mich mit ihm weiter weg setzen«, schlug ich vor.

»Ach, das nützt doch auch nichts! Helmut, was ist mit deiner Pensionswirtin? Ist sie immer noch krank?«

»Nun«, stammelte er, »ich finde, sie sieht noch reichlich schlecht aus.«

Ich kapierte. Er wollte Zerberus hierbehalten. Er fühlte sich einfach wohler, wenn der Hund in seiner Nähe war. Das konnte ich auch verstehen. Das heißt – ich glaubte, alles zu verstehen. Bis sich das folgende kleine Wunder ereignete.

»Außerdem«, stotterte Helmut mit sichtlicher Nervosität weiter, »ist Mona doch sowieso jeden Tag hier und kann sich um Zerberus kümmern. Stimmt doch, Mona, nicht?«

Ich zog ihn am Ärmel zu mir herunter – Zerberus schnarchte immer noch – und flüsterte:

»Du, ich bin eigentlich nur wegen dem Hund hier. Ich wollte mir lediglich ein, zwei Proben und natürlich die Generalprobe ansehen.«

»Pscht«, machte Helmut und fuhr lautstark fort:

»Hörst du, Wolfgang? Sie sagt es selbst: Sie ist sowieso immer hier!«

Wolfgang fixierte uns eine Minute lang. Um seine Lippen spielte ein ironisches Lächeln.

»Wenn das so ist«, begann er langsam, »ist ja alles in Ordnung. Ich habe eine Idee. In der Romanvorlage hat Bill Sikes einen Hund. Wir könnten Zerberus eventuell mit in das Stück einbauen – vorausgesetzt, daß er nicht die ganze Zeit über schnarcht.«

»Geht klar«, rief Helmut begeistert, »ich werde mit ihm darüber reden.«

»Schön«, erwiderte Wolfgang todernst. »Mona muß natürlich immer dabeisein und seine – hm – Auftritte überwachen. Und sich fernerhin um sein Wohlergehen kümmern, versteht sich. Gegen ein entsprechendes Entgelt selbstverständlich.«

»Prima«, stimmte Helmut atemlos zu und grinste wie ein Honigkuchenpferd.

»Gut, das wäre abgemacht. Ich denke bis übermorgen über die Einzelheiten nach. Bis dann, ihr Lieben.«

»Bis dann, Wolfgang«, jubilierte Helmut. »Komm, Zerberus. Tschüs, Mona, bis Montag!«

Während ich mit leicht zusammengekrümmtem Oberkörper steifbeinig in Richtung Toilette stakste, ließ mich ein Gedanke nicht los: Konnte es sein, war es eventuell möglich, daß Helmut nicht nur seinen Hund bei sich haben wollte – sondern auch mich?!

Am nächsten Tag wollte ich meinen Sonntagnachmittagsbesuch bei Jutta nachholen. Ich wollte meine geliebte Schwester auf den neuesten Stand der Dinge bringen. Ich wollte ihre Meinung dazu hören. Und ich wollte endlich die Rumtopf-Eiscreme, die sie mir bereits letzte Woche versprochen hatte.

Ich verzichtete darauf, mich telefonisch anzumelden – was sich als Fehler herausstellte: Jutta öffnete mir mit rotverheulten Augen die Tür.

»Mona«, hauchte sie mit zitternden Lippen, »es paßt gerade gar nicht so gut.«

Nun, das hörte ich ja nicht zum ersten Mal.

»Was hat er dir getan?« fragte ich wütend. »Hat er dich geschlagen, oder betrügt er dich etwa wieder? Los, sag's mir schon!«

»Aber nein«, flüsterte sie, »nichts von alledem. Rolf...« An dieser Stelle – gerade, als es spannend wurde! – schluchzte sie theatralisch auf und fuhr mit bebender Stimme fort:

»Rolf hat den Verstand verloren!«

»Ach so«, seufzte ich erleichtert auf, »dann ist es ja nicht weiter tragisch. Das Rumtopf-Eis steht im Gefrierfach, nicht wahr?«

»Hast du mich nicht richtig verstanden? Rolf hat seinen Verstand verloren!!!«

»Ach, Jutta, ich habe es dir doch schon hundertmal erklärt: Was man nicht besitzt, das kann man auch nicht verlieren. Laß uns anfangen, ich hole schon mal die Teller.«

»Schön, wenn du mir nicht glaubst, dann überzeuge dich selbst!«

Jutta packte mich energisch am Handgelenk und zerrte mich ins Wohnzimmer. Der Anblick, der sich mir dort bot, war eigentlich nicht weiter beunruhigend: Rolf und Martin saßen friedlich vereint auf der Couch und spielten Mensch-ärgere-dich-nicht.

»Weißt du, Jutta«, flüsterte ich, »ich würde mir darüber keine allzu großen Sorgen machen. Es gibt Väter, die hin und wieder mit ihren Kindern spielen. Und dieses Spiel ist nun wirklich nicht gefährlich.«

»Blödsinn«, zischte Jutta und wandte sich ihrem Mann zu: »Los, erzähl ihr, was du vorhast!«

»Langsam, Jutta, immer langsam!« Rolf erhob sich und begrüßte mich mit den herzlichen Worten: »Mona, meine liebe Schwägerin, wie schön, daß du uns besuchst!«

»Du hast recht, Jutta«, bemerkte ich trocken, obwohl es mir schwerfiel, meinen Schock zu verbergen, »deinem Mann fehlt tatsächlich etwas!«

»Setz dich, Mona«, lud Rolf mich ein, »kann ich dir eine Kleinigkeit anbieten? Vielleicht ein Glas Saft? Oder möchtest du lieber ein Glas Wein?«

»Saft ist schon okay«, krächzte ich. Ich wartete, bis er das Zimmer verlassen hatte, bevor ich mich aufgeregt meiner Schwester zuwandte:

»Was ist los mit ihm? Wieso ist er so nett zu mir?«

»Mona, das ist es ja gar nicht! Es ist viel schlimmer, als du denkst!«

»Noch schlimmer? Was könnte denn noch schlimmer sein?«

Jutta seufzte.

»Er ist völlig durchgedreht! Ich weiß gar nicht, was plötzlich mit ihm passiert ist.«

»Ja, was ist denn? Und was heißt: Völlig durchgedreht?«

Rolf kam zurück.

»Hier, Mona. Pfirsichsaft! Den magst du doch, nicht? Den habe ich gestern selbst im Supermarkt geholt!«

»Rolf«, Jutta verlor sichtlich die Geduld, »erzähl Mona von deinen Plänen!«

»Ja, also!« Rolf setzte sich in Positur und verkündete stolz: »Ich habe mich entschlossen, Erziehungsurlaub zu nehmen und von jetzt an als Hausmann tätig zu sein!«

Ich brach in ein entzücktes Gewieher aus. »Kinder, ihr seid die Größten! Denkt ihr, ich falle auf solch einen Quatsch herein?«

»Das ist kein Quatsch«, sagte Jutta ernst, »er hat diesen Unsinn tatsächlich vor.«

»Ach, nein«, kicherte ich, »das gibt's doch nicht, ihr wollt mich ja nur ...«

Ich begegnete Rolfs betroffenem und Juttas angespanntem Blick.

»O mein Gott«, kreischte ich, »ihr wollt mich nicht verkohlen? Bestimmt nicht?«

In völligem Einklang schüttelten die beiden ihre Köpfe.

Ich eilte zu meinem Schwager und legte meinen Arm um seine Schulter.

»Rolfilein, warst du beim Zahnarzt? Nein? Na, siehst du! Du bist vor lauter Schmerzen wahnsinnig geworden. Aber das läßt sich in Ordnung bringen, glaub es mir!«

»Warum nimmt mich eigentlich keine von euch ernst?« schrie Rolf wutentbrannt.

Ich neigte nachdenklich den Kopf zur Seite.

»Sag mal, Rolf, wieviel LSD hast du in den Sechzigern geschluckt?«

»Mona, sei nicht albern«, kam Jutta ihrem Gatten zu Hilfe, »Rolf ist doch erst Mitte der Sechziger geboren worden!«

»Eben, im Kleinkindalter ist das Zeug besonders gefährlich! Oder hat Lotta während ihrer Schwangerschaft ... Nein, das würde sie doch nicht tun! Oder doch?«

»Schluß jetzt«, rief Rolf, »ich höre mir diesen Schwachsinn nicht länger an! Mona, ich bin enttäuscht von dir. Gerade von dir hatte ich mir mehr Verständnis erhofft. Verdammt, du bist doch die Emanze in der Familie!«

»Ja, weißt du«, begann ich gedehnt, »ich bin die letzte, die etwas gegen Hausmänner hat. Einer unserer Bühnenhandwerker im Theater hat sich ebenfalls mal in Sachen Erziehung beurlauben lassen. Allerdings lagen die Dinge bei ihm völlig anders. Seine Frau hatte den wesentlich besseren Job, und er ist, äh, im Gegensatz zu dir, nun, ich will damit sagen ...«

»Du traust es mir nicht zu«, vollendete Rolf meine Rede. Ich nickte erleichtert.

»Aber warum denn nicht?« fragte Rolf verzweifelt. »Jutta, habe ich dir nicht in den letzten Wochen wie verrückt im Haushalt geholfen? Habe ich nicht bewiesen, daß ich ein guter Vater bin? Versteht denn niemand von euch, daß ich an einem bestimmten Punkt im Leben angelangt bin, wo ich einfach neue Wege gehen möchte?«

»Und wovon sollen wir leben?« erklang Juttas ernüchternde Frage. Auch darauf wußte Rolf eine Antwort.

»Du gehst arbeiten, Jutta. Ist doch völlig klar.«

»Ich«, schrie sie, »du spinnst wohl! Ich habe ein kleines Kind, das ...«

»Das ich wunderbar versorgen werde«, versetzte Rolf seelenruhig, »schließlich stillst du Johanna nicht mehr, wo ist, bitte schön, das Problem?«

»Als was soll sie denn arbeiten«, fragte ich ratlos, »soll sie vielleicht Telefonsex machen? Dann wäre sie immerhin zu Hause und könnte nach dem Rechten sehen ... nee, ich denke, die Idee ist wohl doch nicht so gut.«

»Besten Dank«, erwiderte Jutta eisig, »zumindest so weit blickst du noch durch.«

Jetzt war wohl ich wieder an allem schuld!

»Jutta hat während unserer, ähem, Trennung in der Gastronomie gearbeitet«, ließ Rolf sich nicht beirren. »So eine Stellung könnte sie im Handumdrehen wieder bekommen!«

»Meine arme Schwester hat Tabletts geschleppt, während du deine Sekretärin gepudert hast«, verbesserte ich böse, »wie kannst du so herzlos sein und sie daran erinnern!«

Jutta brach unvermittelt in Tränen aus.

»Wir werden alle verhungern«, schluchzte sie, »Rolf verliert den Verstand, und wir werden alle verhungern!«

Ich streichelte hektisch ihren Arm.

»Juttaleinchen, ich halte doch zu dir! Immer! Felsenfest! Das weißt du doch! Apropos Hunger: Habt ihr das Rumtopf-Eis inzwischen schon aufgegessen?«

»Ich will nicht verhungern«, meldete sich traurig der kleine Martin zu Wort. Himmel, der war ja auch noch da! Ich klopfte ihm ermunternd auf die Schulter.

»Hast recht, Martin. Ich rühre euer Eis nicht an. Vielleicht hebt ihr es besser als eiserne Notreserve auf. Für die Zeit, in der Papi den Haushalt schmeißt und Mami bei übelgelaunten Gästen um Trinkgelder buhlt.«

Ich kicherte angesichts dieser Vorstellung. Rolf auf dem Emanzipationstrip! Ich verstand nicht, wieso sich Jutta die Sache so zu Herzen nahm. Diesen Unsinn konnte doch kein vernünftiger Mensch ernst nehmen.

»Da gibt es nichts zu lachen, die Sache ist bitterernst«, wies Jutta mich scharf zurecht.

Na ja, ich habe nie behauptet, daß ich Jutta für besonders vernünftig halte.

Rolf hatte inzwischen beschlossen, an anderer Stelle Punkte zu sammeln.

»Martin, mein Kleiner. Stell dir vor, Papi ist den ganzen Tag lang zu Hause. Wäre das nicht fein?«

»Wieso«, piepste Martin, »bist du gefeuert worden?«

Ich prustete meine Begeisterung heraus, Jutta trat mir auf den Fuß und fragte besorgt:

»Martin, Liebling, wie kommst du denn darauf?«

»Och, der Klaus in meiner Klasse, dem sein Vater ist gefeuert worden und der ist auch den ganzen Tag zu Hause. Und dem Klaus seine Mutter, die muß putzen gehen, weil denen das Geld nicht langt. Ja, und dem Klaus sein Vater, der trinkt immer Bier und schreit abends dem Klaus seine Mutter an. Der Klaus hat auch eine ganz zerfetzte Jacke an, weil dem seine Mutter nur den halben Tag schafft und weil die nie genug Geld haben.«

»Entsetzlich«, hauchte Jutta.

»Ja«, stimmte ich zu, »die Grammatik eures Kindes ist verheerend. Ihr müßt unbedingt etwas dagegen unternehmen.«

»Jawohl«, trumpfte Rolf auf, »wenn ich meinen Erziehungsurlaub nehme, werde ich jeden Tag Martins Schularbeiten beaufsichtigen. Schließlich wollen wir doch, daß aus dem Jungen etwas wird!«

»Ich habe seine Schularbeiten immer beaufsichtigt«, war Jutta beleidigt.

»Mit äußerst fragwürdigem Erfolg«, merkte ich höflich an.

Rolf nickte beifällig.

»Was soll das?« schrie mich meine Schwester an. »Ich denke, du hältst zu mir!«

»Klar, Jutta, immer!«

»Du bist also meiner Meinung, Mona«, wiegte Rolf sich in Sicherheit.

»Das habe ich nicht gesagt. Ach, was sind schon Schulnoten! Wenn alle Stricke reißen, kann Martin immer noch als Gigolo seinen Lebensunterhalt verdienen.«

»Was?« brüllten Jutta und Rolf perfekt aufeinander abgestimmt.

»Was ist ein Tschigollo?« Martin war sehr an seiner beruflichen Laufbahn interessiert.

»Das ist ein sehr schöner, sehr alter und durchaus ehrenvoller Beruf. Wenn du es richtig anfängst, kannst du eine Menge von Frauen damit beglücken – und dir eine goldene Nase dabei verdienen.«

»Muß ich das werden, Tante Mona?«

»Ja, das kommt darauf an, wie du dich so machst, Martin. Jedenfalls kannst du nicht erwarten, daß deine Mutter Tabletts schleppt und Trinkgelder sammelt, bis du in Rente gehst!«

»Mami«, rief Martin begeistert, »ich werde Tschigollo!«

»Den Teufel wirst du!« Jutta war nun ernsthaft erzürnt. »Mona, du wirst sofort aufhören, meinem Sohn solche Flöhe ins Ohr zu setzen! Aber das ist ja mal wieder typisch für dich. Wir stecken in einer Krise, und du amüsierst dich auf unsere Kosten. Klar, du hast ja keine Probleme. Und du hast keine Ahnung, was hier abgeht!«

Ich war kurz davor, es mir endgültig mit ihr zu verscherzen. Obwohl ich diesen ganzen Zirkus immer noch in den Bereich des Lächerlichen einstufte, gab ich nach und zeigte mich von meiner konstruktiven Seite.

»Gut, Jutta, packen wir das Problem doch mal vernünftig durchdacht an. Rolf, ist es möglich, daß du dir kurzfristig Urlaub nimmst? Sagen wir, für die übernächste Woche?«

»Klar«, nickte Rolf eifrig, »das ginge schon.«

Sicher geht es, dachte ich, der Kerl ist nun wirklich alles andere als unentbehrlich!

»Fein. Mein Vorschlag lautet folgendermaßen: Rolf kümmert sich in dieser Woche ganz allein um den Haushalt und die Kinder, und Jutta kommt mit mir ins Theater zum Beleuchten. In der übernächsten Woche finden nämlich sämtliche Beleuchtungsproben für ›Oliver!‹ statt. Nach dieser Woche könnt ihr dann weitersehen.«

»Das ist doch wohl ...«, begann Jutta empört. Ich grinste und zwinkerte ihr fröhlich zu.

»Das ist eine Superidee«, grinste plötzlich auch sie. Ausnahmsweise hatte sie verstanden, worauf ich hinauswollte.

»Prima«, sagte ich, »wir telefonieren bis dahin noch einmal. Aber jetzt muß ich gehen.«

»Und wenn irgendwas schiefgeht?« flüsterte mir Jutta an der Haustür ängstlich ins Ohr.

»Liebe Jutta«, erwiderte ich geduldig, »meine Pläne gehen niemals schief. Wenn Rolf diese Woche überstanden hat, läßt er sich lieber freiwillig erschießen, ehe er weiterhin auf seinem Erziehungsurlaub besteht!«

Ich winkte ihr zum Abschied zu und lenkte meine Schritte schleunigst weg von diesem Irrenhaus. Es war so fürchterlich: Für meine Belange hatte sich wie üblich niemand interessiert. Man hatte mich gezwungen, zum Wohle meiner Schwester gegen die Emanzipation zu arbeiten. Und aus meiner heißersehnten Rumtopfeis-Mahlzeit war auch wieder nichts geworden! Aber ich war selbst schuld. Was mußte eine Künstlerin wie ich sich auch freiwillig in die Höhle des Spießbürgers begeben – Sie sehen ja, was dabei herauskommt!

Kapitel 20

Zerberus und ich saßen hinter der Bühne und warteten auf seinen großen Auftritt. Er ahnte noch nichts von seinem Glück, er interessierte sich nur für den Büffelhautknochen, den ich ihm mitgebracht hatte.

»Hör zu«, instruierte ich ihn flüsternd, »im Moment ist die Kneipenszene an der Reihe. Danach brauchst du nichts weiter zu tun, als mit Helmut zusammen hinauszugehen und einen furchterregenden Eindruck zu machen. Verstehst du mich?«

Zerberus mampfte zufrieden seinen Knochen und schien zumindest keinerlei Lampenfieber zu haben. Kurz bevor es soweit war, wurden wir allerdings empfindlich gestört.

»Kurze Pause«, rief Wolfgang, »es gibt ein kleines Problem.«

Das Problem entpuppte sich als Herr Diekoff.

»Mona«, rief er. »Da sind Sie ja.« Mit sichtlicher Mißbilligung wandte er sich an Wolfgang:

»Herr Weinberg, so geht das aber nicht. Mir ist zu Ohren gekommen, daß Frau Manntey bei Ihrer Produktion mitwirkt. Frau Manntey ist als Statistin in diesem Hause tätig, und die Statisterie unterliegt meiner Obhut. Sie können sie nicht einfach nach eigenem Ermessen einsetzen, Sie müssen mit solchen Angelegenheiten zu mir kommen!«

Er spielte die Rolle eines zutiefst empörten Mannes, der sich vehement gegen den Einbruch in seine Domäne wehrt. Wolfgang war sicher ebenso verblüfft, wie Herr Diekoff entrüstet war, aber Wolfgang war ein diplomatischer Mensch. Mit freundlichen Worten erklärte er, wie die ganze Idee zustande gekommen war, und beteuerte unschuldig, daß er durchaus vorgehabt hatte, nachträglich Herrn Diekoffs Erlaubnis einzuholen.

»Klar«, stimmte Herr Diekoff zu, »spätestens am Premierenabend!« Er lachte dröhnend.

Auch Theatermenschen können sich gelegentlich wie stinknormale Bürokraten aufführen.

»Gut«, sagte Wolfgang, indem er mühsam seine Ungeduld verbarg, »wir möchten jetzt gern weiterproben, Sie entschuldigen uns.«

»Moment!« Herr Diekoff war noch nicht fertig. »Wie ist es mit der Bezahlung? Frau Manntey paßt also auf einen Hund auf. Wie soll ich das denn abrechnen?« Er zog eine Liste hervor.

»Für jede Aufgabe, die von der Statisterie erfüllt wird, gibt es einen bestimmten Tarif. Aber von Hundebetreuung steht nichts auf meiner Liste. Wollen mal sehen ... Auftritte, nein. Technische

Hilfen wie Umbau oder Requisite, paßt auch nicht. Beleuchtung, nein. Sonstige Aushilfen wie Hausinspektion, Öffentlichkeitsarbeit ... nein, nein, nein, paßt alles nicht!«

»Nehmen Sie irgendwas, ist doch ganz egal«, rief Wolfgang enerviert.

»Es ist nicht egal«, berichtigte Herr Diekoff hoheitsvoll. »Wie wäre es mit Kinderbetreuung? Nein, das geht ebenfalls nicht.«

»Wie wäre es mit Assistenz des Statisterieleiters«, schlug ich vor, denn das bedeutete fünfzehn Mark pro Stunde und gehörte zu den bestbezahlten Jobs in diesem Geizladen.

»Das kann ja wohl nicht Ihr Ernst sein«, antwortete Herr Diekoff pikiert.

»Doch! Darunter fällt auch die Aufgabe der Probenbetreuung. Ich betreue Zerberus, und er tritt quasi als tierischer Statist auf!«

»Das ist doch ...«, wollte Herr Diekoff protestieren, aber Wolfgang unterbrach:

»Das ist eine gute Idee, außerdem hat Frau Manntey recht. Wenn Sie keine weiteren Fragen haben, dann lassen Sie uns doch bitte weitermachen!«

Wir atmeten auf, als mein verehrter Chef beleidigt, aber endgültig hinausrauschte. Im nachhinein stellte sich heraus, daß die ganze Aufregung völlig umsonst gewesen war, und das kam so:

»Auftritt Bill Sikes mit Hund«, rief Wolfgang.

Helmut stampfte mit energischen Schritten auf die Bühne, Zerberus tänzelte hinterher. Dabei hielt er seinen Büffelhautknochen wie eine Havanna in seiner Schnauze.

»Halt«, brüllte Wolfgang. »Mona, nimm dem Hund das alberne Ding ab. Das sieht ja lächerlich aus! Als würde er Zigarre rauchen!«

Ich brauchte eine geschlagene Viertelstunde, bevor ich den Knochen sicher in meiner Hand hielt. Danach war Zerberus dermaßen gekränkt, daß er sich weigerte, seinem Herrchen auf die Bühne zu folgen. Womöglich vermutete er, ich wollte den Knochen in seiner Abwesenheit selbst essen, jedenfalls war er zu einer weiteren Zusammenarbeit keineswegs bereit.

»Na schön«, seufzte Wolfgang, »vielleicht ist der Knochen gar nicht so verkehrt. Aber er soll ihn nicht wie eine Zigarre halten!«

Wir starteten den zweiten Versuch, doch der wurde auch nicht besser. Mit dem Knochen im Maul hüpfte Zerberus auf die Bühne. Dort fiel ihm ein, daß er eigentlich gar keinen Appetit mehr auf Büffelhaut hatte. Er ließ den Knochen fallen, warf sich auf den Rücken und streckte in völligem Wohlbehagen alle viere in die Luft. Dabei sah er so furchteinflößend aus wie ein neugeborenes Lämmchen.

»Aus«, protestierte Wolfgang, »wir probieren es noch mal. Helmut, du setzt sofort mit dem Gesang ein und kümmerst dich gar nicht weiter um den Hund. Einfach nicht beachten, vielleicht klappt es ja dann.«

Der Auftritt verlief folgendermaßen: Während Helmut mit grimmiger Miene und dröhnender Stimme sein »Nobody mentions my name« sang, rannte Zerberus schwanzwedelnd zu jedem einzelnen Darsteller und leckte allen, die es sich gefallen ließen, freundschaftlich die Hand.

Wolfgang war keineswegs zufrieden.

Der nächste Auftritt konnte erst zehn Minuten später stattfinden, da Zerberus sich strikt weigerte, seine neugewonnenen Freunde auf der Bühne wieder zu verlassen. Der vierte und wie ich zugeben muß, letzte Versuch endete ziemlich abrupt: Zerberus hörte sich eine halbe Minute lang den Gesang seines Herrchens an und beschloß dann endgültig, daß ihm das Musical nicht gefiel. Er stemmte fest seine Vorderpfoten auf den Bühnenboden, warf den Kopf in den Nacken und stimmte ein herzzerreißendes Heulen an. Seine Bühnenkarriere war damit ein für allemal erledigt.

Wolfgang erhob sich langsam. Er wischte sich ein paar Schweißperlen von der Stirn. Helmut und ich hielten den Atem an.

»Weißt du, Helmut«, Wolfgangs Stimme klang nicht besonders glücklich, »dein Zerberus mag ja ein liebes Tier sein. Aber als Schauspieler ist er ein überdimensionaler Versager!«

Die Probe war beendet, fast alle waren schon gegangen. Nur Helmut hockte völlig niedergeschmettert auf der Bühne. Das harte Urteil über seinen treuen Freund ging ihm gewaltig an die Nieren.

»Nun mach dir doch nichts draus«, versuchte ich zu trösten, »Zerberus ist schließlich nicht Kommissar Rex!«

Helmut seufzte tief.

»Sieh mal«, erklärte ich, »Kommissar Rex, Bernhardiner Beethoven, Bingo und all die anderen Hundestars – jeder von denen hat einen Trainer.«

Helmut lächelte abwesend und fuhr seinem Hund liebkosend über den Kopf.

»Ich wette, Zerberus will kein Star sein«, sagte ich. »Er ist sicher heilfroh, daß er jetzt wieder seine Ruhe hat.«

Zerberus selbst schien seine Blamage außerordentlich gut zu verkraften. Seine Schnauze lag auf Helmuts Knie, er döste friedlich vor sich hin.

»Du hast ja recht«, meinte Helmut, »es wäre nur so schön gewesen ... Ach, was soll's.« Seine Miene hellte sich schlagartig auf. »Weißt du, ich denke, Zerberus hat seinen eigenen Kopf. Er hört nicht auf irgendwelche dummen Befehle. Und gerade das beweist doch, wie intelligent er ist!«

Er schob Zerberus sanft zur Seite, streckte mir die Hand entgegen und zog mich vom Bühnenboden hoch.

»Bist du mit dem Auto hier? Nein? Gut, dann können wir noch ein bißchen spazierengehen, bevor wir dich nach Hause bringen.«

Auf einmal war es wirklich genauso wie früher. Wir legten die Arme umeinander und ließen uns von dem Hund führen. Wir sprachen nur wenig, aber die langen Gesprächspausen waren kein peinliches Schweigen, sondern ein Zeichen, daß wir uns auch ohne Worte verstanden.

Etwa anderthalb Stunden später standen wir vor meiner Haustür.

»Also dann!« Helmut strich mir etwas verlegen eine Haarsträhne aus der Stirn. »Gute Nacht!«

»Warte noch!« Ich griff nach seiner Hand, und ohne es zu wollen, sprudelte es aus mir hervor:

»Es ist nicht so, wie du denkst. Dieser Mann, äh, ich meine diesen Fotografen ... Es war doch längst aus mit ihm, als wir ... heiraten wollten – und ich habe ihn auch nie wiedergesehen, das kannst du mir glauben! Und auf dem Standesamt, der Grund, warum ich ...«

»Laß«, wehrte Helmut ab, »bitte laß das doch!«

»Hör mir zu! Du hast das alles falsch verstanden, es war ganz anders, als ...«

»Ich lasse Zerberus morgen in der Pension«, unterbrach Helmut. Sein Gesicht war wie aus Stein, eine undurchdringliche Maske. »Meine Wirtin vermißt ihn sowieso schon. Du brauchst also nicht mehr auf ihn aufzupassen. Schlaf gut, Mona.«

Ich sah ihm nach, wie er eiligen Schrittes, ohne sich noch einmal umzudrehen, mit Zerberus in der Dunkelheit verschwand. Dieser Anblick schnürte mir fast die Kehle zu. Scheiße, dachte ich, verdammte, verfluchte, dreimal verflixte Scheiße. Offenbar hatte ich es mal wieder total vermasselt.

Später, im Bett, ging ich im Geiste die Liste meiner bisherigen Liebhaber durch. Eigentlich war es keine richtige Liste, ich konnte die Männer an genau einer Hand abzählen.

Der erste war eine Mischung aus schwer gestörtem Psychopath und Mamasöhnchen mit Ödipuskomplex gewesen, der es sich zur Aufgabe gemacht hatte, mich zu einem Hausmütterchen umzuerziehen. Als dieser Plan gescheitert war, hatte er sich quasi über Nacht zum potentiellen Frauenhasser gewandelt. Er war jetzt Mitte Dreißig und hielt seine verfettete Mutter, die außer Nachbarschaftsklatsch und Kochrezepten nichts im Hirn hatte, immer noch für die absolute Traumfrau.

Dann war da dieser Sexprotz gewesen, der von morgens bis abends mit seiner nimmermüden Potenz geprahlt hatte. Als es dann wirklich zur Sache gegangen war, war er urplötzlich von einer extrem akuten Impotenz heimgesucht worden. Die Schuld daran schob er natürlich mir in die Schuhe.

Und natürlich Herr Fischer! Ein fitneßbesessener kleiner Rammler, der von Frauen soviel verstand wie ein dreizehnjähriger pubertierender Jüngling: »Ich fand es geil, also mußt du es doch auch geil gefunden haben!«

Und Uwe, ach ja. Ein geist- und charakterloses Vakuum in einer äußerst romantisch wirkenden Hülle. Im nachhinein konnte ich es ihm nicht mal verübeln – es war nicht seine Schuld, daß ich in ihm etwas gesehen hatte, das nicht vorhanden war!

Schließlich und endlich Helmut. Sosehr ich mich auch anstrengte – und ich strengte mich gewaltig an! –, ich fand absolut nichts, das ich ihm hätte vorwerfen können. Er war ein toller Mann, ein wundervoller, zärtlicher Liebhaber, er war Künstler, und er war ein Hundenarr. Aber all das, all diese positiven Eigenschaften machten mich nur stutzig. Wieso sollte Helmut, er, der potentielle Traum aller Frauen, gerade mich wollen? Das konnte doch einfach nicht mit rechten Dingen zugehen! Frauen wie ich fanden keinen Traummann. Wieso auch? Ich war eine Schlampe im Haushalt, ich war eine exzentrische Emanze, ich sah nicht mal besonders schön aus. Ich war zu klein, zu bleich, und mein viel zu feines, kurzgeschorenes Haar lag auch nie so, wie es liegen sollte. Was konnte Helmut an mir finden? Was wäre gewesen, wenn wir tatsächlich geheiratet hätten? Wäre er nicht eines Morgens aufgewacht und hätte, was unsere Eheschließung betraf, an seinem Geisteszustand gezweifelt? Nicht, daß ich mich selber für so übel hielt, das ganz gewiß nicht. Ich war intelligent, talentiert und sah zumindest interessant aus, nicht wie eine dieser Nullachtfünfzehn-Abziehbild-Schönheiten. Doch genau die entsprachen ja leider Gottes dem Durchschnittsgeschmack. Ich hatte alles Durchschnittliche schon immer verabscheut.

Doch das war jetzt auch egal. Helmut war wütend auf mich, und das würde wohl vorerst auch so bleiben. Zumindest bis – ja, bis er sich in eine andere Frau verliebte. Ein Wunder, daß er es bis dato noch nicht getan hatte. Die Vorstellung, daß eine andere Frau sowohl meinen Zerberus als auch meinen Helmut streichelte, war zum Verrücktwerden.

Da ich nun sowieso nicht mehr einschlafen konnte, stand ich auf, ging barfüßig in die Küche und machte eine Flasche Wein auf. Ich konnte mir das nun wieder erlauben: Da mich im Theater keiner mehr brauchte, konnte ich am nächsten Morgen ausschlafen.

Die nächsten Tage zogen sich wie Kaugummi. Ich hatte mich so sehr an den Probenrummel für »Oliver!« gewöhnt, daß ich jetzt unter immensen Entzugserscheinungen litt. Natürlich hätte ich den Proben auch weiterhin beiwohnen können, Wolfgang hätte nichts dagegen einzuwenden gehabt. Aber Helmut wollte mich ja offensichtlich nicht mehr sehen. Nicht mal als Hundesitter war ich noch gefragt. Was sollte ich also noch dort? Helmut sollte bloß nicht glauben, daß ich ihm auf die Pelle rücken wollte! Nee, mich bekam dort keiner mehr zu Gesicht. Kam überhaupt nicht in Frage.
Vielleicht würde ich Wolfgang anrufen und ihn bitten, mir eine Karte für die Premiere zu besorgen. Wolfgang war ein netter Kerl, er würde mir diesen Gefallen tun. Ansonsten aber ging mich diese Produktion nichts mehr an. Doch, halt! Ich mußte Wolfgang ja noch mitteilen, daß sich meine Schwester zum Beleuchten zur Verfügung stellte. Falls sie es sich inzwischen nicht anders überlegt hatte, was durchaus im Bereich des Möglichen lag.
Ich wählte Juttas Nummer. Es war Samstag nachmittag, ich hatte sie also seit sechs Tagen nicht gesehen. Vielleicht war Rolf in der Zwischenzeit wieder zur Vernunft gekommen. Was ich allerdings bezweifelte: Für eine vernünftige Entscheidung hatte er einfach nicht genug Hirn in seinem Schädel.
»Jutta? Ich bin's, Mona. Bleibt es bei unserer Abmachung? Kommst du nächste Woche ins Theater?«
»Klar«, sagte sie, »Rolf hat sich Urlaub genommen. Ich bin nicht gerade glücklich darüber, aber ...« Sie kicherte. »Wenn es nun mal nicht anders geht, ziehen wir die Sache eben durch.«
»Okay«, erwiderte ich, »die Probe beginnt um zehn Uhr. Du gehst am besten zuerst in die Kantine. Die ist im ersten Stock, ganz leicht zu finden. Ist alles ausgeschildert.«
»Ja, ist gut. Schade, daß du nicht ein bißchen früher angerufen hast, Mona. Martin und ich haben gerade das ganze Rumtopf-Eis verdrückt. Du hättest kommen und mitessen können.«

Es war unglaublich! Zwei Sonntage hintereinander hatte ich meine Schwester besucht, jedesmal war ich hungrig und frustriert nach Hause gegangen! Und jetzt hatte sie das Eis ohne mich vertilgt, dieses gefräßige Weibsstück!

»Ach, das macht nichts, Jutta. Ich hoffe nur, daß sich das Eis nicht allzu deutlich bemerkbar macht – gerade bei dir, wo du doch vom Hinsehen schon zunimmst! Wir sehen uns nächste Woche bestimmt einmal, tschüs, Jutta!«

Wütend legte ich auf. Während ich noch in meinem Notizbuch nach Wolfgangs Nummer suchte, klingelte das Telefon. Oje. Ob ich mir jetzt eine beleidigte Gardinenpredigt meiner Schwester anhören mußte, die mir zum hundertsten Male erklärte, welch eine unverschämte Person ich doch war?

»Ja«, meldete ich mich mit gedehnter Stimme.

»Mona«, rief Wolfgang, »zum Glück bist du zu Hause! Es ist etwas Schreckliches passiert!«

Ich geriet in Panik und schrie völlig unbeherrscht heraus:

»Ist was mit Helmut?«

»Helmut? Wie kommst du denn auf den? Nein, es geht um eine Umbesetzung. Kannst du sofort ins Theater kommen?«

»Ja«, seufzte ich erleichtert, »ja, das geht in Ordnung.«

»Komm in die Kantine. Ich erkläre dir dann, worum es geht.«

»Gut, das mache ich.«

»Danke, Mona. Es ist übrigens nett, wie sehr du dich um Helmut sorgst. Na, du bist ja auch mit seinem Hund befreundet. Bis gleich also!«

Hui! Beinahe hätte ich mich verraten, was Helmut anging. Bloß gut, daß Wolfgang so naiv war.

»Danke, daß du dich so beeilt hast«, begrüßte mich Wolfgang eine Viertelstunde später. »Es ist nämlich so ...«

Es folgte eine längere Erklärung. Eine der Darstellerinnen war beim Gardinenaufhängen von der Leiter gefallen und hatte sich nicht nur einen verstauchten Arm, sondern außerdem einen doppelten Oberschenkelhalsbruch zugezogen. (Das verblüffte mich ein wenig, es schien tatsächlich Frauen zu geben, die im Haushalt noch unfähiger waren als ich!) Jedenfalls fiel sie für diese Produktion nun endgültig aus. Ihre Rolle war zwar nicht groß, gestrichen werden konnte sie aber nicht. Sie hatte ein paar Zeilen zu singen, ein bißchen Text zu sprechen, auch ein paar Schritte zu tanzen, keine großartige Angelegenheit. Na, und da ich doch dieses Musical so liebte und auch schon mehrere Proben verfolgt hatte und auch eine recht gute Stimme besaß, ob ich da nicht eventuell ...

»Du willst, daß ich für sie einspringe«, rief ich ungläubig.

Wolfgang nickte.

Ich konnte es nicht fassen! Ein Regisseur glaubte an mich, wollte mich für seine Inszenierung haben! Mir kamen fast die Tränen.

Noch bevor er eine definitive Antwort von mir hatte, schleppte Wolfgang mich in den Musikraum, drückte mir das Manuskript in die Hand, setzte sich ans Klavier und forderte mich auf zu singen.

In der ganzen Eile hatte ich keine Zeit gehabt, nervös zu werden, wahrscheinlich klappte es deshalb auch so gut.

»Wunderbar, du bist engagiert, Mona! Laß uns jetzt noch deinen Text und deine Einsätze durchgehen.«

Es war wirklich keine großartige Sache.

»Das ist aber verdammt wenig Text, Wolfgang. Können wir sie nicht ein bißchen emanzipierter aufbauen? Sie könnte etwas Witziges sagen, zum Beispiel an der Stelle, als sich ihre Freundin Nancy über Bill Sikes und Fagin ausläßt. Wie wäre es mit: ›Wenn aber ein gelehrtes Weib 'nen Mann hat, so wett ich drauf, daß sie die Hosen anhat.‹«

»Mona! So steht es nicht in der Vorlage!«

»Ja. Aber es sollte so drinstehen!«

»Es paßt doch gar nicht in den Handlungsablauf!«

»Alles, was der gute, alte George geschrieben hat, paßt irgendwie!«

»Mußt du Lord Byron unbedingt den ›guten, alten George‹ nennen?«

»Ja. Wenn man ihn so lange kennt wie ich ...«

»Auf was habe ich mich da bloß eingelassen«, murmelte Wolfgang.

Er hätte es sich an dieser Stelle noch anders überlegen können. Aber er tat es nicht. Wolfgang war sicher der netteste Mensch auf der Welt. Er entließ mich schließlich mit einem Manuskript, das vollständig mit Kommentaren versehen war, und einem genauen Stundenplan, wann ich in der kommenden Woche wo zu erscheinen hatte.

»Helmut wird sich bestimmt sehr freuen, wenn du wieder bei uns bist«, meinte Wolfgang zum Abschied.

»Wieso, meinst du?« fragte ich vorsichtig.

»Ach, er war die letzten Tage ziemlich deprimiert. Wahrscheinlich ist er sauer, weil ich seinen Hund aus der Produktion geschmissen habe. Wenn du wieder da bist, hat er wenigstens eine verständnisvolle Zuhörerin, der er sein Leid klagen kann.«

»Das kann er gerne tun«, nickte ich erleichtert.

Wolfgang war wirklich unheimlich lieb. Und er schien unser Verhältnis tatsächlich nicht zu durchschauen. Aber es war typisch für diese Welt: Gerade die naivsten und arglosesten Menschen sind fast immer auch die liebenswertesten.

Kapitel 21

Meine Schwester Jutta war ziemlich überrascht, als ich sie am Montag morgen um dreiviertel zehn von zu Hause abholte.

»Was machst du hier, Mona? Wieso liegst du nicht mehr im Bett?«

Ich hatte ihr meine beginnende Bühnenkarriere eigentlich ganz cool und gelassen schildern wollen. Doch es half nichts: Meine Stimme quietschte förmlich vor Glück.

Ihre Reaktion war niederschmetternd.

»Du sollst für eine Schauspielerin einspringen? Fein, fein. Rolf, Martin kommt etwa viertel nach eins von der Schule zurück. Für Johanna habe ich dir eine Liste gemacht. Und einen Einkaufszettel habe ich dir auch geschrieben. Ich hoffe, du kommst klar. Ja, und hilf Martin bei seinen Hausaufgaben, aber nur, wenn er ein Problem hat. Er muß lernen, selbständig zu arbeiten. Und daß das Abendessen fertig ist, wenn ich zurück bin! Wenn ich nach Hause komme, will ich mich um nichts mehr kümmern müssen, hast du verstanden?«

»Ja, doch«, murmelte Rolf eingeschüchtert, »nun beeil dich, sonst kommst du noch zu spät.«

»Der wird sich noch umschauen«, meinte Jutta grimmig, sobald wir draußen waren. »Aber vielleicht wird er endlich mal begreifen, wieviel ich all die Jahre über leisten mußte!«

»Ja, Jutta, das wird er. Ich bringe dich in die Kantine, die Beleuchtungsstatisten werden über Lautsprecher reingerufen. Ich muß in den Ballettsaal, die Choreographin übt mit mir die Tanzschritte ein.«

»Ich habe kein gutes Gefühl bei der Sache. Hoffentlich baut Rolf keinen Mist.«

»Wird er schon nicht. Stell dir vor, ich habe nur drei Tage Zeit. Am Donnerstag bin ich ganz regulär bei der Probe dabei!«

»Ich mache mir vor allem Sorgen um Johanna. Martin kann immerhin sagen, wenn ihm etwas nicht paßt, aber sie ist doch noch ein Baby!«

»Das wird schon alles klappen, Jutta. Also, heute, morgen und übermorgen wird ausschließlich beleuchtet. Solange werde ich auf meine Rolle vorbereitet. Am Donnerstag und Freitag wird nur von acht bis zwölf und von siebzehn bis dreiundzwanzig Uhr beleuchtet. Zwischendurch proben die Schauspieler. Und ich bin dabei! Ist das nicht der helle Wahnsinn?«

»Bis dreiundzwanzig Uhr, oje. Ob ich da zwischendurch nach Hause gehe? Ich kann doch unmöglich so lange meine armen Kinder ihrem Vater überlassen! Andererseits – es würde die Chance, daß Rolf diesen unsinnigen Plan aufgibt, erhöhen. Martin wird nach dieser Woche seinen Vater anflehen, wieder ins Büro zu gehen.«

Ich war froh, als wir endlich beim Theater angekommen waren. Diese Unterhaltung war nicht gerade unsere fruchtbarste gewesen.

In den nächsten Tagen hörte ich nichts von Jutta. Ich war viel zu sehr mit meinen Tanz- und Singstunden beschäftigt. Nach Ablauf meiner drei Tage Vorbereitungszeit fühlte ich mich beinahe schon reif für den Broadway. Um Sie nicht länger auf die Folter zu spannen: Die Probe am Donnerstag mittag ging im wahrsten Sinne des Wortes reibungslos über die Bühne. Ich vergaß weder meinen Text noch meine Tanzschritte, mir blieb vor Aufregung weder die Spucke weg, noch fiel ich vor Angst in Ohnmacht. Es verlief alles glatt. Der eigentliche Hammer kam erst nach der Probe. Dabei sah es zunächst so blendend aus: Wolfgang strahlte vor Stolz über seine Neuentdeckung. Die Schauspieler klopften mir auf die Schulter. Helmut nahm mich heimlich zur Seite, ergriff meine beiden Hände und flüsterte:

»Du warst wirklich toll, Mona. Ich bin irrsinnig stolz auf dich.«
Mein Herz war am Zerspringen.

»Wolfgang ist total hingerissen von dir. Weißt du, er und ich sind alte Freunde.«
Ich versuchte, so ahnungslos wie nur möglich dreinzuschauen.

»Unser Abschied letzte Woche war eine totale Pleite, nicht?«
Ich nickte.

»Ich würde gern mit dir reden, Mona. Was hältst du davon, wenn wir Zerberus abholen, einen langen Spaziergang machen und dann essen gehen?«

»Sehr viel«, sagte ich glücklich. »Aber nur in ein Restaurant, in dem Hunde willkommen sind.«
Er nickte lächelnd und küßte mich auf die Stirn.

Bevor wir das Theater verlassen konnten, mußten wir noch mal kurz in die Kantine gehen, um meine Jacke zu holen. Ich schwebte wie auf Wolken. Wir würden uns endlich versöhnen. Wie es dann mit uns weiterging, nun, darüber zerbrach ich mir vorerst nicht den Kopf. Es war einfach nur schön, daß wir wieder normal miteinander redeten.

Ich war richtig stolz, als ich Arm in Arm mit Helmut die Kantine betrat. Ich bildete mir ein, daß jede Frau in diesem Augenblick neidisch auf mich sein mußte. Konnte es eine einzige Frau geben, die von Helmut nicht begeistert war? Wohl kaum. Dachte ich.

»Mona! Helmut«, kreischte in diesem so glückseligen Moment eine mir wohlbekannte Stimme, und kurz darauf wogte meine Schwester auf uns beide zu. Sie schüttelte Helmut überaus herzlich die Hand, um eine Sekunde später in dem vorwurfsvollen und beleidigten Tonfall, der mir so vertraut war, eine längere Rede zu starten.

»Weißt du, Helmut, du hättest dich wirklich mal bei uns melden können. Wir haben dich zum Patenonkel unserer Johanna gemacht, aber du erkundigst dich überhaupt nicht nach dem Kind. Das ist nicht nett von dir! Wenn man Pflichten übernommen hat, muß man sie auch peinlich genau erfüllen. Ich finde das grob fahrlässig, um nicht zu sagen, völlig verantwortungslos! Hast du denn keinerlei Pflichtgefühl? Kümmerst du dich um deine beiden Töchter aus erster Ehe auch nicht?«

»Jutta«, schrie ich entsetzt. Helmut gab keinen Laut von sich. Nur bei dem Wort »Töchter« zuckte er zusammen.

»Jutta, wir haben es eilig«, verkündete ich mit fester Stimme, »würdest du bitte …«

»Laß«, unterbrach Helmut mit leiser Stimme, »wir verschieben es auf ein anderes Mal, ja? Komm, Jutta, wir setzen uns da drüben hin.«

Ich war sprachlos. Das konnte doch alles gar nicht wahr sein! Bevor ich zu einem Protest ansetzen konnte, lächelte Jutta mich süßlich an:

»Nicht aufregen, Mona. Ihr seht euch doch morgen bei der Probe wieder. Könntest du mir einen Gefallen tun? Würdest du bei Rolf anrufen … nur so zur Kontrolle. Ich würde es ja selbst machen, aber dann denkt er, ich vertraue ihm nicht.«

»Tust du ja auch nicht«, stellte ich ungerührt fest.

»Mach mir die Freude, Liebes. Zeig doch mal ein bißchen Familiensinn.«

Bei dem Wort »Familiensinn« zuckte Helmut abermals zusammen. Verwirrt betrachtete ich sein Gesicht, das aschfahl geworden war. Er stand da wie ein Häufchen Elend. Ich kapierte überhaupt nichts mehr. Wieso ließ er das mit sich anstellen? Warum riet er Jutta nicht, sich zum Teufel zu scheren? Was wurde aus unserer

Versöhnung? War ihm das gar nicht mehr wichtig? Ich starrte ihn herausfordernd an.

»Tut mir leid, Mona, nicht böse sein. Wir sehen uns morgen, ja?« Er küßte meine Wange.

Ich war wie erschlagen. Ich war so fertig, daß ich versuchte, mein Auto mit dem Haustürschlüssel aufzuschließen. Dieses gemeine Biest! Wie konnte sie mir das antun! Doch halt: Wahrscheinlich war sie nicht einmal biestig, sie war nur unerhört kurzsichtig und spießig. Dieses dämliche Weib kapierte ja nicht einmal, was es angerichtet hatte. Daß sie unsere Versöhnung ruiniert hatte. Daß sie alles von Grund auf verdorben hatte! So eine Kuh! Erst machte sie mir die bittersten Vorwürfe, weil ich Helmut auf dem Standesamt einen Korb gegeben hatte. Und nun überhäufte sie genau diesen Mann mit Vorwürfen, weil er sein Amt als Patenonkel, welches ihm in einem betrunkenen und deprimierten Zustand förmlich aufgeschwatzt worden war, nicht so nachkam, wie sie es für richtig hielt! Ich hätte sie mit bloßen Händen erwürgen können. Und er? Wieso hatte er nur so betroffen dreingeschaut? Warum nahm er diese Person überhaupt ernst? Ihr dummes Geschwätz hätte ihn doch völlig kalt lassen können!

Und dann ihre unverschämte Weisung, daß ich ihren verblödeten Ehemann anrufen solle, ob denn auch alles in Ordnung war! Ja, was ging mich das denn an? Von mir aus konnte er das ganze Haus in Brand setzen. Dann fiel mir allerdings ein, daß die Hälfte des Hauses ja mir gehörte, und so nahm ich diesen Gedanken rasch wieder zurück.

Ich würde ihn jedenfalls nicht anrufen. Ich würde etwas anderes tun: Ich würde persönlich zu ihm fahren! Vielleicht konnte ich meine Wut wenigstens an ihm auslassen!!!

Ein völlig gestreßter Rolf öffnete mir die Tür.

»Ach, Mona, du? Äh, im Augenblick paßt es eigentlich überhaupt nicht ...«

Nach dreieinhalb Hausmannstagen hörte er sich bereits wie seine Frau an.

»Hast du Probleme, Rolfilein?«

»Ich? Wo denkst du hin! Jutta hat mir aufgetragen, die Wohnzimmergardinen zu waschen. Ich wollte sie gerade aus der Maschine holen.«

»Du wäschst? Ausgerechnet du? Als Jutta damals mit Magengeschwüren im Krankenhaus lag, warst du nicht mal imstande, einen Teller abzuwaschen!«

»Na und«, erklang es eingeschnappt, »man kann doch dazulernen!«

»Man kann durchaus, aber kannst du es auch?« erkundigte ich mich spöttisch.

»Bitte, Mona, bring mich jetzt nicht durcheinander. Dieser Vorhang ist höchst kompliziert. Er besteht aus drei Teilen: den zwei Lappen an den Seiten und diesem komischen Volant-Dingsda mit den Ecken, na ja, das geht so um die Ecke herum, wenn das dann hängt, gibt das so merkwürdige Kurven und Wellen ...«

»Is' nicht möglich!« Ich amüsierte mich königlich über diesen Schwachkopf.

»Hallo, Tante Mona!« Mein Neffe Martin trippelte auf mich zu. »Hilfst du mir, bitte? Ich muß einen Aufsatz schreiben.«

»Mach ich doch gern, Martin! Der Papi schafft das sowieso nicht, stimmt's?«

»Nein«, murmelte der Junge und warf seinem Vater einen bösen Blick zu. »Und Kochen kann er auch nicht. Wann kommt die Mami wieder? Ich will meine Mami!«

»Aber Martin«, versuchte Rolf zu beschwichtigen, »wir hatten doch heute mittag eine wunderschöne Pizza! Hat dir die etwa nicht geschmeckt?«

»Doch«, nickte Martin, »die war auch nicht so verbrannt wie die von gestern. Oder so matschig wie die von vorgestern. Oder so kalt wie die von Montag.«

»Siehst du«, grinste ich, »Papi scheint also Fortschritte zu machen!«

»Und abends«, fuhr Rolf verzweifelt fort, »abends, wenn Mami kam, hatte ich doch immer schön den Tisch gedeckt. Mit Brot und Butter und Käse und ... Brot.«

»Das stimmt«, unterrichtete mich Martin, »wir haben Brot und Pizza zum Essen!«

»Geh wieder an deine Hausaufgaben«, seufzte Rolf, »Papi muß Gardinen aufhängen.«

Aber Martin war noch nicht fertig.

»Sogar die grünen Bohnen bei Mami schmecken besser«, brüllte er.

»Ich dachte immer, du kannst grüne Bohnen nicht ausstehen«, war Rolf erschüttert.

»Kann ich auch nicht! Das ist aber tausendmal besser als die ewige Scheißpizza!«

»Scheiße sagt man nicht«, rügte Rolf.

»Doch, sagt man! Sagt Tante Mona auch immer.«

Ich war gerührt, daß mein Neffe mich als eine Art Vorbild anzusehen schien.

»Wenn du so alt bist wie Tante Mona, kannst du sagen, was du willst«, spielte Rolf sich als gestrenger Vater auf, »aber solange du die Füße unter meinem Tisch hast ...«

»Meinst du den Tisch, auf dem jeden Tag eine Pizza liegt?« fragte Martin.

Der Kleine mußte wahnsinnig frustriert sein. So vorlaut hatte ich ihn noch nie erlebt. Ich registrierte das zornige Funkeln in Rolfs Augen und beschloß, das arme Kind außer Schußweite zu bringen.

»Komm, Martin, wir beeilen uns, damit du bald zum Spielen gehen kannst. Über welches Thema mußt du denn schreiben?«

Martins Aufsatzthema stellte sich als hochinteressant heraus: Was ich auf dieser Welt gern verändern möchte. Nun, wir gaben uns große Mühe. Ich ermutigte Martin dazu, das Thema ganz ehrlich und persönlich anzupacken und nicht einfach irgendein verlogenes Blabla zu Papier zu bringen. Nachdem ich sämtliche Rechtschreibfehler korrigiert und Martin alles ins reine geschrieben hatte, stand da folgendes:

»Mein Papi hat keine Lust mehr auf seine Arbeit im Büro. Deswegen hockt er jetzt zu Hause herum und läßt Mami arbeiten. Aber das klappt gar nicht. Ich muß jeden Tag Pizza essen, und die hängt mir schon zum Hals raus. Und das bloß, weil der Papi nicht kochen kann. Aus dem wird nie eine richtige Mami. Ich will, daß die Mami wieder zu Hause ist und der Papi bloß am Abend und am Wochenende da ist. Das reicht nämlich völlig. Die Mami schimpft auch nicht soviel rum. Die schimpft auch, aber eben nicht so oft und nicht so laut und nicht so lange. Das will ich auf dieser Welt verändern. Und ich will nie wieder Pizza essen!«

»Toll, Martin«, lobte ich ihn. »Besonders gut gefällt mir der letzte Satz: ›Und ich will nie wieder Pizza essen!‹ Erinnert mich ein bißchen an eine Stelle aus ›Vom Winde verweht‹. Du solltest später unbedingt Reporter werden. Du hast eine echte Begabung für lebensnahe Darstellungen.«

»Meinst du, ich soll das morgen der Lehrerin vorlesen?«

»Auf jeden Fall! Die wird vor Rührung in Tränen ausbrechen!«

»Mona«, schallte in dieser Sekunde Rolfs jammernde Stimme durch die Wohnung, »Mona, komm doch mal!«

»Entschuldige, Martin. Bist du mit deinen Aufgaben fertig?«

Er nickte.

»Fein, dann sehe ich mal nach deinem Papi.«

Rolf war augenscheinlich noch nötiger auf Hilfe angewiesen als sein Sohn.

»Guck doch«, beklagte er sich, »die Haken haben sich in den Gardinen verheddert. Was soll ich denn jetzt machen?«

»Hast du keinen Strumpf darüber gezogen? Oder die Gardinen wenigstens zusammengebunden? Na, offenbar nicht!«

»Woher soll ich das denn auch wissen?«

Er zerrte so heftig an Juttas Gardinen herum, daß einem ganz übel werden konnte.

»Kannst du mir nicht helfen?« fragte er mit Dackelblick.

»Ich? Ausgerechnet ich? Ich bin die Schlampe in der Familie, vergiß das nicht!«

»Das ist Juttas Rede, nicht meine«, erwiderte Rolf im Brustton der Überzeugung.

»Lieber Rolf, du mußt das schon selber hinkriegen. Du bist schließlich derjenige, der unbedingt Hausmann werden will, und wenn dir dazu die nötigen Fähigkeiten abgehen, dann mußt du zumindest imstande sein, die Konsequenzen zu tragen. Im Klartext: Wenn du Juttas Gardinen in Fetzen reißt, mußt du es notfalls auf dich nehmen, daß sie dir an die Gurgel geht. Das ist ganz allein deine Angelegenheit, und außerdem ...«

»Ich gebe dir zehn Mark dafür«, rief Rolf.

»Das ist wenigstens ein stichhaltiges Argument«, räumte ich ein. Ich brauchte zwanzig Minuten, aber ich schaffte es. Alle Haken waren aus dem feinen Maschengewebe gelöst, und die Gardinen waren unversehrt. Rolf war beeindruckt.

»Sei vorsichtig beim Aufhängen«, warnte ich, »eine unserer Schauspielerinnen ist beim Gardinenaufhängen von der Leiter gefallen und hat sich das Bein gebrochen.«

Mein gutgemeinter Rat wirkte nicht eben erbaulich auf den armen Rolf.

»Wiiie«, schrie er entsetzt, »das Bein gebrochen? Na, ich steige bestimmt nicht auf die Leiter. Ich habe noch nie im Leben eine Gardine aufgehängt, ich kann das sowieso nicht! Monaaa ... Kannst du nicht vielleicht ...«

»Ach so, du meinst, wenn ich mir das Bein breche, kümmert es ja keinen, wie?«

»So war das nicht gemeint, ehrlich! Mona, bitte! Biiiiitte ...«

Er bediente sich des gleichen Bettelblicks, den Zerberus immer aufsetzte, sobald er etwas halbwegs Verzehrbares witterte. Nur sah Zerberus dabei wesentlich hübscher aus.

»Gardinenaufhängen kostet bereits zwanzig Mark«, lächelte ich und genoß meine Überlegenheit. Rolf knirschte zwar mit den Zähnen, ließ sich aber notgedrungen auf den Handel ein.

Eine Viertelstunde später hing die Gardine, wie sie hängen sollte, und Rolf überreichte mir etwas verlegen meinen Lohn von dreißig Mark.

»Die Firma dankt«, grinste ich gut gelaunt. Ich hatte mich bei der Hausarbeit noch nie derart amüsiert.

»Ich danke dir auch, Mona.« Rolfs Stimme klang ungewöhnlich bescheiden, beinahe schon demütig. »Das bleibt doch unter uns, nicht? Du wirst es Jutta nicht erzählen?«

»I wo! Bleibt unser kleines Geheimnis!«

Rolf strahlte mich erleichtert an und suchte krampfhaft nach den richtigen Worten, die seine Dankbarkeit noch einmal deutlich zum Ausdruck bringen sollten. Schließlich sagte er:

»Es war unglaublich, wie du das gemacht hast, Mona! Ich habe gar nicht gewußt, daß du das überhaupt kannst!«

»Wieso sollte ich keine Gardinen aufhängen können? Denkst du, ich habe keine Vorhänge in meiner Wohnung?«

»Doch«, nickte Rolf und fuhr völlig arglos fort: »Aber jedesmal, wenn Jutta in deiner Wohnung war, meint sie: ›Monas Vorhänge stinken bestialisch nach Zigaretten. Ich wette, die alte Schlampe weiß nicht mal, wie man Gardinen wäscht.‹«

Ich starrte ihm forschend ins Gesicht und stellte zu meiner grenzenlosen Verwunderung fest, daß es sich hierbei nicht um eine Boshaftigkeit seinerseits, sondern schlicht und einfach nur um ein Zitat seiner lieben Frau handelte.

Bevor er noch sein letztes Haushaltsgeld an mich verlor, verabschiedete ich mich von Rolf. Außerdem hatte Johanna zu schreien begonnen, und ich hatte nicht die geringste Lust, zum Windelnwechseln eingespannt zu werden. Ich ging allerdings nicht, ohne vorher noch mal bei Martin reinzuschauen und ihm die dreißig Mark in die Hand zu drücken.

»Hier, Martin. Als kleine Entschädigung für diese Woche. Aber hau nicht gleich alles auf einmal auf den Kopf!«

Der Nachmittag hatte sich somit noch recht vergnüglich gestaltet. So vergnüglich, daß ich auf Jutta nur noch sauer, aber nicht mehr wahnsinnig-unheimlich-stinkwütend-sauer war. Und immerhin teilte ich mit ihrem Ehemann, den ich nie hatte leiden können, nun ein Geheimnis! Ha, ha, wenn sie das gewußt hätte!

Kapitel 22

Die Erinnerung an den darauffolgenden Tag ist mir noch heute dermaßen peinlich, daß ich mich schon beim Anflug eines Gedankens daran in Magenkrämpfen winden könnte.

Nach der Probe schlug ich Helmut vor, unser geplantes Essen nachzuholen. Ziemlich verlegen druckste er herum:

»Das Essen, ja, klar holen wir das noch nach, nur heute ist es schlecht, weil ... Nun, um ehrlich zu sein, ich bin bereits verabredet.«

»Mit wem?« fragte ich mißtrauisch und fuhr hoffnungsvoll fort: »Geschäftlich, nehme ich an?«

»Äh, nein, eher privat.«

Ich traute meinen Ohren nicht. Gestern hatte er mich beinahe angefleht, mit ihm auszugehen, und nun wies er mich ab – wegen einer privaten Verabredung! Eifersucht stieg in mir auf. Ja, gab es denn nur solche Mistkerle auf der Welt? Waren alle Männer so charakterlos und wankelmütig wie dieser Uwe? Würde das bis in alle Ewigkeit so weitergehen?

Helmut seufzte.

»Deine Schwester erwartet mich in der Kantine. Sie hat noch eine Weile Zeit, bevor die nächste Beleuchtungsprobe beginnt. Sie wollte mir ein paar Fotos zeigen und von Johanna erzählen. Sie meinte, ich müsse mehr am Leben meines Patenkindes teilnehmen.«

Ich grübelte angestrengt darüber nach, ob ich nun lachen oder ihm kurzerhand den Schädel einschlagen sollte. Für wie naiv hielt mich dieser Mann eigentlich? Ein Treffen mit Jutta in der Kantine – ha! Fotos von Johanna – ha, ha! Mehr Engagement als Patenonkel – ha, ha, ha!

»Helmut, ich kann es nicht leiden, wenn man mich für dumm verkauft!«

»Aber es ist die Wahrheit!«

»Das werden wir ja sehen!« Ich ergriff seinen Arm und schleppte Helmut förmlich in die Kantine ab.

»Huhu!« Da saß tatsächlich meine Schwester und schwenkte ein Fotoalbum in der Größe eines Universallexikons. Ich war baff.

»Helmut«, mein Zorn und meine Eifersucht schlugen augenblicklich in eine aufrichtige Sorge um Helmuts geistige Verfassung um, »sag, Schätzchen, geht es dir auch gut?«

»Jaaa«, murmelte er und sah nicht gerade sehr begeistert aus.

Immerhin: Ich kannte meine Schwester. Ich wußte, wie brillant sie es verstand, auf andere Menschen moralischen Druck auszuüben. Helmut war dem natürlich nicht gewachsen. Wie sollte er auch. Die einzige Person, die bei Juttas Leier über Pflicht, Ordnung und Familiensinn regelmäßig völlig unbeeindruckt blieb, war wohl ich – was mir ja auch bei jeder Gelegenheit vorgeworfen wurde. Wie dem auch sei, ich verspürte Helmut gegenüber ein schlechtes Gewissen. Der arme Kerl, er hatte zwei grauenvolle Stunden vor sich, und ich hatte ihm so mißtraut! Ich wollte ihm eine kleine Freude machen und schlug vor:

»Ich hole Zerberus ab und gehe Gassi mit ihm. Dann mußt du dir keine Sorgen um ihn machen und kannst dich entspannen. Du brauchst Jutta nur freundlich anzulächeln, sie wird dich sowieso kaum zu Wort kommen lassen.«

»Vielen Dank, das ist lieb von dir, Mona.«

»Nun guck nicht so traurig! Zerberus wird dich nicht gleich für einen Rabenvater halten!«

Diese Bemerkung war eigentlich scherzhaft gemeint, aber zu meiner Verwunderung reagierte Helmut mit dem gleichen schmerzhaften Zusammenzucken, das mir schon am Tag zuvor zweimal an ihm aufgefallen war.

Spätestens in dem Moment, als Zerberus mich begrüßte, waren alle trüben Gedanken wie fortgeblasen. Sobald ich mit dem Hund zusammen war, fühlte ich mich glücklich. Wir gingen zusammen in den Park, spielten »Stöckchenholen«, tollten und rannten um die Wette. Ein Gedanke aber ließ mich nicht los: Wenn ich Helmut geheiratet hätte, dann wäre Zerberus ganz offiziell auch mein Hund gewesen. Na ja – nun war es wohl zu spät.

Eine gute Stunde später brachte ich ihn in die Pension zurück. Zu meiner großen Überraschung war Helmut bereits da.

»Wieso bist du schon hier? Die Beleuchtungsprobe kann doch noch gar nicht begonnen haben. Oder hast du es mit meiner Schwester nicht länger ausgehalten?«

Helmut winkte müde ab. Er wirkte außerordentlich deprimiert. Ich stand etwas unschlüssig herum.

»Soll ich noch ein bißchen bleiben? Oder willst du dich ausruhen?«

»Ja, nein, doch, ich bin sehr müde.« Anscheinend wußte er selbst nicht genau, was er wollte. Was hatte ich denn jetzt schon wieder falsch gemacht?

»Wenn ich dich störe, gehe ich natürlich ...«

»Nein, du störst nicht, aber ... ich fühle mich nicht so ... Sei bitte nicht sauer, es hat nichts mit dir zu tun. Danke, daß du dich um Zerberus gekümmert hast.« Er drückte mir einen flüchtigen Kuß auf die Lippen. »Ich muß nur eine Weile allein sein. Tschüs, Mona.«

Was sollte ich davon halten? Ich wußte es nicht. Vielleicht hatte Jutta ihn derart geschafft – oder er wollte mir einfach nicht mehr zu nahe kommen. Aber wie war dann seine gestrige Einladung zu verstehen gewesen?

Männer. Diese hochkomplizierten Wesen. Als ich noch zur Schule ging, hatte ich mir immer eingebildet, Physik sei die undurchsichtigste Wissenschaft, die es auf der Welt gibt. Für meine Fünf in diesem Fach hatte ich ein Dauerabonnement gehabt. Aber meine umfassende Unkenntnis auf diesem Gebiet war wenigstens zuverlässig gewesen. Bei Männern lag der Fall ganz anders. Jedesmal wenn ich mir einbildete, einen Mann zumindest ein klein wenig zu kennen und ihn sogar ein bißchen zu verstehen, machte er eine Kehrtwendung um hundertachtzig Grad und ließ mich in ein tiefes schwarzes Loch fallen. Irgendwie war das nicht besonders fair.

Doch es kam noch besser. Kaum hatte ich es mir zu Hause gemütlich gemacht, als auch schon wieder das Telefon klingelte.

»Mona«, jammerte eine wehleidige Stimme, »bitte hilf mir!«

»Rolf? Bist du das?« Ich war überrascht. Nur weil wir uns gestern mal ausnahmsweise nicht permanent angegiftet hatten, bedeutete das schließlich noch lange nicht, daß wir jetzt dicke Busenfreunde waren! Was also konnte er heute schon wieder von mir wollen?

»Laß mich raten, Rolf. Mußt du wieder Gardinen aufhängen? Oder den Kühlschrank abtauen? Oder ist dir die Pizza im Backofen explodiert?«

»Ich sterbe! Ich sterbe vor Schmerzen!«

»Nein, das tust du nicht. Das wäre nicht besonders gut. Bei deinem Alter und deinem Einkommen würde Jutta nur ein kleines Taschengeld als Witwenrente erhalten. Und das kann doch unmöglich in deinem Interesse liegen. Klar, Johanna hat einen reichen Patenonkel, der sie locker ernähren könnte. Das wiederum läge allerdings nicht in meinem Interesse. Jutta ist natürlich noch jung, sie könnte ein zweites Mal heiraten, was sie bestimmt tun würde, sie ist zum Alleinsein einfach nicht geschaffen. Alles in allem stünden die Chancen somit gar nicht so schlecht ... Wie sicher ist es denn, daß du stirbst? Ich will ja nicht drängeln, aber man muß schließlich vorausplanen können, und bei einer so prekären Angelegenheit ...«

»Halt die Luft an«, unterbrach Rolf beleidigt, »ich habe nicht vor zu sterben. Ich habe nur grauenhafte Zahnschmerzen.«

»Hatten wir das nicht schon einmal? Habe ich dir nicht bereits vor drei Wochen gesagt, daß du zum Zahnarzt mußt? Wieso hörst du eigentlich nie auf das, was dir ein intelligenter Mensch rät?«

»Mona ... Kommst du bitte mit? Ich traue mich nicht alleine!«

»Es ist Freitag nachmittag, Rolf. Alle Praxen haben geschlossen. Kannst du es nicht bis Montag aushalten?«

»Nein, kann ich nicht!«

Typisch. Wochenlang fehlte diesem Schisser die Courage, und nun hielt er es nicht mehr aus.

»Ich könnte mich natürlich erkundigen, wer an diesem Wochenende Notdienst hat.«

»Ja, machst du das? Danke, Mona, du bist ein Engel!«

Verstehen Sie, was ich mit »kompliziert« gemeint habe? An einem ganz normalen Wochentag wäre diese Jammersuse nie zum Zahnarzt gegangen. Wieso einfach, wenn es auch umständlich geht. Ich hätte den Kerl in seinem eigenen Saft schmoren lassen können, und ich wäre durchaus dazu berechtigt gewesen. Immerhin war ich der Familienschandfleck, und an Familiensinn mangelte es mir ja sowieso. Aber ich wollte mal nicht so sein. Rolf war der Mann meiner Schwester. Ich meine, er war eben bloß ein Mann. Mehr brauche ich dazu wohl nicht zu sagen, denn diese Tatsache spricht eindeutig für sich.

Mit Schwung und Elan betrat ich eine Viertelstunde später Rolfs und Juttas Wohnung.

»Alles klar, Rolf. Ich fahre dich jetzt in die Praxis. Wir haben Glück, es ist nicht weit. Du hast ja noch nicht einmal deine Jacke angezogen. Was ist mit den Kindern? Wir könnten sie vielleicht zu Familie Klein bringen. Sind die Kleins zu Hause? Was, du weißt es nicht? Muß ich denn schon wieder alles alleine machen?«

»Weißt du, Mona … eigentlich geht es mir wieder besser. Es war nett, daß du gleich gekommen bist, aber ich denke, es ist nicht unbedingt nötig.«

»Nichts da, ich will keine faulen Ausreden hören. Zieh deine Jacke an. Vorwärts marsch!«

Ich rannte die Treppe hoch und klingelte bei Familie Klein, den Mietern des ersten Stockwerkes.

»Rolf, die Kleins sind nicht zu Hause. Ich fürchte, wir müssen die Kinder mitnehmen. Du bist ja immer noch nicht angezogen!«

»Ich gehe nicht zum Zahnarzt.«

»Heißt das, du weigerst dich?«

»Genau das heißt es!«

»Rolfilein, ich werde meine Stimme nicht erheben. Ich werde ganz ruhig bleiben. Aber wenn du nicht auf der Stelle deinen feigen Arsch bewegst, dann setzt es was!«

»Okay!«

»Ich werde dir deinen dämlichen Schädel einschlagen!«

»Mach's doch!«

»Und vorher schlage ich dir sämtliche Zähne ein!«

»Tu's doch!«

»Ich werde deiner Frau erzählen, daß du sogar zum Gardinenaufhängen zu blöd bist!«

»Alles, nur das nicht«, schrie Rolf. Zwanzig Sekunden später war

er in seine Jacke geschlüpft und hatte Martin und Johanna herbei-
gezerrt.

»Bitte«, stellte ich fest, »es geht doch. Warum muß ich denn immer erst brutal werden?«

»Wieso mache ich das überhaupt«, murmelte ich vor mich hin,
»warum tue ich mir das an?«

Ich war eine emanzipierte und freiwillig alleinstehende Frau. Eine
Frau, die sich weigerte, sich eine Familie aufzuhalsen. Und nun
saß ich in einem Wartezimmer mit einem Baby auf dem Schoß
und einem kleinen Jungen an meiner Seite und wartete auf meinen Schwager, den ich noch nicht einmal leiden konnte! Und das
schlimmste waren die beiden Frauen, ebenfalls Notpatienten, die
mir gegenübersaßen und mich neugierig musterten.

Der Zahnarzt kam aus dem Behandlungszimmer heraus, warf
einen unwilligen Blick auf die beiden Neuankömmlinge und
raunte seiner Sprechstundenhilfe zu:

»Daß die Leute aber auch immer am Wochenende Zahnschmerzen kriegen müssen!« Laut sagte er: »Frau Genshofer, ich habe
Ihrem Mann gerade eine Spritze gegeben. In etwa zehn Minuten
müßte sie wirken. Es wird also nicht mehr allzulange dauern.«

»Ich bin nicht Frau Genshofer«, protestierte ich entsetzt, »ich bin
Frau Manntey. Sie glauben doch nicht ernsthaft, ich wäre mit dieser Flasche verheiratet!«

»Typisch für die jungen Dinger«, zischte die eine der zwei Patien-
tinnen, »hat zwei Kinder von dem Mann, will aber nichts von Heirat wissen. Und dann den armen Kerl als Flasche zu bezeichnen,
charakterlos so was!«

»Ich habe die Kinder nicht von ihm«, schrie ich.

»Aaaah so«, meinte die andere Frau und lächelte süffisant.

»Das sind nicht meine Kinder! Das sind bloß seine Kinder.«

»Ja, ja«, meldete sich die erste Frau wieder zu Wort, »sich mit
einem Mann einlassen, der zwei Kinder hat und dann meckern.
Die armen mutterlosen Kerlchen können einem leid tun.«

»Sie sind nicht mutterlos. Der Mann hat eine Frau, keine
Sorge.«

»Ooooooh«, machten beide Frauen entsetzt.

»Ich bin seine Schwägerin«, setzte ich erklärend hinzu, »ich vertrete quasi meine Schwester.«

»Mit dem Mann der eigenen Schwester. Ts, ts, ts!«

Ich gab es auf.

»Hallo!« Ein strahlender Rolf betrat das Wartezimmer. »Die Spritze hat toll gewirkt. Es tut kein bißchen mehr weh. Laß uns nach Hause gehen.«

»Die Spritze wirkt«, fragte der Arzt freundlich, »Sie haben ein völlig taubes Gefühl?«

Rolf nickte begeistert.

»Prima«, sagte der Arzt, »dann werden wir uns den Burschen jetzt vornehmen!«

Er zog den sich verzweifelt zur Wehr setzenden Rolf unerbittlich zurück ins Behandlungszimmer. In diesem Moment begann Johanna zu schreien. Vorhin, als Rolf sie aus ihrem Bettchen gezerrt hatte, hatte sie keinen Mucks von sich gegeben. Dieses Versäumnis holte sie jetzt um so gründlicher nach. Ich war total hilflos. Ich hatte nicht die geringste Erfahrung im Umgang mit Babys, schon gar nicht mit schreienden.

»Was soll ich nun machen?« fragte ich meinen Neffen Martin.

»Sie hat bestimmt die Windeln voll«, vermutete er.

»Natürlich hat sie das«, mischte sich eine der Frauen ein, »das riecht man bis hierher! Merken Sie das nicht? Ja, worauf warten Sie denn noch? Da drüben ist ein Wickelraum, nun machen Sie endlich!«

Ich geriet in Panik.

»Ich habe überhaupt nichts zum Wickeln dabei! Außerdem habe ich noch nie ein Baby gewickelt, ich kann das gar nicht!«

»Ach, das ekelt Sie wohl«, kam es dann auch prompt.

Ich wollte beweisen, daß es keine Sache von Ekel war, und rief aufgebracht:

»So ein Unsinn! Der Hund meines Freundes hat mal mein ganzes Sofa vollgekotzt, und das hat mich schließlich auch nicht geekelt. Ich habe nicht mal mit ihm geschimpft, obwohl es fürchterlich nach Magensäure gestunken hat.«

Die Reaktion der beiden Frauen war ein krampfhaftes Würgen. Martin wollte mir zu Hilfe kommen und brüllte:

»Hunde sind prima! Ich hätte lieber einen Hund wie eine Schwester!«

»Als eine Schwester«, verbesserte ich automatisch.

»Was sind das nur für Zustände«, murmelte die ältere Frau, »ich habe fünf Kinder großgezogen und mich nie beklagt. Hören Sie? Fünf Kinder!«

»Ist nicht meine Schuld«, stellte ich klar.

»Was haben Sie nur für eine entsetzliche Einstellung?« keifte sie.

»Und Sie haben eine entsetzliche Stimme. Aber mache ich Sie etwa deswegen blöde von der Seite an?«

Zumindest hatte ich mit dieser Bemerkung erreicht, daß sie eingeschnappt war und ihre Klappe hielt. Gott sei Dank. Ich schaukelte die brüllende Johanna auf meinen Knien und schwor mir, nie wieder etwas im Dienste der Familie zu tun.

»Tante Mona, kann ich dich was fragen?«

»Klar, Martin, du kannst mich alles fragen.«

»Wenn du Hunde so liebhast, wieso hast du dann keinen eigenen?«

»Martin, nicht. Laß das. Bitte.« Ich wollte ihn nicht abweisen, er hatte nur gerade meine empfindliche Stelle getroffen.

»Du hast aber gesagt, ich kann alles fragen.«

Ich seufzte und erwiderte mit betont barscher Stimme:

»Ich hatte mal einen Hund aus dem Tierheim. Du warst damals erst ein paar Monate alt. Ich hatte ihn gerade ein halbes Jahr, dann wurde er krank. Ich brachte ihn zum Tierarzt, aber es war nichts zu machen. Der Hund hatte eine Geschwulst im Darm, die man nicht operieren konnte, und der Tierarzt mußte ihn einschläfern.«

»Oh«, sagte Martin, »ist das traurig! Wie hieß der Hund?«

»Es war eigentlich eine Hündin. Sie hieß Sally.«

»Warum hast du dir keinen neuen geholt?«

Diese Frage hatte ich befürchtet. Ich wollte mich zusammenreißen, aber Johannas Schreien enervierte mich, die Situation im

Wartezimmer war unerträglich, die zwei elenden Weiber starrten mich nach wie vor unverhohlen an. Ich wollte nach Hause, in der Hoffnung, daß Helmut sich bei mir meldete. Ich war nicht gerade in der besten Stimmung, und so fuhr ich den armen Martin, der nun wirklich nichts dafür konnte, an:

»Was ist das bloß für eine dämliche Frage! Was soll ich mit einem neuen Hund anfangen? Was hätte das für einen Sinn, kannst du mir das verraten?«

»Schimpf doch nicht mit mir«, schluchzte Martin eingeschüchtert.

»Ach, Martin!« Ich legte schuldbewußt den Arm um ihn. »Ich schimpfe ja gar nicht. Es ist nur so, daß ... Verstehst du, in diesem Tierheim waren über hundert Hunde. Und ausgerechnet meiner hat nach sechs Monaten sterben müssen. Es ist einfach nicht gerecht!«

Ich brach jetzt ebenfalls in Tränen aus.

»Aber du konntest doch nichts dafür«, heulte Martin.

»Konnte ich auch nicht. Das ist ja das Gemeine! Ich habe ihm das teuerste Futter gekauft, ich bin viermal am Tag mit ihm rausgegangen, ich habe alles für ihn gemacht, und trotzdem ... Das ist so furchtbar unfair. Alles, was ich anpacke, geht schief. Alle verlassen mich. Nichts kann ich richtig machen. Nicht mal einen Hund kann ich am Leben erhalten!«

Ich zog den weinenden Martin an mich und heulte hemmungslos den Frust der letzten Monate aus mir heraus. Ich vergaß dabei völlig, wo ich mich gerade befand.

»Wenn du Onkel Helmut heiratest, hast du wieder einen Hund«, versuchte Martin mich zu trösten. Komisch, daß er den gleichen Gedanken aussprach, der mich selbst wenige Stunden zuvor überfallen hatte.

»Helmut«, schniefte ich, »das kannst du vergessen. Das habe ich auch vermasselt. So wie ich fast alles vermassele!«

»Erkenntnis ist der erste Weg zur Besserung«, ließ die jüngere Dame mit spitzer Stimme verlauten.

»Sie halten gefälligst Ihr dämliches Maul«, schrie ich sie an. Sie wurde blaß.

»Das ist doch … eine Unverschämtheit ist das. Also, so etwas ist mir in meinem ganzen …«

Bevor sie sich wie eine Furie auf mich stürzen konnte, erhielt ich von unerwarteter Seite Schützenhilfe. Rolf, beziehungsweise das, was noch von ihm übrig war, taumelte ins Wartezimmer.

»Isch verblute«, verkündete er jammervoll, »isch musch beschtimmt verbluten. Meine gansche Backe ischt mit Tamponade auschgeschtopft, aber schischerlisch verblute isch trotschdem. Wenn isch gewuscht hätte …«

Er stutzte. Es war ja auch ein sehr ungewöhnlicher Anblick, der sich ihm da bot: Seine Schwägerin heulte mit seinen beiden Kindern lauthals um die Wette. Rolf war gerührt.

»Alscho, dasch ihr eusch alle scholsche Schorgen um misch mascht …«

Vor lauter Rührung kamen ihm die Tränen, und somit waren wir schon zu viert.

»Die Wirkung der Spritze wird noch etwa zwei Stunden anhalten«, informierte ihn der Zahnarzt unbeeindruckt, »kühlen Sie Ihre Backe, wenn Sie zu Hause sind, ich gebe Ihnen außerdem noch ein Schmerzmittel mit.«

Beim Verlassen der Praxis vernahm ich, wie eine der beiden Frauen der Sprechstundenhilfe zuflüsterte:

»Haben Sie mitbekommen, wie sich diese Person aufgeführt hat? Eine solche Schlampe ist mir in meinem ganzen Leben noch nicht begegnet!«

Womit mal wieder bewiesen wäre, daß das Wort »Schlampe« sehr individuell aufgefaßt werden kann. Ich drehte mich zu der Dame um und sagte freundlich:

»Haben Sie nicht ein anderes Schimpfwort für mich? Die Schlampe ist doch nun wirklich schon überholt!«

»Du willscht dosch nischt etwa schon gehen«, nuschelte Rolf entsetzt, als ich mich an der Haustür von ihm verabschiedete.

»Doch, allerdings. Du wirst jetzt auch ohne mich klarkommen. Johanna braucht dringend eine frische Windel. Mach's gut, Rolf.«

»Kannscht du nischt wenigschtensch bleiben, bisch Jutta wieder da ischt?« Seine Worte kamen wahrhaft flehend. Ich überlegte. Ich hatte hier die Gelegenheit, etwas für meinen guten Ruf zu tun. Ich konnte beweisen, daß ich sehr wohl Familiensinn besaß und daß man mich weder als Schlampe noch als Schandfleck bezeichnen mußte. Allerdings – über wen sollte die liebe Familie herziehen, wenn nicht über mich? Ich beschloß, auf diese Chance zu pfeifen.

»Weißt du, Rolf, wenn du wirklich deinen Erziehungsurlaub nehmen willst, wirst du eines sehr schnell begreifen: An der Hausfrau, pardon, am Hausmann bleibt immer alles hängen. Schönen Abend, tschüs, Kinder!«

Nichts wie weg. Ich sehnte mich nach einem heißen Schaumbad und ganz viel Ruhe.

Wie konnte Jutta das nur ertragen? Es war mir unbegreiflich. Helmut, schoß es mir durch den Kopf, Helmut hätte wegen eines lächerlichen Weisheitszahns niemals ein solches Theater abgezogen. Der hätte höchstens mitgelitten, wenn Zerberus Zahnschmerzen gehabt hätte. Überhaupt war Helmut anders. Anders als Rolf, anders als Uwe, anders als Burkhard Fischer und überhaupt anders als all die anderen Männer. Helmut war schon ein toller Mann. Nur leider, und diese Erkenntnis tat verdammt weh, war er viel zu toll für mich. Das war mir heute mal wieder klargeworden. Mein Auftritt in der Zahnarztpraxis war beispielhaft für mich gewesen. Meine Familie bildete sich allen Ernstes ein, ich würde solche Auftritte bewußt inszenieren, aber das stimmte nicht. Sie passierten einfach. Eins stand jedenfalls fest:

Helmut war zu gut für mich. So lagen eben die Dinge – und ich konnte nichts dagegen tun.

Kapitel 23

»Schmeckt dir das Eis, Mona?«

»Schmeckt toll. Fast noch besser als Rumtopf-Eis.«

Nicht im Traum wäre ich auf die Idee gekommen, noch einmal unangemeldet an einem Sonntagnachmittag bei Jutta hereinzuschneien. Der Grund, warum ich zwei Tage nach meiner großen Zahnarztblamage bei ihr im Wohnzimmer saß und Malaga-Eiscreme löffelte, war der, daß sie mich mittags angerufen und ausdrücklich eingeladen hatte. Um eine gewisse Förmlichkeit kam man eben in meiner Familie nicht herum.

»Rolf läßt dich herzlich grüßen. Er hat sich hingelegt. Der Ärmste ist noch ganz erschöpft von seinem Zahnarztbesuch.«

»Erschöpft? Frag mich mal, was ich bin!«

Ohne auf meine Bemerkung einzugehen, fuhr Jutta mit kühler Stimme fort:

»Er ist dir dankbar, daß du ihn begleitet hast. Es war vernünftig von ihm, daß er in seinem Zustand nicht selbst gefahren ist. Sicher hat es ihn Überwindung gekostet, dich um Hilfe zu bitten – wenn man bedenkt, daß ihr euch nie sonderlich verstanden habt … was nebenbei bemerkt nicht unbedingt immer Rolfs Schuld war.«

Das war meine Jutta: Mit wenigen Worten hatte sie erreicht, daß mein großartiger familiärer Liebesdienst zu einer lächerlichen und kaum erwähnenswerten Selbstverständlichkeit zusammengeschrumpft war. Ich hätte ihr natürlich von den Gardinen erzählen können. Aber ich tat es nicht. Dieser Triumph wäre zu billig gewesen, und außerdem hatte ich es Rolf versprochen. Ich nahm mir eine zweite Portion Eiscreme.

»Und sonst, Jutta? Wie sehen Rolfs Pläne aus? Geht er morgen wieder zur Arbeit?«

»Allerdings«, erwiderte Jutta unerwartet heftig, »er soll bloß wagen, es nicht zu tun!«

Sie schlug die Hände vor ihr Gesicht und stöhnte gepeinigt auf.

»Mona, du mußt mir versprechen, daß du es keiner Menschenseele weitererzählst! Diese Erniedrigung! Diese furchtbare Demütigung!«

»Um Gottes willen, was ist denn passiert?«

»Mona, es ist grauenhaft. Gestern morgen erhielt ich einen Anruf von Martins Klassenlehrerin. Martin mußte am Donnerstag einen Aufsatz mit dem Thema ›Was ich auf dieser Welt verändern möchte‹ schreiben. Ich kam an diesem Abend so spät vom Theater zurück, daß ich seine Aufgaben nicht mehr kontrollieren konnte. Jedenfalls hat er diesen Aufsatz am Freitag vor der Klasse vorgelesen. Er hat sich bitterlich beklagt, daß er nur noch Pizza zu essen bekäme, daß sein Vater nicht mehr arbeiten wolle und den ganzen Tag lang mit ihm herumschreie. Die Lehrerin hat sich Sorgen gemacht und wollte wissen, was bei uns los ist. Es hat mich einige Mühe gekostet, sie davon zu überzeugen, daß es sich um ein Mißverständnis handelt und daß Martins Vater lediglich eine Woche Urlaub genommen hat, während ich mir zum Spaß ein kleines Taschengeld verdiene. Was sagst du dazu? Ist das nicht der blanke Horror?«

»Absolut«, bestätigte ich und verkniff mir nur mit Mühe ein Grinsen.

»Überhaupt hat Rolf in Haushaltsdingen, gelinde ausgedrückt, null Ahnung. Ich werde einige Wochen brauchen, bis ich alles wieder in Ordnung gebracht habe. Von all den Dingen, die ich ihm aufgetragen habe, hat er nur einen Auftrag perfekt ausgeführt.«

»Welchen?« fragte ich und hielt gespannt den Atem an.

»Hier, die Wohnzimmergardinen. Sieh mal, wie tadellos sie hängen. Das hätte ich nicht gedacht, daß er ausgerechnet das fertigbringt. Merkwürdig. Wenn ich es nicht besser wüßte, würde ich glatt annehmen, daß ihm jemand dabei geholfen hat.«

Noch nie im Leben war es mir so schwergefallen, ein Versprechen zu halten! Immerhin: Meine Schwester, die Diplomhausfrau, hatte mir, der Diplomschlampe, bestätigt, daß ich eine Gardine perfekt aufhängen konnte! Wenn das kein Erfolgserlebnis war!

»Tja, Jutta, womöglich hat Rolf ein Talent für Gardinen. Du solltest dir in Zukunft sämtliche Vorhänge von ihm aufhängen lassen. Eine solche Begabung darf nicht ungenutzt bleiben.«

»Du hast recht, das werde ich tun. Ein bißchen im Haushalt helfen könnte er mir schon.«

Armer Rolf. Wie er sich da wohl herausreden würde?

»Aber eigentlich wollte ich mit dir über etwas ganz anderes sprechen, Mona.«

»Schieß los.«

»Es geht um Helmut. Ich denke, ich habe dir, was diese Heirat anging, ein wenig unrecht getan. Das ist mir jetzt klargeworden.«

»Wieso das denn?« fragte ich nervös.

»Weißt du, Mona, zu Anfang war ich von Helmut ziemlich angetan. Gut, ich wußte, daß er geschieden ist, daß er, ähem, nicht mehr zeugungsfähig ist und daß er Schauspieler ist. Aber ich hielt ihn für nett, kultiviert, charmant – ganz zu schweigen von seinem blendenden Aussehen. Ich glaubte, eine Heirat mit ihm wäre vorteilhaft für dich. Doch diese zwei Nachmittage in der Kantine haben mir die Augen geöffnet.«

»Was hat er denn Schlimmes getan?«

»Och, ich würde es nicht als schlimm bezeichnen. Ich habe ihm Fotos von Johanna gezeigt. Er hat sie sich angesehen, aber es hat ihn nicht interessiert. Ich habe ihm von ihrer Entwicklung berichtet. Er hat zugehört, aber es hat ihn nicht interessiert. Ich habe mich nach seinen beiden Töchtern aus erster Ehe erkundigt, da murmelte er nur etwas, als wollte er nicht darüber reden. Ich wette, daß er seine Kinder schon ewig nicht mehr gesehen hat. Ansonsten hat er nur pausenlos über seinen blöden Köter, seine Arbeit und über euer komisches Musical gequatscht. Ja, und er hat mir vorgeschwärmt, wie wundervoll du in deiner Rolle bist. Ich glaube, er ist immer noch wahnsinnig verliebt in dich, aber zum Glück willst du ja nichts mehr von ihm wissen.«

In meinem Kopf rumorte es. Eigentlich war ich wütend über Juttas abfällige Worte. Andererseits jedoch nicht so wütend, wie es vielleicht anzunehmen gewesen wäre. Langsam und bedächtig erkundigte ich mich:

»Sei ehrlich, Jutta. Willst du damit andeuten, daß Helmut nicht der absolute Bilderbuchtraummann ist? Daß er nicht zu gut für mich ist?«

»Zu gut für dich«, lachte Jutta spöttisch auf. »Mona, dieser Kerl ist für keine Frau zu gut. Er hat nicht den geringsten Familiensinn. Du magst deine Fehler haben, aber eine Ehe mit so einem Mann würde ich nicht einmal dir wünschen. Nein, du brauchst jemanden, der dich zur Ruhe bringt, der dir zeigt, was Ehe und Familie wirklich bedeuten. Du und er, ihr hättet das schlimmste Chaotenpaar der Weltgeschichte abgegeben. Ihr hättet euch nur über Theater, Kunst und Hundeerziehung unterhalten. Kein Wunder, daß dieser Mann geschieden ist. Jemand wie er ist für eine Ehe völlig ungeeignet. Du hattest damals den besseren Riecher als wir alle zusammen. Mona … Sag mal, wieso strahlst du mich plötzlich so an?«

»Du hast recht, Jutta, völlig recht. Das schlimmste Chaotenpaar der Weltgeschichte! Ganz genau. Das absolute, verrückte, ultimative und unkonventionelle Paar! Zwei totale Irre auf einem Haufen, unzertrennlich miteinander verbunden bis in alle Ewigkeit!«

Ich sprang kichernd vom Sofa hoch, zerrte Jutta aus ihrem Sessel heraus und tanzte mit ihr wie wild durch das Zimmer.

»Mona«, Jutta war völlig außer Atem, »du nimmst mir meine Offenheit doch hoffentlich nicht übel, oder?«

»Übel? Nein. Du bist wundervoll, Jutta. Du bist einzig, du bist die Größte! Ich danke dir!«

Ich knutschte sie leidenschaftlich-enthusiastisch ab, beteuerte, daß ich ganz dringend nach Hause müsse, weil wir in einer Woche Premiere hätten und ich meinen Text noch nicht richtig beherrschte, und tänzelte, ihr verdattertes Gesicht übersehend, glücklich zur Wohnung hinaus.

Sie hatte es sicherlich nicht beabsichtigt – aber sie hatte mir sehr geholfen.

Kapitel 24

Die nächste Woche war mörderisch. Von Montag bis Freitag waren jeweils zwei Proben pro Tag angesetzt, am Samstag abend sollte Generalprobe, am Sonntag Premiere sein. Trotz dieser Hektik war nicht zu übersehen, daß Helmut reichlich niedergeschlagen wirkte. Zwar war er während der Arbeit konzentriert und voll bei der Sache, danach jedoch schien er förmlich in sich zusammenzusinken. Die übrigen Schauspieler verbrachten den Feierabend bei Wein und Sekt im Casino, Helmut jedoch verabschiedete sich Abend für Abend mit einem wehmütigen Kuß von mir und ging zurück in die Pension.

Auf meine besorgte Frage hin erwiderte er nur mit müder Stimme: »Alles in Ordnung, bin nur etwas nervös. Mein letzter Musicalauftritt liegt schon ein paar Jährchen zurück.«

Nervös, das waren wir alle. Nervös, aufgekratzt, spannungsgeladen. Doch genau das war Helmut außerhalb der Probe überhaupt nicht. Was war nur los? Die beiden Gespräche mit meiner Schwester konnten ihm doch unmöglich so zugesetzt haben. Ich war ratlos, wie schon so oft. Fast immer, wenn es um Männer ging, war ich das. Ich versuchte mir einzureden, daß es nach der Premiere besser werden würde.

Wolfgang, in meinen Augen der liebenswürdigste Regisseur aller Zeiten, war die Ruhe selbst. Zumindest behauptete er das mindestens zwanzigmal am Tag. Und wir taten so, als ob wir es glaubten – ungeachtet der Tatsache, daß er täglich zwei ganze Tafeln Schokolade verdrückte und auch zwischendurch ständig am Kauen war.

»Du wirst dir deinen Luxuskörper ruinieren«, scherzte ich.

»Ach, laß mich doch«, mampfte er genüßlich, »ich muß meinen Zuckerspiegel aufrechterhalten. Außerdem ist es meinem Luxuskörper völlig egal, ob er nun hundertfünf oder hundertzehn Kilo wiegt.«

Das war ein Argument, dem man nichts entgegensetzen konnte.

Allerdings geriet selbst unser so beherrschter Wolfgang etwas aus der Fassung, als Herr Diekoff am Donnerstag vormittag unangemeldet in die erste Abschlußprobe hineinplatzte.

»Na, Mona«, begrüßte er mich grinsend, »Sie haben sich immer beklagt, daß Sie nie auf der Bühne zu sehen waren. Und jetzt – haben wir das nicht großartig gedeichselt?«

Ich öffnete den Mund zu einem lautstarken Protest, doch Herr Diekoff hatte meine Anwesenheit bereits ad acta gelegt und wandte sich an den überhaupt nicht gestreßten oder genervten Wolfgang.

»Herr Weinberg, wie sieht es denn mit der Bezahlung für Frau Manntey aus? Offiziell ist sie nur Statistin hier, sie hat keinen Schauspielervertrag. Folglich kann ihr nur der Statistensatz ausbezahlt werden. Natürlich könnte sie einen Gastvertrag erhalten, aber sie ist eine ungelernte Kraft, folglich ...«

»Ungelernt?« Ich schrie es empört heraus. »Ich habe einen Magisterabschluß, und das ist doch wohl genausoviel wert ...«

Wolfgang winkte ab: »Laß, Mona, ich kümmere mich um alles.«

Na gut. Ich hatte hundertprozentiges Vertrauen zu Wolfgang. Komisch eigentlich. Woran lag es nur, daß man zu Männern, mit denen man nicht im Bett war, viel eher Vertrauen haben konnte?

Die Schauspieler begannen sich zu entspannen. Herr Diekoff war ihnen bekannt, beziehungsweise sein Ruf war ihm vorausgeeilt. Es war jedem klar, daß diese Verhandlung eine Weile dauern konnte. Helmut und ich schlenderten auf den Gang hinaus. Ich ergriff seinen Arm.

»Was ist denn nur los mit dir?«

»Nichts.«

»Ach, nun erzähl es mir doch! Liegt es an Jutta? Hat sie irgendwas zu dir gesagt? Diese Frau kannst du doch nicht für voll nehmen!«

»Nein«, erwiderte er leise, »sie hat nichts gesagt. Jedenfalls nichts, was nicht der Wahrheit entspräche.«

Plötzlich riß er mich in seine Arme und küßte mich mit unerwarteter Heftigkeit. Ich genoß es. So hatte er mich nicht mehr geküßt, seit – ach, das schien in einem anderen Leben gewesen zu sein. Doch genauso heftig, wie er mich an sich gerissen hatte, genauso abrupt ließ er mich auch wieder los und ging, ohne sich umzuwenden, zur Bühne zurück. Ich starrte ihm, nach Atem ringend, nach und wünschte mir, ich wäre eine Frau, die von Männern ein bißchen mehr Ahnung hätte.

Und dann war es soweit: Premierenabend. Ich saß bibbernd in der Kantine und stärkte mich mit einem Glas Sekt. In einer Stunde würde der Vorhang aufgehen. Ich hätte mich vor Angst bepinkeln können. Sicher würde ich meinen Text vergessen. Oder ich würde beim Singen keinen einzigen Ton richtig treffen. Oder ich würde beim Tanzen ausrutschen und auf dem Hintern landen. Oder ich würde vor Aufregung nicht mehr imstande sein, überhaupt irgend etwas zu tun!

»Na, Mona, mein Mädchen?«

Wolfgang umarmte mich und spuckte mir dreimal über die Schulter.

»Ganz ruhig, das wird schon alles werden. Du warst bei den Proben hervorragend, es kann absolut nichts schiefgehen. Sobald du auf der Bühne stehst, ist das Lampenfieber weg.«

Es war schon beruhigend, seine gütige Stimme zu hören. Wolfgang war ein echter Schatz.

»Hast du Helmut schon gesehen?« fragte er.

Ich schüttelte den Kopf.

»Das ist aber merkwürdig. Noch eine Stunde ... Ich werde mal nach oben gehen, vielleicht ... O mein Gott«, schrie er plötzlich.

Helmut erschien, gesund und munter. Aber nicht allein.

»Helmut«, rief Wolfgang entgeistert, »wieso hast du den Hund dabei?«

»Ich finde, er gehört dazu.« Helmut schien wild entschlossen und zu keinerlei Diskussion aufgelegt zu sein. »Immerhin hätte er beinahe bei dieser Produktion mitgewirkt. Da wird er doch wohl noch die Premiere miterleben dürfen.«

»Ja, er hätte beinahe mitgewirkt, aber die Betonung liegt auf dem

Wort ›beinahe‹. Du kannst ihn nicht hinter die Bühne mitnehmen, er würde mit seinem Gejaule alles übertönen.«

»Nein, das wird er nicht«, behauptete Helmut störrisch. »Ich habe mir eine CD mit dieser Musik gekauft und sie ständig abgespielt. Er hat sich längst daran gewöhnt. Er wird ganz brav sein.«

»Der Hund bleibt in der Garderobe und damit basta!«

»Der Hund gehört zur Familie! Ich lasse mir nicht ständig nachsagen, daß ich keinen Familiensinn habe!«

Allem Anschein nach hatte Jutta ihm in Sachen Familie nicht nur schwer zugesetzt – sie schien ihn regelrecht zur Sau gemacht zu haben. Wolfgang hatte davon natürlich keine Ahnung. Vielmehr ging er davon aus, daß Helmut vor lauter Streß den Verstand verloren hatte. Ich konnte es ihm nicht verübeln. Wäre Wolfgang nicht so ein regisseuruntypisch lieber Kerl und noch dazu eng mit Helmut befreundet gewesen – ich vermute, er hätte Kleinholz aus ihm gemacht. Ich versuchte zu vermitteln.

»Hör mal, Wolfgang, Helmut und ich sind doch nie zusammen auf der Bühne. Somit kann einer von uns ständig bei dem Hund sein. Hinter der Bühne ist wahnsinnig viel Platz, Zerberus würde keinen Menschen stören.«

Helmut warf mir einen dankbaren Blick zu. Wolfgang kämpfte sichtlich mit sich selbst. »Also gut«, platzte er schließlich heraus. »Aber bei dem geringsten Muckser muß Zerberus in die Garderobe zurück. Und wenn er mir meine Premiere versaut, dann, dann …« Er suchte nach einer wirklich massiven Drohung und fand sie endlich: »Dann spreche ich nie wieder ein Wort mit dir!«

Der erste Akt verlief ohne störende Zwischenfälle. Ich fand mich eigentlich ganz süß mit der Langhaarperücke, dem zerlumpten Kleid und den abgewetzten Schnürstiefeletten. Jedenfalls süß genug, um meine beiden Duetteinlagen ohne Panne hinter mich zu bringen. Es war nur zu schade, daß Jutta mich nicht sehen konnte. In solchen Augenblicken fragte ich mich regelmäßig, wie sie ihr permanentes Desinteresse an meinem künstlerischen Einsatz mit ihrem so vielgepriesenen Familiensinn vereinbaren konnte. Doch sicherlich hätte sie auch dafür eine plausible Erklärung gefunden – darin war sie ganz groß.

Helmut mußte erst im zweiten Akt auftreten, und so saß er bis zur Pause mit einem völlig entspannten, um nicht zu sagen gelangweilten Zerberus hinter der Bühne. Die Hundeleine war am Stuhl festgemacht, was unnötig erschien – Zerberus benahm sich wie der vollendete Musterhund. Wolfgang, der immer wieder nervös zu den beiden hinübersah, begann sich allmählich zu beruhigen. Es war wirklich kein Grund zur Sorge vorhanden.

Nach der Pause nahm ich rechtzeitig Helmuts Platz ein. Zerberus hob ein wenig irritiert den Kopf, als Helmut ihn verließ, blieb aber ansonsten ruhig. Während Helmut auf der Bühne sein Solo schmetterte, begann er allerdings leise zu fiepen.

»Pscht«, flüsterte ich und kraulte sein Fell.

Noch war alles in Ordnung.

Helmuts zweiter Auftritt bestand in einem lautstarken Streitgespräch zwischen Bill Sikes, seiner Geliebten Nancy und dem Gangsteroberhaupt Fagin. Während dieser Szene muß Zerberus wohl beschlossen haben, daß er dem Ruf der Bühne nicht länger widerstehen konnte und daß es außer Sofas noch andere faszinierende Plätze auf der Welt gab. Vielleicht hörte er auch nur den Trubel, der momentan auf der Bühne herrschte, und bildete sich ein, man würde ihn hundsgemeinerweise von einem lustigen Spiel ausschließen. Was immer Zerberus auch gedacht haben mag, als ich es merkte, war es bereits zu spät: Die Leine war durchgebissen, und der Hund war weg.

Ich schloß die Augen. Wolfgang würde mich umbringen. Er würde Helmut umbringen. Er würde Zerberus umbringen. So hatte ich mir die erneute Zusammenführung von uns dreien nicht vorgestellt! Ich hörte, wie Nancy einen spitzen Schrei ausstieß. Ich hörte, wie Fagin brüllte:

»Nimm den Köter da weg!«

Und ich hörte Helmut improvisieren:

»Mein Hund beißt dir die Kehle durch, wenn du mir nicht gehorchst, du dummes Aas!«

Dramaturgisch gesehen war es hervorragend. Obgleich die Vorstellung, daß Zerberus irgend jemandem die Kehle durchbiß, eher lächerlich war.

»Platz, Zerberus«, schrie Helmut. »Du wirst sie nicht eher töten, bis ich es dir befehle!«

Wolfgang war neben mich getreten. Er sah aus, als sei er gerade in einen Platzregen gekommen. Seine Schweißdrüsen schienen jedenfalls bestens zu funktionieren.

»Ich bringe ihn um«, verkündete er im Flüsterton, »dafür, daß er den Hund mitgebracht hat. Nein, du kannst nichts dafür, Mona, aber Helmut, den bringe ich um. Zugegeben, sein Improvisationstalent ist riesig, aber ich bringe ihn trotzdem um. Ich glaube, die Szene kommt beim Publikum gut an. Klar, viele Leute fürchten sich vor großen Hunden und ganz besonders vor Dobermännern, und die Zuschauer können ja nicht ahnen, welch eine gutmütige Töle unser Zerberus ist. Das ändert jedoch nichts an der Tatsache, daß ich Helmut umbringe. Ich glaube, es geht tatsächlich alles gut. Der Hund hat die Szene nicht geschmissen, im Gegenteil! Und die Schauspieler haben professionell reagiert. Trotzdem bringe ich – ach, Scheiße, ich könnte Helmut nie etwas antun.«

Ein paar Minuten später gingen Helmut und Zerberus unter tosendem Szenenapplaus von der Bühne ab.

»Na, was sagt ihr jetzt?« strahlte Helmut. »Das kam doch gut, oder?«

Wolfgang klopfte ihm auf die Schulter.

»Super, einfach super. Wie nicht anders zu erwarten. Ich habe mir auch nicht die geringsten Sorgen gemacht.«

Er ließ sich auf den nächstbesten Stuhl fallen, zog ein rotkariertes Taschentuch hervor, wischte sich umständlich den Schweiß von der Stirn und machte dabei ein Gesicht, als hätte er gerade einer Invasion von Außerirdischen beigewohnt.

Ich beobachtete meinen Helmut, wie er mit überschwenglichem Hundehalterstolz seinen Zerberus streichelte. Die Tatsache, daß er seinen Freund und Regisseur eben fast in den Wahnsinn getrieben hatte, schien ihm überhaupt nicht bewußt zu sein. Helmut hatte eine echte Macke. Er war verrückt. Völlig übergeschnappt. Nicht mehr zu retten. Unverbesserlich.

Helmut war genau wie ich. Wieso in aller Welt fiel mir das jetzt erst auf?

Obwohl Zerberus für den Rest der Aufführung striktes Bühnenverbot erteilt wurde, war die Premiere ein voller Erfolg. Wir bekamen stehende Ovationen, und sobald der letzte Vorhang gefallen war, fiel Wolfgang jedem einzelnen von uns um den Hals.

Anschließend nahm er mich beiseite.

»Helmut hat mir gerade vorgeschlagen, Zerberus' Auftritt in Zukunft noch auszubauen«, grinste er. »Ich habe abgelehnt – aber du kennst ihn ja. Zum Glück muß ich mich in Zukunft nicht länger mit dem Problem herumschlagen. Sabine«, sie war die Regieassistentin, »wird ab jetzt die Abendspielleitung übernehmen. Auf mich wartet schon wieder ein neues Projekt.«

»Heißt das, wir sehen uns nicht mehr?« fragte ich traurig.

»Doch, wir sehen uns schon. Nur nicht mehr ganz so oft. Außerdem«, ein breites Lächeln überzog sein gutmütiges Gesicht, »wirst du viel zu beschäftigt sein, um den alten Wolfgang zu vermissen. Ich hoffe doch, daß sich die Sache zwischen Helmut und dir wieder einrenkt.«

»Ja, das hoff...« Dann erst ging mir ein Licht auf. »Woher weißt du es?« schrie ich. »Du weißt es von Helmut, nicht wahr?«

Er schüttelte den Kopf.

»Ich wußte es praktisch von Anfang an. Das heißt, ich ahnte es. Aber als ich euch dann zusammen sah, war ich mir sicher.«

»Du hast mich verarscht!«

»Nur ein kleines bißchen. Tut mir leid, daß ich nicht ganz so doof und naiv bin, wie du angenommen hast.« Er lachte. »Ich gehe rüber ins Casino. Ich brauche dringend ein Bier. Der Schock mit dem Hund liegt mir jetzt noch im Magen. Vielleicht sehen wir uns später noch auf der Premierenfeier?«

Ich nickte abwesend. Dieser Schock saß tief. Es ist nicht ganz einfach, wenn man plötzlich feststellt, daß es außer einem selbst auch noch andere intelligente Menschen auf der Welt gibt – und daß es sich bei diesen Menschen unter Umständen sogar um männliche Wesen handelt.

»So ein Mist«, jammerte es da hinter mir.

Da stand Helmut, eine Flasche Schampus und zwei Pappbecher in der Hand.

»Ich habe den Requisiteleuten gesagt, sie sollen die Flasche in den Kühlschrank stellen. Aber bei dem ganzen Rummel müssen sie es verschwitzt haben. Ich weiß doch, daß du keinen warmen Sekt magst!«

»Mit dir trinke ich sogar pißwarmen Sekt«, verkündete ich, was, wenn man mich kennt, schon beinahe einer Liebeserklärung gleichkam.

Wir setzten uns im Schneidersitz auf den Bühnenboden. Wir waren allein mit Zerberus, alle anderen waren längst auf der Premierenfeier. Zunächst redeten wir nicht allzuviel, wir tranken Sekt und lächelten uns in stillem Einvernehmen an. Ich wußte, daß Helmut etwas auf dem Herzen hatte, aber ich wollte ihn nicht drängen, sondern vertraute darauf, daß ihn der Sekt gesprächig machen würde.

Ich brauchte nicht besonders lange zu warten.

»Mona«, platzte er plötzlich heraus, »findest du, daß ich ein Egoist bin?«

»Egoist, nein. Höchstens ein Egozentriker – so wie ich auch.«

»Und wo liegt da der Unterschied?«

»Nun, ein Egoist trampelt in vollem Bewußtsein rücksichtslos über einen anderen hinweg. Einem Egozentriker passiert das immer nur unabsichtlich, und er dreht sich dann mit großer Wahrscheinlichkeit um und sagt: ›Entschuldigen Sie bitte, ich dachte, außer mir wäre kein Mensch hier.‹«

Helmut schien ein bißchen getröstet.

»Wer behauptet denn, daß du ein Egoist bist«, fragte ich sanft, »Jutta vielleicht?«

»Die auch.«

»Und wer noch?«

Helmut zerknüllte den leeren Pappbecher in seiner Hand und stieß wütend hervor:

»Meine Exfrau hat mich angerufen und mir mitgeteilt, daß sie wieder heiraten wird. Sie ist bei dem Mann schon eingezogen, und die zwei Mädchen sagen bereits Papa zu ihm. Sie meinte, ich sei ein Egoist und hätte keinen Familiensinn. Und deine Schwester warf mir genau dasselbe vor.«

233

Er feuerte den Becher neben sich auf den Boden und murmelte:

»Und sie haben ja recht, alle beide. Ich bin nicht zum Familienvater geschaffen. Ich kannte meine Exfrau bei unserer Heirat erst zwei Monate. Ich hätte mich von ihr getrennt, wenn sie nicht schwanger gewesen wäre. Und kaum war das erste Kind da, war auch schon das zweite unterwegs – bloß, weil das verdammte Gummi gerissen ist! Lach nicht, Mona. Die Sache ist wirklich nicht komisch.«

Ich lachte ja auch nicht, weil ich irgend etwas komisch fand, im Gegenteil! Die ganze Angelegenheit war tieftragisch. Ich hatte Helmut für einen strahlenden österreichischen Sonnyboy gehalten, den perfekten Vorzeigemann. Und nun war er bloß das, was ich auch war: ein chaotischer Künstler und ein kompletter familiärer Versager.

»Helmut«, flüsterte ich, »warum hast du mir das nicht früher erzählt?«

»Weiß nicht. Ich glaube, es war mir peinlich.«

Er wollte sich Sekt nachgießen und stellte fest, daß sein Becher zerknüllt neben ihm auf dem Boden lag. Kurz entschlossen setzte er die Flasche an die Lippen, dann fuhr er fort:

»Ich wollte nie wieder heiraten – bis ich dich traf. Ich dachte, mit dir könnte es funktionieren. Du warst so ganz anders als die Frauen, die ich kannte. Ich habe mir eingebildet, wir könnten eine neue Art von Familie bilden. Nur du, Zerberus und ich. Zwei Künstler und ein Hund. Keine Familie im konventionellen Sinn, aber irgendwie doch so was wie eine Familie. Ich war wie besessen von dieser Vorstellung. Aber dann wolltest du mich ja auch nicht.«

Ich verkrampfte die Hände ineinander. Es war so wichtig, jetzt nichts Falsches zu sagen. Aber wann im Leben war es mir schon einmal gelungen, etwas richtig zu machen?

»Was hältst du von Gretna-Green?« stieß ich in meiner Verzweiflung schließlich hervor.

»Gretna-Green?« Helmut hob fragend die Augenbrauen.

»Ja, genau. Gretna-Green. Als junges Mädchen habe ich es mir immer wahnsinnig romantisch vorgestellt, nach Gretna-Green durchzubrennen, und ehrlich gesagt, finde ich diesen Gedanken heute immer noch äußerst reizvoll. Kein Familienrummel, kein Zirkus von wegen: was ziehst du an, was gibt es zu essen, wo findet die Feier statt. Und anschließend könnte man ein paar Tage in Schottland bleiben und ein bißchen flittern. Ich war noch nie in Schottland, ich würde gerne mal dort hingehen. Ist doch eine gute Idee. Findest du die Idee denn überhaupt nicht gut? Also, ich finde sie genial.«

Ich plapperte wild drauflos, bis Helmut vorsichtig fragte:

»Ist das etwa ein Antrag, Mona?«

»Antrag, na ja, wieso eigentlich nicht, ich bin eine emanzipierte Frau.« Ich wurde immer hektischer und geriet immer mehr in Panik. »Du brauchst natürlich nicht anzunehmen. Hey, fühl dich um Himmels willen nicht verpflichtet oder so. Du hast ja recht, wenn du ablehnst. Klar. Damit wären wir quitt. Ich gebe dir einen Korb, und du gibst mir einen. Das ist nur gerecht – kein Problem. Ich würde mich auch nicht gekränkt oder beleidigt oder abgewiesen fühlen. I wo! Ich könnte damit umgehen, verlaß dich drauf. Du mußt aber zugeben, daß die Idee an sich nicht schlecht ist. Stell dir diese Riesengaudi vor! Stell dir die Reaktion meiner Familie vor: Mona, unser Familienschandfleck, hat geheiratet – ohne uns!!! Das wär's doch, oder? Aber bitte, wenn du nicht willst ... ich kann notfalls damit leben. Ich nehme es dir nicht übel, wie sollte ich auch. Schließlich habe ich ...«

»Wer sagt denn, daß ich nicht will?« unterbrach mich Helmut mit ruhiger Stimme.

»Heißt das, du bist einverstanden?« Ich war ehrlich verblüfft.

»Genau das heißt es. Auf nach Gretna-Green.«

»Oh!« So fühlte man sich also, wenn man einem Mann einen Heiratsantrag machte. Eigentlich war es ganz leicht gewesen. Ich hatte mich allerdings so felsenfest auf einen Korb eingestellt, daß ich jetzt nicht genau wußte, wie ich mich verhalten sollte. Ich versuchte, etwas möglichst Geistreiches zu erwidern. Leider fiel mir nichts Besseres ein als:

»Du nimmst an? Dann ist es ja gut.«

Helmut lachte. Es war ein lautes, befreites, sehr fröhliches Lachen. Er zog mich an sich.

»Komm her, du Familienschandfleck.«

Als wir gerade beim allerschönsten Knutschen waren, schrie eine zornige Stimme hinter uns:

»Das habe ich gern! Hättet ihr euch nicht wenigstens umziehen können, bevor ihr mitten auf der Bühne eure Orgien abhaltet?«

Es war Gabriele von der Kostümabteilung.

»Seit einer halben Stunde suche ich wie eine Irre nach euren Kostümen. Schön blöd von mir. Wißt ihr nicht, daß ich erst Feierabend machen darf, wenn alles beisammen und ordentlich aufgehängt ist? Ich würde auch gerne auf die Premierenfeier gehen. Verdammt noch mal, warum seid ihr denn nicht erst nach oben gegangen und habt das Zeug ausgezogen? Ist das vielleicht zuviel verlangt?«

»Entschuldige, Gabi«, lachte Helmut, »es war keine böse Absicht. Es ist nur so, daß wir hier gerade unsere zweite Verlobung feiern.«

»Ja«, murmelte sie böse, »verarschen kann ich mich selbst. Wenn ihr nicht in fünf Minuten oben seid und eure Kostüme auszieht, lernt ihr mich kennen!«

Sie stapfte wutentbrannt hinaus. Wir grinsten uns an. Vermutlich dachten wir in diesem Augenblick dasselbe: Ein Glück, daß sie nicht eine Viertelstunde später hereingekommen war. Das wäre dann wirklich peinlich gewesen!

Epilog

Inzwischen sind wir längst wieder aus Gretna-Green zurück. Diesmal hat keiner von uns nein gesagt, wir sind also regelrecht verheiratet. Zumindest nehme ich das an. Der Schotte, der uns getraut hat, war nämlich praktisch nicht zu verstehen, es liegt also durchaus im Bereich des Möglichen, daß er uns lediglich eine Schafherde verkauft hat. Da aber bis heute kein einziges Schaf an unsere Adresse geliefert worden ist, gehe ich davon aus, daß wir wohl doch ein Ehepaar sind. Kein ganz gewöhnliches oder konventionelles, aber ein Ehepaar.

Meine Familie – außer Lotta, die war entzückt – war nach unserer Rückkehr erst mal furchtbar aufgebracht. Die Tatsache, daß ich diesen »kastrierten, geschiedenen Schauspieler, der nicht den geringsten Familiensinn besitzt«, geheiratet habe, nun, das konnten sie ja noch einigermaßen verdauen. Schließlich und endlich schien er der einzige zu sein, der ihren armen Familienschandfleck von seinem ledigen Schicksal erlösen wollte. Aber daß ich ohne Segen und Beisein meiner Familie geheiratet hatte, das war ein echter Skandal! Jutta, die liebe, gute Jutta, schlug schließlich vor, daß wir die familiäre Feier mit allem Drum und Dran nachholen – wie es sich gehört! Aber ich weigere mich. Lieber wandere ich mit Helmut und Zerberus aus. Dieser ganze Familienzirkus – nee, Leute, den mache ich nicht mehr mit.

Mir reicht's!!!

Dieses Buch widme ich George Gordon Lord Byron – wenn er auch nicht mehr viel davon hat.

Kerstin Bauer

Hommage an eine Schlampe

Roman

Band 13338

Juttas kleines, aber feines Spießerdasein läuft wie geschmiert:
ein harmonisches Familienleben, ein blitzblanker Vorzeigehaushalt – was will frau mehr? Da sie selbst keine Probleme hat,
kümmert sich Jutta um so mehr um die ihrer Schwester Mona.
Die ist nämlich überzeugte Feministin und chaotische Exzentrikerin in einem – eben eine regelrechte Schlampe. Über Männer kann sie nur kräftig ablästern, und einen Putzeimer erkennt
sie erst dann, wenn sie darüber stolpert. Gerade als Jutta an der
Unbelehrbarkeit ihrer Schwester zu verzweifeln droht, ereilt sie
eine ganz andere Katastrophe: Ihre Familienidylle fällt wie ein
Kartenhaus zusammen, ihr Mann läßt sie sitzen und zieht zu
seiner Sekretärin. Der starken Schulter ihres Angetrauten beraubt, muß sie nun sehen, wie sie zurechtkommt – und als einzige Gefährtin in dieser ungewohnten Situation bleibt ihr nur
noch ihre schlampige Schwester Mona. Spätestens jetzt hat Jutta
ein ernsthaftes Problem...

Fischer Taschenbuch Verlag

Hilla Janssen

Im Kühlschrank brennt
immer ein Licht

Roman

Band 13964

Ein Italiener muß es sein, ein glutäugiger Macho, der sie dennoch auf Händen trägt! Irmi weiß, was sie will, und tut, was sie nicht lassen kann: Nach abgeschlossener Lehre geht sie als Aupair-Mädchen nach Italien, in das Land, in dem bekanntlich schon der Taugenichts sein Glück suchte...Von »amore« keine Spur, die Gastfamilie völlig abgedreht: Irmi kratzt schon bald enttäuscht die Kurve und kehrt zurück nach München, wo sie sich am Dolmetscherinstitut einschreibt, um von der Pike auf Italienisch zu lernen. Eine turbulente Zeit beginnt und es dauert nicht lange, und Irmi verliebt sich Hals über Kopf in den Halbitaliener Nick, einen Macho, wie er im Buche steht. Der sympathische Chauvi denkt jedoch nicht im Traum an eine feste Beziehung und mimt den Stadtcasanova, während Irmi abends sehnsüchtig auf seinen Anruf wartet und frustriert den Kühlschrank plündert. Als Nick sich nach Rom absetzt, beschließt sie, dem Ladykiller gehörig eins auszuwischen und reist ihm kurzentschtschlossen nach.

Fischer Taschenbuch Verlag

fi 564 / 7